Cosmopolite
Méthode de français **B2**

Cahier d'activités

Émilie Mathieu-Benoit

Anaïs Dorey-Mater

Amélie Lombardini

FRANÇAIS LANGUE ÉTRANGÈRE

Crédits photographiques et droits de reproduction

Photos de couverture : © Nicolas Piroux (haut) ; © Getty images (bas)

Photos et documents de l'intérieur du manuel :
p. 29 : Les Américains à Paris © Gettyimages ; Rencontre F. Mitterrand et H. Kohl © Keystone-France/GAMMA-RAPHO ;
p. 70 : BD Quino © Joaquín S. Lavado (Quino)/Caminito S. a.s. Literary Agency.
Autres : © Shutterstock

Nous avons fait tout notre possible pour obtenir les autorisations de reproduction des documents publiés dans cet ouvrage. Dans le cas où des omissions ou des erreurs se seraient glissées dans nos références, nous y remédierons dans les éditions à venir.

Remerciements :
Nous remercions Anne Veillon-Leroux pour les activités de phonétique et la transcription phonétique des pages « Lexique » du livret.
L'éditeur remercie également Alice Reboul pour sa collaboration sur cet ouvrage.

Couverture : Nicolas Piroux
Conception graphique : Anne-Danielle Naname
Mise en page du cahier et du livret : pca cmb
Suivi éditorial : Françoise Malvezin/Le Souffleur de mots
Enregistrements audio, montage et mixage : Studio Quali'sons (David Hassici)
Maîtrise d'œuvre : Françoise Malvezin

Achevé d'imprimer en août 2024 par Macrolibros - Espagne
Dépôt légal : juin 2019 - Édition 06
30/5663/6

ISBN : 978-2-01-513570-0

© HACHETTE LIVRE, 2019
58, rue Jean Bleuzen, 92178 Vanves
http://www.hachettefle.fr

hachette s'engage pour l'environnement en réduisant l'empreinte carbone de ses livres. Celle de cet exemplaire est de :
0,600 kg éq. CO2
Rendez-vous sur
www.hachette-durable.fr

Le code de la propriété intellectuelle n'autorisant, aux termes des articles L. 122-4 et L. 122-5, d'une part, que « les copies ou reproductions strictement réservées à l'usage privé du copiste et non destinées à une utilisation collective » et, d'autre part, que « les analyses et les courtes citations » dans un but d'exemple et d'illustration, « toute représentation ou reproduction intégrale ou partielle, faite sans le consentement de l'auteur ou de ses ayants-droits ou ayant cause, est illicite ». Cette représentation ou reproduction, par quelque procédé que ce soit, sans autorisation de l'éditeur ou du Centre français de l'exploitation du droit de copie (20, rue des Grands-Augustins, 75006 Paris), constituerait donc une contrefaçon sanctionnée par les articles 425 et suivants du Code pénal.

SOMMAIRE

Le **cahier d'activités** *Cosmopolite 4* vous accompagne tout au long de votre apprentissage et vous permet d'approfondir les **compétences** et les **savoir-faire** acquis en classe selon une approche pédagogique actionnelle. Vous pourrez l'utiliser de manière autonome grâce aux exemples, aux **audio** et au livret des **corrigés et transcriptions**.

Cet ouvrage propose douze pages d'activités par dossier, en trois temps :

- **Nous nous évaluons** : à partir d'un **document sonore ou écrit**, vous pourrez évaluer votre progression et votre maîtrise des notions vues en classe, sur 20 points.
- **Nous pratiquons** : toujours en contexte, vous reprendrez de manière systématique les **focus langue grammaire, mots et expressions, phonétique** de chaque leçon.
- **Nous agissons** : résolument actionnelle, cette dernière partie vous propose des **stratégies d'apprentissage** pour l'oral et l'écrit ; vous y trouverez également une **activité de production** orale ou écrite en lien avec la stratégie proposée ou avec la thématique des leçons. Une **question ouverte** sur la langue et la culture vous est également proposée.

Les bilans scénarisés, le portfolio et l'épreuve DELF vous permettront d'évaluer votre apprentissage.

Avec le **cahier d'activités** de *Cosmopolite 4*, renforcez et pratiquez votre français en France et ailleurs, pour communiquer et agir en autonomie dans les situations de la vie quotidienne.

Bonne pratique !

Les auteurs

DOSSIER 1
- Leçons **1** et **2** .... page 4
- Leçons **3** et **4** .... page 10

DOSSIER 2
- Leçons **1** et **2** .... page 18
- Leçons **3** et **4** .... page 24

DOSSIER 3
- Leçons **1** et **2** .... page 32
- Leçons **3** et **4** .... page 38

DOSSIER 4
- Leçons **1** et **2** .... page 46
- Leçons **3** et **4** .... page 52

DOSSIER 5
- Leçons **1** et **2** .... page 60
- Leçons **3** et **4** .... page 66

DOSSIER 6
- Leçons **1** et **2** .... page 74
- Leçons **3** et **4** .... page 80

DOSSIER 7
- Leçons **1** et **2** .... page 88
- Leçons **3** et **4** .... page 94

DOSSIER 8
- Leçons **1** et **2** .... page 102
- Leçons **3** et **4** .... page 108

PORTFOLIO .... page 116

DELF B2 .... page 122

DOSSIER 1 > Leçons 1 et 2

Nous nous évaluons

> Découvrir un phénomène de mode et analyser notre rapport à la mode et aux vêtements

1. Lisez l'article d'un magazine. Faites les activités. Vérifiez votre score p. 1 du livret.

Mode de vie

Le marché de l'occasion ayant fait ses preuves, voilà que celui de la location de vêtements et accessoires de luxe est en plein boom. Ce nouveau mode de consommation faisant fureur outre-Atlantique va-t-il enfin séduire la France ? Yann Le Floc'h, le fondateur du site InstantLuxe.com, n'en doute pas et pense que cette tendance devrait s'installer.

Cet ambassadeur de la démocratisation des produits de luxe – dont le site revendique près d'un million de membres – propose depuis peu un service de location de sacs. « *La location de maroquinerie est rentrée dans les mœurs aux États-Unis. Je pensais que ce succès était la conséquence de la crise. Pas du tout, les études révèlent que les clientes sont pour la plupart aisées et préfèrent louer le dernier sac en vogue et le rendre pour en changer, plutôt que d'avoir à les entasser dans un dressing* », déclare l'entrepreneur français. Le gain de place est ainsi la première raison invoquée par ces cendrillons des temps modernes. « *Nous démarrons avec une vingtaine de modèles emblématiques, à partir de 10 euros par jour et avec un minimum de quatre jours de location.* » Un prix séduisant auquel s'ajoutent 20 euros pour l'assurance et le transport, pour recevoir chez soi (puis renvoyer) son sac Dior, Chanel, Céline ou Yves Saint Laurent.

Pour les grandes occasions aussi, la location peut être une solution pour limiter les coûts tout en s'offrant une belle pièce pour le jour J. *Graine de coton* est spécialisée dans les robes de mariées. La boutique accueille les futures épouses sur rendez-vous. En vitrine ? Des robes chics signées Lanvin, Rime Arodaky, Celestina Agistino, Jenny Packham à louer pour quelques centaines d'euros. Et pour le quotidien, on se tourne vers l'Habibliothèque. Disposant d'un catalogue de plus de 2 500 pièces, plutôt branchées et dernier cri, l'Habibliothèque apparaît comme le Netflix de la mode. Ce site propose de renouveler en permanence son dressing avec des fringues de créateurs à prix accessible. En pratique, pour 149 euros par mois, la maison permet d'emprunter des pièces pour une durée illimitée. Une offre qui attire une génération Y friande de nouveautés et habituée à consommer sans posséder.

a. Choisissez un titre pour l'article. Cochez.

☐ 1. Renouveler sa garde-robe en dépensant peu
☐ 2. L'essor des vêtements et accessoires de luxe à louer
☐ 3. Le succès de l'occasion

b. Vrai ou faux ? Répondez et justifiez avec un extrait de l'article.

1. Yann Le Floc'h est confiant sur l'avenir de la location de vêtements en France. ☐ Vrai ☐ Faux
Justifiez : ....

2. Les Américains ne sont pas habitués à louer des sacs. ☐ Vrai ☐ Faux
Justifiez : ....

3. *Graine de coton* propose des pièces haut de gamme. ☐ Vrai ☐ Faux
Justifiez : ....

4. L'Habibliothèque est spécialisé dans le vintage. ☐ Vrai ☐ Faux
Justifiez : ....

5. L'Habibliothèque propose des vêtements de créateurs. ☐ Vrai ☐ Faux
Justifiez : ....

D1 – Nous nous intéressons aux modes et tendances

c. Quelles sont les raisons de cette nouvelle tendance ? Cochez.

☐ 1. Économiser de l'argent.
☐ 2. Économiser de l'espace.
☐ 3. Une conséquence de la crise économique.
☐ 4. La mode de l'économie de partage.

d. Trouvez les phrases ou expressions de même sens dans l'article.

1. Le marché de l'occasion a eu du succès avant celui de la location de vêtements et accessoires : ....
....

2. qui a un énorme succès aux États-Unis : ....

3. et s'offrir en même temps une belle tenue : ....

4. qui adore le changement : ....

Mon score ....../10

Découvrir un mode de consommation alimentaire

2. Écoutez l'émission de radio. Faites les activités. Vérifiez votre score p. 1 du livret.

a. 🎧 002 Écoutez la première partie de l'émission. Cochez les modes alimentaires dont parle le journaliste.

1 ☐   2 ☐   3 ☐   4 ☐

b. 🎧 003 Écoutez la deuxième partie de l'émission. Complétez la fiche informative du régime alimentaire.

Comment s'appelle-t-il ? ....
D'où vient-il ? ....
En quoi consiste-t-il ? ....
Quels seraient les bienfaits ? ....
Qui sont les principaux adeptes ? ....

c. Qui donne les arguments suivants : un opposant (O) ou un défenseur (D) du régime ? Cochez.

1. C'est une illusion de penser qu'on peut guérir une maladie avec ce type de régime.   ☐ O   ☐ D
2. Les propriétés énergétiques diminuent quand on fait cuire un aliment.   ☐ O   ☐ D
3. La cuisson apporte certains bienfaits.   ☐ O   ☐ D
4. On peut lutter contre le cancer.   ☐ O   ☐ D
5. Ça augmente les capacités physiques.   ☐ O   ☐ D

d. Expliquez le jeu de mots du journaliste : « Plongée au cœur d'un régime dernier cru ».

....
....
....

Mon score ....../10

cinq 5

Nous pratiquons > GRAMMAIRE

Le participe présent et l'adjectif verbal pour caractériser

3. Lisez l'article du blog. Entourez en bleu les participes présents, en rouge les adjectifs verbaux et en vert le gérondif.

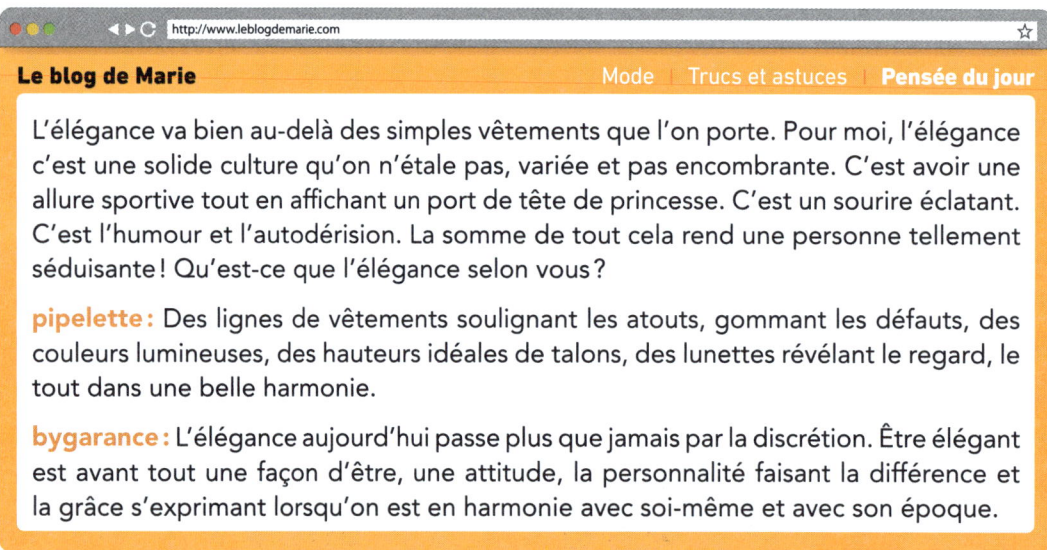

Le blog de Marie — Mode | Trucs et astuces | **Pensée du jour**

L'élégance va bien au-delà des simples vêtements que l'on porte. Pour moi, l'élégance c'est une solide culture qu'on n'étale pas, variée et pas encombrante. C'est avoir une allure sportive tout en affichant un port de tête de princesse. C'est un sourire éclatant. C'est l'humour et l'autodérision. La somme de tout cela rend une personne tellement séduisante ! Qu'est-ce que l'élégance selon vous ?

pipelette : Des lignes de vêtements soulignant les atouts, gommant les défauts, des couleurs lumineuses, des hauteurs idéales de talons, des lunettes révélant le regard, le tout dans une belle harmonie.

bygarance : L'élégance aujourd'hui passe plus que jamais par la discrétion. Être élégant est avant tout une façon d'être, une attitude, la personnalité faisant la différence et la grâce s'exprimant lorsqu'on est en harmonie avec soi-même et avec son époque.

Le participe composé pour exprimer l'antériorité

4. Complétez ces fausses informations avec le participe composé des verbes suivants :

adopter – consommer – passer – s'offrir – porter – devenir – inscrire

1. La mode hipster ...., les barbiers se retrouvent au chômage.
2. .... un sac Hermès, elle cesse de payer son loyer.
3. .... entièrement végétarienne, la France offre des reconversions professionnelles aux bouchers.
4. Le ministre de la Santé .... un régime vegan, demande à tous les membres du gouvernement de faire de même.
5. Les personnes .... deux fois moins de viande rouge que l'année dernière recevront une prime de 200 euros à Noël.
6. .... de très hauts talons pendant des années, elle subit une opération chirurgicale pour pouvoir poser ses pieds à plat sur le sol.
7. Sa femme l' .... à un stage de découverte de veganisme pour Noël, il la quitte.

5. 🎧 004 Écoutez les témoignages. Complétez le résumé de l'émission en reformulant les causes. Utilisez le participe présent ou le participe composé.

Pourquoi sont-ils devenus végétariens ?

1. ....,
2. ....,
3. ....,
4. ....,
5. ....,
6. ....,

ils ont arrêté de consommer de la viande.

D1 – Nous nous intéressons aux modes et tendances

Le futur antérieur pour exprimer l'antériorité dans le futur

6. a. Entourez l'action qui est antérieure à l'autre.
Exemple : *s'offrir une belle paire de chaussures – recevoir ma prime (je)*

1. avoir ton salaire – acheter de nouveaux vêtements (tu)
2. ne plus acheter de vêtements et de chaussures en cuir – devenir vegan (nous)
3. trouver un bon tatoueur – se faire tatouer (elle)
4. être en meilleure santé – adopter un régime alimentaire plus sain (vous)
5. acheter des produits sains – trouver un supermarché bio abordable (je)
6. décrocher un poste de cadre – devoir porter des tenues formelles (il)

b. Écrivez des phrases avec les actions de l'activité **6a** en utilisant le futur simple et le futur antérieur.
Exemple : *Je m'offrirai une belle paire de chaussures quand j'aurai reçu ma prime.*

1. ....
2. ....
3. ....
4. ....
5. ....
6. ....

7. a. Complétez les prévisions sur les modes de consommation de demain. Conjuguez un verbe au futur simple et l'autre au futur antérieur.

1. Nous .... (réduire) la consommation de viande parce que nous .... (prendre) conscience que c'est un enjeu pour la planète.
2. On .... (consommer) les légumes frais, locaux et de saison car les municipalités .... (installer) des potagers urbains dans tous les quartiers.
3. Comme la population mondiale .... (augmenter fortement), les insectes et les micro-algues .... (envahir) nos assiettes.
4. Les supermarchés .... (vendre) les produits à l'unité ou en vrac parce qu'on .... (interdire) tous les emballages inutiles.
5. Les gens ne .... (se déplacer) plus pour faire les courses car les urbanistes .... (aménager) des espaces de livraison pour drones dans chaque habitation.
6. L'empreinte digitale .... (remplacer) la carte de fidélité et la carte bancaire car on .... (équiper) tous les ordinateurs de terminaux de paiement biométriques.

b. Par deux. À l'oral. Parmi les prévisions de l'activité **7a**, lesquelles vous semblent probables ? Peu probables ? Justifiez.

8. Soulignez la forme correcte et écrivez la suite du texte avec le futur et le futur antérieur.

2120. Je me lèverai / serai levé tôt comme d'habitude, j'avalerai / aurai avalé deux gélules de compléments alimentaires en guise de petit déjeuner et je prendrai / j'aurai pris une douche à poussières d'eau. Une fois que j'enfilerai / aurai enfilé ma combinaison connectée et que je mettrai / aurai mis mon casque de réalité virtuelle, je serai / aurai été prêt pour commencer ma journée. ....
....
....

Nous pratiquons > MOTS ET EXPRESSIONS

Parler de l'apparence et de la tenue vestimentaire

9. a. Écrivez le nom du style sous chaque photo. Choisissez dans la liste suivante :

rock – kawaii – hippie chic – BCBG (bon chic bon genre) – boyfriend – sport chic.

1

2

3

b. Entourez les mots corrects dans les descriptions des photos de l'activité 9a.

1. Vous êtes classique / moderne, élégante et décontractée / apprêtée. Vous portez un pantalon avec une blouse blanche et une paire d'escarpins vernis / vintage aux pieds. Un sac à main Longchamp / un foulard Hermès complète votre tenue.

2. Vous êtes sexy / classique sans le dire. Tout en privilégiant l'esthétique / le confort, votre look est travaillé. Vous êtes inspirée par les années 1970. Un panier / une pochette au bras, une chemise blanche qui laisse voir les épaules, une minijupe / une jupe longue souple unie / à fleurs, une chaîne discrète à la cheville, des sandales à talons / plates : tout y est.

3. Vous vous habillez avec des couleurs sombres / claires de préférence. Vous portez un blouson de moto avec un jean habillé / déchiré. Il ne faut surtout pas que vos vêtements semblent neufs / usés ! Comme bijou / accessoire, vous choisissez un gros sac en cuir / coton noir.

Parler des modes et des régimes alimentaires

10. 🎧 005 Écoutez les témoignages. Complétez les mots manquants.

1. Berny est _ _ _ _ _ _ _ _ _ I _N.
2. Lisa a adopté un _ _ _ _ DE _ _ _ 100 % _ _ _ _ _ _ L.
3. Le docteur Dujol indique que certains patients sont _ _ _ _ _ _ _ _ _ TS ou _ _ _ _ _ _ _ _ U _ S au gluten.
4. Lauren est _ _ _ _ _ _ _ _ _ _ E.
5. Pour sa famille, Nicolas privilégie les aliments issus de l' _ _ _ _ _ _ _ _ _ R _ biologique cultivés sans produits _ _ I _ _ _ _ _.
6. Hinda a son _ _ _ _ _ E _ personnel et elle privilégie les _ _ _ _ _ _ TS courts en achetant des produits de sa _ _ _ _ O _.

11. Barrez l'intrus.

1. régime – mode alimentaire – mode de vie
2. soja – œuf – miel
3. végétalien – végétarien – flexitarien
4. produire – manger – consommer
5. intolérant – résistant – allergique
6. cuir – coton – fourrure

D1 – Nous nous intéressons aux modes et tendances

Nous agissons

Stratégie : Capter l'attention de son public à l'oral

12. Lisez les procédés pour capter l'attention à l'oral.

> 1. Les premières minutes sont fondamentales. Trouvez une bonne accroche en racontant une anecdote, en posant une question, en présentant une statistique récente pour surprendre.
>
> Exemple : *Je vais vous lire une citation. Écoutez : « N'achetez pas juste pour le plaisir de le faire. Je pense que les gens ne devraient pas investir dans la mode, mais investir dans le monde. » Alors, à votre avis, qui a prononcé ces paroles ? Un militant écologiste ? Un anticapitaliste ? Eh bien, non. C'est Vivienne Westwood, la créatrice britannique ! La mode est-elle encore à la mode ? Est-ce la fin de la mode ?*
>
> 2. Faites des phrases courtes, adoptez un vocabulaire clair et précis.
> 3. Parlez de ce que votre public connaît, donnez-lui des exemples concrets.
> 4. Attirez son attention en interpellant votre public par des questions.
>
> Exemples : « *Savez-vous que… ?* », « *Connaissez-vous… ?* », « *Pouvez-vous imaginer que… ?* », « *Avez-vous entendu parler de… ?* », « *Vous est-il déjà arrivé de… ?* »
>
> 5. Jouez avec la voix, le rythme, l'intonation.
> Si vous avez naturellement tendance à parler vite, ralentissez le débit !

a. Indiquez le numéro du procédé pour chaque titre.

Adapter son discours → Procédé n° ....

Donner du relief à sa présentation → Procédé n° ....

Accrocher son public → Procédé n° ....

Interpeller son public → Procédé n° ....

Être compréhensible de tous → Procédé n° ....

b. À l'oral. Présentez votre phrase d'accroche sur le sujet suivant : Demain, tous vegans ?

Production orale

13. Présentez la tendance décrite dans le documentaire. Utilisez les procédés pour capter l'attention de votre public. Enregistrez-vous.

> **Vu à la télé !**
>
> **Documentaire Tattoos – Tous tatoués ! (56 min)**
>
> En moins de trente ans, le tatouage est passé de l'ombre à la lumière et est devenu un art populaire. En dessinant les contours d'un milieu artistique toujours en pleine mutation, Tattoos nous emmène à la rencontre des principaux acteurs de l'univers du tatouage, ceux qui ont permis sa popularisation. Il propose une réflexion actuelle et nouvelle sur une pratique à la frontière du rituel, de l'œuvre d'art et du phénomène de société.

Approche interculturelle

14. 🎧 006 Écoutez la chronique d'une radio française.
   a. Présentez les informations principales de ce vêtement.
   b. Quel vêtement ou accessoire est un symbole fort dans votre pays ? Expliquez son évolution.
   c. Enregistrez votre chronique et partagez-la avec la classe.

DOSSIER 1 > Leçons 3 et 4

Nous nous évaluons

Décrire un mode de vacances

1. 🎧 007 Écoutez une émission de radio. Faites les activités. Vérifiez votre score p. 2 du livret.

a. Lisez l'annonce de l'émission. Soulignez les cinq erreurs et corrigez-les à l'écrit.

> **Radiomauve.fr**
>
> **Partir**
>
> Partir en novembre, c'est la promesse de faire des économies et d'avoir beaucoup d'animations sur son lieu de vacances, tout en bénéficiant d'une météo toujours clémente. Les couples qui ne travaillent pas sont de plus en plus nombreux à partir à ce moment-là. Cette tendance n'est pourtant pas si nouvelle. En effet, cela fait longtemps que les Italiens et les Espagnols la pratiquent. Notre journaliste explique ce phénomène avec son invité Yvan Bollet, sociologue.

1. ....
2. ....
3. ....
4. ....
5. ....

b. Relevez des expressions qui parlent de :

   a. l'évolution de cette tendance

    1. ....
    2. ....

   b. l'évolution du moyen-courrier

c. Répondez à la question.

Pourquoi les tours opérateurs français sont-ils surpris de trouver des hôtels pleins dans les îles grecques en septembre ?

....

....

d. Qu'exprime votre réponse à l'activité **1c** ? Cochez la bonne réponse.

1. ☐ Une concession.   2. ☐ Une opposition.   3. ☐ Une conséquence.

e. L'émission présente le profil des septembristes. À votre tour, présentez le profil des juillettistes (les personnes qui partent en vacances en juillet). Qui sont-ils ? Où et quand partent-ils ? Pourquoi ? Que font-ils ?

Les juillettistes : ....

Mon score ...... /10

D1 – Nous nous intéressons aux modes et tendances

Introduire un texte explicatif

2. Lisez l'introduction d'un article de magazine. Faites les activités. Vérifiez votre score p. 2 du livret.

Société

Tendance

Il a entre 25 et 35 ans, a grandi avec Internet, appartient à la génération Y, est né entre 1980 et 2000. Il poursuit ses études ou commence à travailler. Par contre, pour lui, gagner un salaire, c'est surtout avoir plus d'argent de poche pour partir en voyage, où il veut, quand il veut, ou sortir avec ses amis. Malgré son âge, il continue à habiter chez papa maman ou en colocation. Son mode de consommation : les bons plans sur Internet. Sa passion ? Les séries télévisées de son adolescence qu'il regarde en streaming et les jeux vidéo en ligne. De toute évidence, il n'est pas pressé de rentrer dans la vie d'adulte. Contrairement à ses parents, il ne sera peut-être jamais propriétaire à cause de la situation économique et ne fera probablement pas carrière au sein de la même entreprise.

Autrefois, tout semblait bien clair : il y avait d'un côté le monde des adolescents, de l'autre le monde des adultes. Aujourd'hui, la limite est plus floue au point qu'un nouveau mot est né pour traduire cette fusion, voire cette confusion, entre l'âge adulte et l'adolescence : c'est l'adulescence… Faut-il s'amuser ou s'inquiéter de l'importance de ce phénomène de société ?

En fait, à travers ce comportement, tout porte à croire que bien que l'adulescent soit un jeune adulte, il refuse de s'assumer comme tel. Il affiche même ce refus presque comme une revendication politique dont le slogan serait « refus de grandir » et se réfugie dans une jeunesse éternelle.

a. Quelle est la nature de l'introduction ? Cochez la bonne réponse.

1. ☐ Un texte argumentatif. 2. ☐ Un texte explicatif. 3. ☐ Un texte injonctif.

b. Associez chaque paragraphe de l'introduction à sa fonction.

Paragraphe 1 •   • Illustration du sujet par une scène de la vie quotidienne
Paragraphe 2 •   • Premiers éléments de réponse à la problématique
Paragraphe 3 •   • Présentation de la problématique

c. Cochez le titre de l'introduction.

1. ☐ Les adulescents, un phénomène de mode
2. ☐ Les adulescents : adolescents attardés ou adultes régressés ?
3. ☐ Adulescents, il est temps de grandir !

d. Complétez le profil de l'adulescent avec des extraits de l'introduction.

Profil de l'adulescent

Ses contradictions : 1. ....
2. ....

Son rapport à l'argent : ....

La différence avec ses parents : ....

Sens du mot adulescent : ....

Mon score ...../10

Nous pratiquons > GRAMMAIRE

Exprimer l'opposition et la concession

3. Écrivez une seule phrase avec les éléments proposés. Faites les transformations nécessaires.

1. Des villes du bord de mer souffrent du tourisme. Des bateaux de croisière envahissent leurs ports chaque été. (bien que)
   ....

2. Karina a un certain confort financier. Elle refuse de partir en vacances. (malgré)
   ....

3. Louise aime partir en vacances en été. Victor préfère la basse saison. (alors que)
   ....

4. La mode passe. Le style ne se démode jamais. (en revanche)
   ....

5. Elle se dit écolo. Elle prend des long-courriers à chaque période de vacances ! (pourtant)
   ....

6. Le vinyle a une très bonne qualité de son. Le CD n'a pas une très bonne qualité de son. (contrairement à)
   ....

4. Entourez l'expression correcte.

1. Bien que / Même si la France soit un pays très touristique, de nombreux Français n'en connaissent pas les hauts lieux.
2. Les Français préfèrent rester en France pour les vacances tandis que / cependant leurs voisins allemands choisissent de partir à l'étranger.
3. L'heure est à la digitalisation pourtant / alors que le disque vinyle connaît un grand succès auprès des jeunes.
4. Malgré / En revanche leur jeune âge, les nouveaux consommateurs s'intéressent de plus en plus à la culture vintage.
5. Je préfère rester chez moi pendant les vacances contrairement / par contre à toi.
6. Le rétro et le vintage sont très tendance cependant / tandis que ce phénomène ne touche pas toutes les générations.
7. Avant, seuls les sportifs portaient un bas de jogging alors que / toutefois aujourd'hui, il remplace le jean et se porte avec des boots.

5. Lisez les caractéristiques des deux générations. Écrivez six phrases avec des expressions de l'opposition et de la concession.

	Le baby-boomer	Le millennial
Âge	entre 54 et 72 ans	entre 18 et 30 ans
Niveau de vie	a bénéficié de la croissance économique.	a grandi avec la crise économique.
Emploi	a trouvé un emploi facilement. **Remarque** : il n'était pas forcément qualifié.	doit se former plus longtemps pour espérer trouver un emploi.
Chômage	n'a pas connu le chômage.	connaît ou connaîtra le chômage. **Remarque** : il est souvent très qualifié.
Logement	propriétaire	locataire ou colocataire

1. ....
2. ....
3. ....
4. ....
5. ....
6. ....

D1 – Nous nous intéressons aux modes et tendances

Les conjonctions pour exprimer un rapport temporel

6. 🎧 008 Écoutez les phrases. Qu'expriment-elles ? Cochez la bonne réponse.

	1	2	3	4	5	6
Antériorité						
Simultanéité						
Postériorité						

7. Réécrivez les phrases avec les conjonctions suivantes. Faites les transformations nécessaires.

jusqu'à ce que – dès que – en même temps que – lorsque – après que – au moment où

1. Les juillettistes rentrent de vacances et, au même moment, les aoûtiens partent : c'est le fameux chassé-croisé des vacances d'été !

....

....

2. Je choisis des tenues originales quand je fête le réveillon du jour de l'an avec mes amis.

....

3. Tout en affichant une élégance extérieure et intérieure, le sapeur cherche à produire un effet sur son public.

....

4. Je ne faisais pas beaucoup attention à mon style vestimentaire avant de devenir cadre dans une entreprise française.

....

5. C'est l'ouverture des soldes. Immédiatement, des files gigantesques se forment devant les grands magasins.

....

6. Le début des années 1960 a marqué l'émancipation des femmes. Puis elles ont porté des minijupes et revendiqué leur liberté.

....

8. Écrivez des phrases avec les éléments proposés. Attention aux temps et aux modes.

1. Prendre conscience des conséquences négatives sur l'environnement – les gens – après que – limiter les déplacements en avion – ils (temps du futur)

....

....

2. Trouver un vol low-cost – venir te rendre visite – j' – je – dès que (temps du futur)

....

3. Ne jamais partir en vacances au ski – avoir des enfants – jusqu'à ce que – j' – je (temps du passé)

....

4. Avant que – voyager dans des régions tropicales – nous – notre médecin – toujours s'assurer de la mise à jour de nos vaccins (temps du présent)

....

....

5. l'avion – décoller – Nicolas – être très stressé – au moment où (temps du passé)

....

treize 13

Nous pratiquons > MOTS ET EXPRESSIONS

Parler des vacances

9. a. Entourez douze mots liés aux vacances.

porezaestivantpoutrgfvjhcroisièrejhfhdgdfbalnéairejghgfgrdplagegrdeabnjibronzerazerwxcséjourpm
lkivillégiaturetrdsableqezsaqdestinationapeotuhgvbhôtelieruhrdsxcdétentenuyraapoikjnbaigneréàçbnwx

b. Complétez le dialogue avec dix mots de l'activité **9a**.

— Tu es parti où cet été ?

— À Pula. Une petite station .... familiale en Sardaigne. On y est allés pour la ....
Tu sais, les enfants adorent ça : s'amuser dans le ...., se .... dans la mer…
Et moi j'aime bien .... Le farniente, tu vois… la ....! Et toi ?

— Nous, on a fait une .... en Méditerranée d'une semaine puis un .... de deux
semaines dans un complexe .... à Majorque. On s'est bien amusés.

— Majorque ! C'est tendance comme ...., dis-moi !

10. Complétez la grille de mots croisés avec les réponses aux définitions.

Horizontalement

1. Séjour de repos dans un lieu de plaisance.
2. Brunir grâce à l'action du soleil sur la peau.
3. Déplacement en avion.
4. Personne qui quitte un pays pour un autre.
5. Relaxation.
6. Fait de passer du temps quelque part.

Verticalement

7. Bain dans la mer, dans un lac ou une rivière pour le plaisir.
8. Navigation pratiquée pour le loisir.
9. Voyage touristique effectué en bateau.
10. Personne qui voyage pour son plaisir.
11. Personne qui passe les vacances d'été dans une station de villégiature.

Phonétique : Le caractère expressif d'un énoncé

11. 🎧 009 **a.** Écoutez et indiquez si la phrase est très expressive ou peu expressive. Cochez.

Exemple 1 : « Partir en vacances au bord de la mer, c'est une destination tellement classique ! »
Exemple 2 : « La mode du vintage s'est répandue en quelques années. »

	Ex. 1	Ex. 2	1	2	3	4	5	6
Phrase très expressive	✗							
Phrase peu expressive		✗						

b. Répétez les phrases très expressives et dites quelle(s) syllabe(s) marque(nt) l'expressivité.

Exemple 1 : « Partir en vacances au bord de la mer, c'est une destination **tellement** classique ! »

D1 – Nous nous intéressons aux modes et tendances

Nous agissons

Stratégie : Améliorer sa production écrite

12. a. Lisez les deux versions des phrases. Entourez les différences.

1. Il y a des différences de tarif entre la haute et la basse saison. →	1. Il existe des différences de tarif entre la haute et la basse saison.
2. Les gens se retrouvent sur les plages en été. →	2. Les touristes se retrouvent sur les plages en été.
3. Je suis contre le tourisme de masse. →	3. Je m'oppose au tourisme de masse.
4. Aimant bien les sports nautiques, Lucie a un voilier, un paddle et une planche à voile. →	4. Passionnée de sports nautiques, Lucie possède un voilier, un paddle et une planche à voile.
5. Les personnes pour un tourisme responsable disent que cela permet de préserver la nature. →	5. Les défenseurs d'un tourisme responsable affirment que cette manière de voyager permet de préserver la nature.

b. Cochez les transformations que vous observez entre les deux versions.

On remplace :

☐ des verbes comme *être*, *avoir*, *faire*, *aimer*, *dire*, *penser*.
☐ des adjectifs comme *petit*, *grand*, *beau*.
☐ des expressions comme *il y a*, *c'est*, *être pour* ou *être contre*.
☐ des noms comme *gens*, *personnes*, *choses*.
☐ des adverbes comme *bien*, *mal*, *beaucoup*.
☐ des pronoms comme *cela*, *ceci*, *ça*.

c. Réécrivez le texte suivant. Faites des transformations pour l'améliorer.

Il y a beaucoup de gens qui viennent passer leurs vacances d'été à Porticcio, c'est populaire.
L'été, il y a 50 000 personnes alors que Porticcio n'a que 3 000 habitants l'hiver.
Le problème, c'est qu'il y a bien plus de déchets à traiter.

....
....
....

Production écrite

13. Rédigez la présentation de l'émission de télévision. Utilisez les conseils donnés dans l'activité **12** pour améliorer votre production écrite.

Vu sur Arte !

Reportage

Tendance rétro : les jeunes fans du passé

Approche interculturelle

14. Lisez la recette des vacances vintage à la française. Écrivez la recette de vacances vintage de votre pays. Comparez avec la classe.

– Louez une deux chevaux.
– Empruntez la route nationale 7 pour descendre sur la Côte d'Azur.
– Séjournez au camping *L'œil dans le rétro*.
– Plantez votre tente orange et bleu.
– Sortez la table de pique-nique recouverte d'une nappe à carreaux rouges et blancs.

quinze **15**

BILAN 1

Nous nous intéressons aux modes et tendances

Compréhension écrite

1 Vous lisez cet article dans un quotidien français.

Les régimes « sans », une mode ou un remède ?

Sans lait, sans sucre, sans gluten… De plus en plus de personnes choisissent de supprimer un aliment de leur alimentation. Mais sauf intolérance, ces rejets ont-ils un intérêt médical ?

Les régimes « sans » sont à la mode : pour certains il s'agit simplement de se sentir mieux, pour d'autres d'écarter des aliments qui seraient mauvais pour la santé. Selon Claude Fischler, sociologue, les individus de nos sociétés développées s'écarteraient de plus en plus des règles portées par la famille, la profession, la religion… *« Mais avec l'autonomie, il faut faire des choix. Vous devenez responsable de votre santé et de votre bien-être. »* Des choix souvent difficiles parce que les conseils, les prescriptions et autres avertissements sur l'alimentation sont nombreux.

Le lait de vache est un aliment qui a mauvaise réputation depuis plusieurs années, même si aujourd'hui il semble que la méfiance se porte plus sur le gluten. L'affirmation *« le lait, c'est fait pour les veaux et pas pour les humains adultes »* est fondée sur une réalité scientifique. À l'âge adulte, l'humain perd la lactase, une substance chimique qui permet de digérer le lait. Cela ne signifie pas pour autant qu'il est intolérant au lactose, car certains boivent sans problème un bol de lait. *« Ils peuvent même en boire plus, à condition de le boire en plusieurs fois et en petite quantité »*, précise le professeur Jean-Louis Bresson, pédiatre à l'hôpital Necker à Paris. Les spécialistes s'inquiètent pourtant de la tentation de supprimer tout produit laitier en s'estimant intolérant au lactose, les produits laitiers étant une source de protéines et de calcium nécessaires à la santé.

Une peur en remplaçant une autre, le renoncement au lait semble aujourd'hui dépassé par le refus du gluten. Mais son rejet de nos assiettes alarme moins les médecins. *« Cela peut être triste de supprimer pâtes et pizzas, mais sur le plan alimentaire, c'est souvent sans conséquences »*, affirme Jacques Fricker, médecin nutritionniste. Le régime sans gluten est en revanche indispensable pour le 1 % de la population qui souffre d'une réelle intolérance au gluten. Cette maladie provoque une destruction de certaines parties du système digestif. La mode du « no glu » aura eu un seul avantage : augmenter le nombre de produits utiles pour ces malades.

D'après www.sante.lefigaro.fr

Répondez aux questions.

1. Pourquoi certaines personnes choisissent-elles des régimes « sans » ? *(Deux réponses.)*

2. Dites si l'affirmation est vraie ou fausse en cochant (x) la case correspondante et citez le passage du texte qui justifie votre réponse.

De nos jours, la diffusion de l'information aide le consommateur à savoir ce qu'il peut consommer. ☐ Vrai ☐ Faux

3. Selon les spécialistes, le lait est…
   a. inutile   b. important   c. dangereux   … pour la santé.

4. Que pense le nutritionniste Jacques Fricker de la mode du « sans gluten » ?

5. Quel est l'intérêt de la mode du « sans gluten » ?

Compréhension orale

2 🎧 010 **Vous écoutez une émission à la radio sur une nouvelle tendance. Répondez aux questions.**

1. Qu'est-ce que l'« upcycling » ou le « surcyclage » ?
   ....

2. Citez deux avantages de l'upcycling pour les créateurs de mode selon Jean-François Nicolaï.
   ....
   ....

3. Quelles observations Anaïs Dautais Warmel a-t-elle faites pendant son séjour au Brésil ?
   a. L'écologie était une préoccupation mineure.
   b. Les Brésiliens préféraient acheter des vêtements neufs.
   c. Le recyclage de vêtements était une pratique courante.

4. Pourquoi Anaïs Dautais Warmel a-t-elle choisi de faire de l'upcycling ?
   ....

5. Selon Anaïs Dautais Warmel, quelle est la base de la mode circulaire ?
   a. Des partenariats avec d'autres pays.
   b. La réutilisation de matériaux usagés.
   c. Un échange entre le créateur et le client.

6. Quel est le problème des produits issus de l'upcycling, selon le journaliste ?
   ....

7. D'après Anaïs Dautais Warmel, qu'inclut le prix des vêtements « upcyclés » ?
   ....

Production orale

3 **Un ami vous demande de l'aider à choisir un cadeau pour sa cousine. Vous essayez de le convaincre de l'intérêt de consommer d'occasion en lui présentant les avantages de cette pratique et en lui donnant des exemples concrets. (3 à 4 minutes environ)**

Production écrite

4 **Vous lisez l'annonce suivante sur un site Internet.**

> L'agence « Vacances 2.0 » réalise un sondage, afin de proposer des vacances innovantes qui vous correspondent. Quelles sont les vacances les plus originales que vous aimeriez vivre ?
> Écrivez vos idées à l'adresse **vacances-originales@gmail.com**

Vous écrivez un mél au directeur de l'agence de voyages pour lui proposer vos idées et le convaincre de mettre en place un nouveau mode de vacances. (250 mots minimum)

DOSSIER 2 > Leçons 1 et 2

Nous nous évaluons

Parler du passé avec précision

1. 🎧 011 Écoutez l'interview de Golshifteh Farahani sur une radio française. Faites les activités. Vérifiez votre score p. 5 du livret.

a. Répondez aux questions.

1. Quels sont les talents artistiques de Golshifteh Farahani ?
.... et ....

2. Que représentent ces trois pays dans la vie de Golshifteh Farahani ?
   La France : ....
   L'Iran : ....
   Les États-Unis : ....

3. Où vit-elle à présent ? ....

b. Vrai ou faux ? Cochez et justifiez avec un extrait de l'interview.

1. Avant son expérience à Hollywood, sa vie était plus ordinaire. ☐ Vrai ☐ Faux
   Justifiez : ....

2. Sa vie d'enfant a souvent été solitaire. ☐ Vrai ☐ Faux
   Justifiez : ....

3. Elle a voyagé seulement à l'âge adulte. ☐ Vrai ☐ Faux
   Justifiez : ....

4. Elle a vécu en France. ☐ Vrai ☐ Faux
   Justifiez : ....

c. Pour chaque groupe de propositions, indiquez celle qui se passe avant (1) et celle qui se passe après (2). Justifiez avec un extrait de l'interview.

1. ☐ Partir pour la France   ☐ S'installer au Portugal
Justifiez : ....

2. ☐ Quitter son pays   ☐ Être sélectionnée dans une école à Vienne
Justifiez : ....

d. Complétez la présentation de l'émission de radio.

> **Invitée du jour :** Golshifteh Farahani
>
> **Profession :** actrice et chanteuse
>
> **Pays de travail :** Iran, États-Unis, France, etc.
>
> **Son parcours :** Alors que ses parents la destinaient à la musique, la jeune Golshifteh a finalement choisi le cinéma. Après .... et avant de ...., sa carrière a pris une dimension internationale. Grâce aux trois langues ...., elle a su développer un don unique pour communiquer et elle sait savourer la musicalité des langues dans ses différents rôles.

Mon score ..../10

D2 – Nous parlons d'histoire et de mémoire

Décrire un métier et présenter une évolution de la société

2. Lisez l'article d'un magazine économique. Faites les activités. Vérifiez votre score p. 5 du livret.

Entrevue

Certains experts craignent que la robotisation aboutisse à la destruction d'un emploi sur deux. Nicolas Bouzou, directeur de la société d'analyse économique Asteres, ne croit pas à ce scénario.

Bill Gates a déclaré qu'un impôt était nécessaire pour accompagner le phénomène de destruction d'emplois provoqué par la robotisation dans de nombreux secteurs... Pensez-vous aussi que la robotisation aboutira à des destructions d'emplois plus importantes que les créations ?

Nicolas Bouzou : Non. Des pertes d'emplois, oui, mais une baisse globale des emplois, non. En effet, à chaque moment de l'histoire, il y a eu un phénomène de « destruction créatrice » qui a mené à la création plutôt qu'à la destruction d'emplois. Jusqu'ici, toutes les théories sur la « fin du travail » ne se sont pas réalisées. Selon moi, une taxe sur les robots représenterait un réel handicap et surtout moins de compétitivité pour les entreprises françaises. Imaginez une taxe sur les machines au 19e siècle, pendant la Révolution industrielle !

D'accord, mais à cette époque, les machines industrielles n'étaient pas aussi efficaces que les robots d'aujourd'hui et, si elles aidaient à gagner en productivité, elles ne remplaçaient pas autant de travailleurs que les robots hyperpuissants d'aujourd'hui !

Nicolas Bouzou : Vous faites une erreur ! Prenons un exemple : autrefois, des femmes triaient les pommes de terre. Elles occupaient souvent le poste qu'une autre femme avait dû abandonner tant les conditions de travail étaient dures et les blessures fréquentes. Puis des machines les ont remplacées et elles ont aussi créé des besoins nouveaux. De nouveaux postes de techniciens, ingénieurs, etc., ont été créés et tout le secteur de la pomme de terre s'est transformé. Et cela continue : par exemple, on cherche de nouvelles façons de produire pour que la taille des pommes de terre soit toujours la même et s'adapte aux préférences des consommateurs. Il faut donc bien réfléchir à cette idée de perte d'emplois : l'emploi change, il ne disparaît pas.

---

a. Choisissez le titre de l'article. Cochez et justifiez votre choix.

☐ 1. Une taxe sur les robots qui remplacent des travailleurs

☐ 2. Débat sur la destruction réelle d'emplois par les robots

☐ 3. Il faut tout faire pour assurer la compétitivité des sociétés françaises !

Justifiez : ....

b. Répondez aux questions.

1. Quelle est la profession disparue citée dans l'article ? ....
2. Définissez-la en une phrase. ....

c. Numérotez dans l'ordre chronologique les différentes étapes de la disparition de la profession citée.

☐ Les employées sont remplacées par des machines.

☐ De nouveaux postes de travail plus qualifiés sont créés.

☐ Les employées ne restent pas longtemps sur le poste de travail.

☐ Le métier est difficile physiquement.

☐ On cherche à modifier le produit pour supprimer cette tâche.

Mon score ....../10

Nous pratiquons > GRAMMAIRE

Les temps du passé pour raconter avec précision

3. Lisez le récit de Huan et soulignez les formes correctes. Justifiez votre choix en précisant le temps utilisé et ce qu'il exprime dans la phrase.

Exemple : *Avant mon arrivée en France, j'<u>avais eu</u> / j'avais l'occasion de découvrir le cinéma français.*
Plus-que-parfait → la découverte du cinéma français a eu lieu avant l'arrivée en France.

1. Quand j'étais encore en Chine, j'imaginais / j'avais imaginé que je pourrais devenir cinéaste à mon tour.
   Justifiez : ....

2. J'ai décidé d'apprendre le français puis j'ai commencé / je commençais les démarches pour obtenir un visa d'études.
   Justifiez : ....

3. À mon arrivée, j'ai compris / je comprenais que je devrais être patient avant d'intégrer l'université.
   Justifiez : ....

4. Pendant une année, j'ai suivi / je suivais des cours de français presque en continu.
   Justifiez : ....

5. Bien sûr, vivre en France m'avait apporté / m'apportait beaucoup de pratique durant cette formation.
   Justifiez : ....

6. En effet, pour gagner un peu d'argent, j'ai fait / je faisais régulièrement des missions d'intérim avec des Français.
   Justifiez : ....

4. Entourez le mot avec lequel le participe passé en italique s'accorde quand il y a un accord.

1. Beaucoup d'artistes que l'on croit français ne sont pas *nés* en France mais ils y sont *arrivés* plus tard.
2. Chopin, polonais de naissance, a *obtenu* un passeport français.
3. Certaines de ses œuvres ont été *écrites* en France.
4. Un autre exemple : Pablo Picasso. Il existe de nombreux musées en France où sont *exposées* ses œuvres.
5. Les erreurs de nationalité du passé doivent être *corrigées* : il est bien *resté* espagnol, jusqu'à sa mort.
6. Le premier prix Nobel de physique que la France a *reçu*, c'est à Marie Curie, *née* en Pologne, qu'on le doit.

5. Dans le dialogue, accordez les participes passés quand c'est nécessaire. Soulignez le(s) mot(s) avec le(s)quel(s) ils s'accordent.

– Hier soir, mon fils et moi avons regardé............ un documentaire très intéressant qui raconte les différentes étapes de migration vécu............ par la France. C'est assez impressionnant, il y a des faits historiques qui ne sont vraiment pas connu............ .

– Ah oui ? Quoi par exemple ?

– Par exemple, je n'étais pas conscient des différentes lois qui s'étaient présenté............ dans l'histoire. Et surtout, je ne connaissais pas les changements de situation que les personnes avaient dû............ subir au cours de leur vie, en fonction de l'évolution politique de l'État français.

– Ces changements, ils étaient expliqué............ dans ton documentaire ? Parce que ce n'est pas très clair ce que tu me dis…

D2 – Nous parlons d'histoire et de mémoire

– C'est très simple : avec chaque nouveau président, les lois ont été modifié............. Un exemple : avant, tous les enfants qui étaient né............. en France de parents naturalisés français obtenaient la nationalité française automatiquement. Aujourd'hui, ils sont obligés de la demander à l'âge de 18 ans et les démarches qui doivent être effectué............. sont nombreuses !

– Je vois. On peut donc imaginer toutes les adaptations qui sont imposé............. à toutes ces personnes ! Et ton fils, qu'est-ce qu'il en a pensé............. ?

6. Voici la notice biographique de l'écrivain Milan Kundera. Écrivez une présentation avec les temps du passé : passé composé, imparfait, plus-que-parfait et infinitif passé.

> **1929** : Naissance à Brno, en Moravie (actuelle République tchèque).
> **1975** : Émigration en France, en Bretagne, avec son épouse, Vera.
> **1975-1978** : Professeur de littérature à l'Université de Rennes 2 et à l'École des hautes études en sciences sociales, à Paris.
> **1978** : Installation à Paris.
> **1979** : Perte de la nationalité tchèque.
> **1980** : Début de sa participation à la correction des traductions de ses romans en français.
> **1981** : Obtention de la nationalité française.
> **1993** : Publication de son premier roman écrit en français, *La Lenteur*.
> **2001** : Grand prix de littérature de l'Académie française pour l'ensemble de son œuvre.

Faire des hypothèses sur le passé

7. a. 🎧 M012 Écoutez les témoignages sur des choix passés. Indiquez si les personnes parlent de conséquences sur le passé ou sur le présent.

	Conséquences sur le passé	Conséquences sur le présent
Exemple	x	
1.		
2.		
3.		
4.		
5.		
6.		

b. 🎧012 Réécoutez les témoignages. Complétez les hypothèses sur le passé. Respectez les conséquences sur le passé ou sur le présent de leur choix.

Exemple : *Si j'avais été intéressée par les Grandes écoles, je n'aurais pas refusé la classe préparatoire que mes parents me proposaient.*

1. Si Barbara .... français,
   elle .... au programme d'échange du lycée.
2. S'il .... changer de cadre de vie,
   il .... ses études à Marseille.
3. S'ils .... un meilleur classement,
   ils .... choisir la spécialisation qu'ils voulaient.
4. Si l'économie .... si fragile chez nous,
   on .... de partir trouver un travail ailleurs.
5. Si je .... ma famille à Paris,
   je .... humoriste aujourd'hui.
6. Si tu .... faire un stage à Montréal,
   tu .... l'accent québécois.

Nous pratiquons > MOTS ET EXPRESSIONS

Parler des métiers

8. 🎧013 Écoutez les présentations. Indiquez à quel métier elles correspondent et s'il s'agit d'un métier disparu ou du futur.

	Présentation n°	Métier disparu	Métier du futur
Pêcheur de sable	Exemple	X	
Lecteur public			
Programmateur de personnalités			
Laveuse			
Cultivateur urbain			
Télégraphiste			
Gardien de phare			
Coordinateur météo			

Phonétique : Les caractéristiques du français parlé

9. 🎧014 Lisez les passages soulignés de deux manières, avec ou sans contractions (mots ou lettres non prononcés). Écoutez l'enregistrement pour vérifier.

Exemple : <u>Je me</u> souviens quand j'étais à l'école primaire, <u>on ne faisait pas de recherches</u> sur Internet, parce que <u>ça n'existait</u> pas encore.

1. <u>Je suis</u> toujours étonné quand <u>je compare</u> la vie <u>de mes</u> grands-parents et la mienne.
2. <u>Tu imagines</u> qu'à une époque, <u>il n'y avait</u> que <u>les chevaux</u> pour <u>se déplacer</u> d'une ville à l'autre !
3. <u>Ce serait</u> bien <u>que les</u> générations <u>à venir</u> aient les mêmes opportunités d'emploi <u>que leurs</u> aînés.
4. Si j'avais rencontré les bonnes personnes dans ma vie, <u>je serais peut-être devenue</u> célèbre !
5. <u>Tu as</u> entendu la dernière nouvelle ? <u>Il paraît</u> que <u>notre espérance</u> de vie n'augmente plus !
6. C'est fou <u>ce que</u> les jeunes sont impatients <u>maintenant</u> ; ils veulent tout <u>tout de suite</u> !

D2 – Nous parlons d'histoire et de mémoire

Nous agissons

Stratégie : Comprendre l'écriture du journal intime

10. Lisez l'extrait d'un journal intime.

> **Jeudi.** La voiture a démarré chargée des bagages, j'ai fait quelques signes de la main par la fenêtre baissée : je sentais que le grand voyage commençait. Il faisait beau et tout annonçait un voyage agréable : les premiers rayons de soleil de la saison ne brûlaient pas encore, quelques légers nuages apportaient juste assez d'ombre pour être bien. Même si j'avais entendu que pour ce long week-end férié, les routes seraient très chargées… J'avais perdu le contact avec toute ma famille maternelle depuis si longtemps, je n'avais aucune idée préconçue, je n'étais qu'attente.
>
> **Vendredi.** Je suis donc arrivée hier soir. Mes cousins et mes cousines m'attendaient devant la maison de mes grands-parents. Bien sûr, je me suis perdue : je ne m'étais pas souvenue de la route exacte et j'avais dû appeler mon oncle. Bah, peu importe : lorsque je les ai vus, quand j'ai entendu leur voix, j'ai tout de suite revisité les étés heureux de mon enfance, avant l'annonce de la maladie de maman.

a. De quel type de texte s'agit-il ? Cochez.
- ☐ un récit autobiographique
- ☐ un billet d'opinion
- ☐ un article de presse

b. Quelles sont les caractéristiques du journal intime ? Cochez.
- ☐ indique le temps d'écriture.
- ☐ est un récit à la première personne.
- ☐ est un récit à la troisième personne.
- ☐ raconte des événements vécus.
- ☐ exprime des émotions personnelles.
- ☐ utilise un ton neutre.
- ☐ retrace les pensées de son auteur(e).

c. Identifiez les éléments qui caractérisent cet extrait.

1. Entourez en bleu les pronoms personnels sujets.
2. Soulignez en bleu l'expression qui indique un mouvement de l'auteure. Temps du verbe : ....
3. Soulignez en noir ce que voit l'auteure. Temps des verbes : ....
4. Soulignez en rouge les expressions de sa pensée. Temps des verbes : ....
5. Entourez en vert la phrase qui évoque une forte émotion. Temps des verbes : ....

d. Imaginez la suite du journal intime en racontant le réveil de la narratrice le vendredi matin. Décrivez sa chambre et ses sensations.

Production écrite

11. Choisissez un souvenir de rencontre familiale ou amicale et racontez-le sous la forme de deux journées de journal intime. Précisez les événements, le contexte général, les causes de cet événement et vos sensations.

Approche interculturelle

12. 🎧 015 Écoutez ce billet d'opinion sur la place du témoignage personnel dans l'enseignement en France.

a. Que pensez-vous de cette habitude française qui consisterait à écarter les témoignages personnels de l'enseignement ?

b. Comparez avec la situation dans votre pays.

DOSSIER 2 > Leçons 3 et 4

Nous nous évaluons

Évoquer des lieux du passé et des souvenirs d'enfance

1. Lisez l'extrait du recueil *Les Filles du feu*. Faites les activités. Vérifiez votre score p. 6 du livret.

> À mesure qu'elle chantait, l'ombre descendait des grands arbres, et le clair de lune naissant tombait sur elle seule, isolée de notre cercle attentif. — Elle se tut, et personne n'osa rompre le silence. La pelouse était couverte de faibles vapeurs condensées, qui déroulaient leurs blancs flocons sur les pointes des herbes. Nous pensions être en paradis. — Je me levai enfin, courant au parterre du château, où se trouvaient des lauriers, plantés dans de grands vases de faïence peints en camaïeu. Je rapportai deux branches, qui furent tressées en couronne et nouées d'un ruban. Je posai sur la tête d'Adrienne cet ornement, dont les feuilles lustrées éclataient sur ses cheveux blonds aux rayons pâles de la lune. [...] Adrienne se leva. Développant sa taille élancée, elle nous fit un salut gracieux, et rentra en courant dans le château. — C'était, nous dit-on, la petite-fille de l'un des descendants d'une famille alliée aux anciens rois de France ; le sang des Valois coulait dans ses veines. Pour ce jour de fête, on lui avait permis de se mêler à nos jeux ; nous ne devions plus la revoir, car le lendemain elle repartit pour un couvent où elle était pensionnaire.
>
> Quand je revins près de Sylvie, je m'aperçus qu'elle pleurait. La couronne donnée par mes mains à la belle chanteuse était le sujet de ses larmes. Je lui offris d'en aller cueillir une autre, mais elle dit qu'elle n'y tenait nullement, ne la méritant pas. Je voulus en vain me défendre, elle ne me dit plus un seul mot pendant que je la reconduisais chez ses parents. Rappelé moi-même à Paris pour y reprendre mes études, j'emportai cette double image d'une amitié tendre tristement rompue, — puis d'un amour impossible et vague, source de pensées douloureuses que la philosophie de collège était impuissante à calmer. La figure d'Adrienne resta seule triomphante, — mirage de la gloire et de la beauté, adoucissant ou partageant les heures des sévères études. Aux vacances de l'année suivante, j'appris que cette belle à peine entrevue était consacrée par sa famille à la vie religieuse.
>
> Gérard de NERVAL, « Sylvie », *Les Filles du feu*, 1854.

a. Entourez les éléments corrects pour présenter l'extrait.

Dans ce récit, *un groupe de jeunes gens / deux jeunes gens / trois jeunes gens* passent *une matinée / une soirée* ensemble à la campagne. C'est *l'hiver / l'été* et ils sont en vacances. Les deux personnages principaux *se connaissent déjà / viennent de se rencontrer* et l'arrivée d'Adrienne vient perturber leur relation. Malgré la durée *longue / rapide* de la rencontre avec cette jeune fille mystérieuse, le narrateur gardera profondément en mémoire l'image *de Sylvie / d'Adrienne*.

b. Cochez les sens évoqués dans l'extrait. Justifiez par un mot du texte.

☐ L'ouïe   Justifiez : _____

☐ La vue   Justifiez : _____

☐ Le toucher Justifiez : _____

☐ L'odorat   Justifiez : _____

☐ Le goût   Justifiez : _____

c. Dans le premier paragraphe de l'extrait, soulignez les parties du texte qui apportent des informations sur le décor. Justifiez le temps des verbes utilisés.

....

....

d. Relisez le second paragraphe jusqu'à « chez ses parents ». Entourez les verbes qui indiquent une action principale et encadrez ceux qui indiquent une action secondaire ou inachevée dans le passé.

e. Après la séparation, quel effet produit le souvenir d'Adrienne sur le narrateur ?

....

....

....

Mon score ...... /10

> Analyser différentes manières de présenter ou de raconter l'histoire

2. 🎧 M016 Écoutez l'entretien à la radio. Faites les activités. Vérifiez votre score p. 7 du livret.

a. Complétez les informations sur Lucien.

Son âge : ....

Sa famille : ....

Son lieu d'habitation : ....

b. De quelle guerre Lucien parle-t-il ? Justifiez.

....

....

c. Dans la liste, entourez ceux qui correspondent au récit de Lucien.

Un armistice   Une capitulation   La débâcle   Le débarquement

La Libération   La Résistance   La collaboration   L'Occupation

d. Quels sens sont évoqués dans le récit de Lucien ? Complétez le tableau avec les expressions utilisées et l'émotion ressentie.

Sens	Verbes	Noms	Émotions
La vue	Avoir dans les yeux	La fête à l'arrivée des Américains	Bonheur
L'odorat			
Le goût			
Le toucher			
L'ouïe		Le jazz, la musique	Bonheur de la fête

e. Pourquoi Lucien a-t-il des souvenirs « contradictoires » de la guerre ? Expliquez.

....

....

....

Mon score ...... /10

Nous pratiquons > GRAMMAIRE

Le passé simple pour comprendre un récit au passé

3. Lisez l'extrait d'Albert Camus. Relevez les verbes au passé simple et écrivez leur infinitif.

> *Dans un atelier, les ouvriers ont commencé une grève.*
> À ce moment, la porte qui donnait dans l'ancienne tonnellerie s'ouvrit sur le mur du fond, et M. Lassalle, le patron, s'arrêta sur le seuil. Mince et grand, il avait à peine dépassé la trentaine. […] Malgré son visage très osseux, taillé en lame de couteau, il inspirait généralement la sympathie, comme la plupart des gens que le sport a libérés dans leurs attitudes. Il semblait pourtant un peu embarrassé en franchissant la porte. Son bonjour fut moins sonore que d'habitude ; personne en tout cas n'y répondit. Le bruit des marteaux hésita, se désaccorda un peu, et reprit de plus belle. M. Lassalle fit quelques pas indécis, puis il s'avança vers le petit Valéry, qui travaillait avec eux depuis un an seulement. « Alors, fils, dit M. Lassalle, ça va ? » Le jeune homme devint tout d'un coup plus maladroit dans ses gestes.
>
> Albert CAMUS, « Les muets », *L'Exil et le royaume*, © Éditions Gallimard.

	Passé simple	Infinitif
1.		
2.		
3.		
4.		
5.		
6.		
7.		
8.		
9.		
10.		
11.		

4. 🎧 017 Écoutez l'extrait d'une émission sur le général de Gaulle et cochez pour indiquer le temps de chaque verbe.

Verbe entendu	Plus-que-parfait	Imparfait	Passé simple
apprendre			
chercher			
savoir			
être			
vouloir			
demander			
falloir			
avoir			
prendre			
se dessiner			
aller			
être parachuté			
emporter			

D2 – Nous parlons d'histoire et de mémoire

5. Réécrivez le texte suivant au passé composé.

> Lorsque nous entrâmes sur les terres familiales, je n'eus pas immédiatement cette impression de reconnaître ce lieu ou j'avais passé mon enfance. Nous saluâmes d'abord le gardien qui venait se présenter à ces jeunes maîtres qu'il ne connaissait pas. Il hésita puis s'arrêta devant nos chevaux, avant de nous proposer de nous ouvrir le chemin. Alors il s'avança sur la route et mon cheval le suivit vers la maison. C'est à ce moment-là que les premières images de mon enfance me revinrent. Soudain, je me suis souvenu. Cette maison avait été mon refuge, mon lieu de bonheur, chaque été, pendant des années.

....
....
....
....
....
....

Les prépositions de lieu pour situer dans l'espace

6. Complétez la description du tableau avec les prépositions suivantes. Faites les modifications nécessaires.

près de • sur • le long de • au-dessus de • devant • à la surface de • en direction du •

dans • aux pieds de • au milieu de

***Femme assise au bord de la mer**, Auguste Renoir, 1883*

Ce tableau représente une jeune femme installée .... la plage. Son portrait est le sujet principal puisque le peintre a choisi de la peindre tout .... sa toile. La jeune femme est occupée par un travail de couture qui est posé .... ses genoux. Son expression est calme malgré le vent qui déplace son chapeau bleu .... ses cheveux. Elle semble avoir tourné la tête pour regarder .... le peintre. Le paysage est remarquablement travaillé .... ses couleurs et les mouvements qu'il représente. En effet, la femme est assise .... d'immenses rochers .... ces montagnes, les vagues s'écrasent dans un mouvement qui laisse imaginer le bruit. Au loin, ... la ligne d'horizon, se dessinent d'autres montagnes et trois bateaux .... la mer.

Nous pratiquons > MOTS ET EXPRESSIONS

Exprimer des sensations

7. Indiquez à quel sens correspondent les verbes.

	La vue	L'ouïe	Le goût	L'odorat	Le toucher
flairer				x	
déguster					
hurler					

	La vue	L'ouïe	Le goût	L'odorat	Le toucher
prêter l'oreille à					
goûter					
apercevoir					
humer					
tâter					
feuilleter					
savourer					
palper					
saisir					
contempler					
toucher					
tenir					

8. Remplacez les mots soulignés par des mots plus précis pour améliorer le style et éviter les répétitions. Utilisez des verbes de l'activité 7 si possible.

1. Les gâteaux de mon enfance sont revenus à ma mémoire lorsque j'ai <u>senti cette odeur</u> sortant de votre boulangerie !

    → ....

2. Dans ses voyages, il avait pour habitude de monter en haut de chaque clocher pour <u>regarder</u> le panorama.

    → ....

3. Jour après jour, le bébé apprend à <u>prendre</u> plus d'objets et à serrer plus fort ce qu'il <u>a</u> dans la main.

    → ....

4. L'une des qualités d'un critique gastronomique est d'arriver à <u>goûter</u> chaque aliment de manière neutre.

    → ....

5. Pour apprécier une musique, on peut s'isoler dans une pièce sombre pour mieux <u>entendre</u> chaque <u>bruit</u>.

    → ....

6. Pour choisir un livre, des lecteurs <u>regardent rapidement</u> quelques pages. D'autres regardent <u>les images colorées</u> sur la couverture.

    → ....

Parler de la guerre

9. Trouvez cinq paires d'expressions contraires dans la liste suivante.

un armistice | la débâcle | le débarquement | la Libération | la Résistance

la collaboration | l'Occupation | une déclaration de guerre | une invasion | la victoire

.... ≠ ....
.... ≠ ....
.... ≠ ....
.... ≠ ....
.... ≠ ....

D2 – Nous parlons d'histoire et de mémoire

Nous agissons

Stratégie : décrire une photo d'événement historique

10. Observez la photographie.

a. Faites des hypothèses sur l'événement représenté. Puis lisez la légende pour vérifier.

b. Dans chaque liste, soulignez l'élément correct pour décrire la photographie.

1. Quoi ?

   l'armistice – la Libération – l'Occupation

2. Qui ?

   • des passants – des prisonniers – des habitants

   • des occupants – les Alliés – des forces de sécurité

3. Quand ?

   en 1939 – en 1940 – en juin 1944

4. Où ?

   dans un quartier d'affaires – à la campagne – dans un quartier populaire

Des soldats américains distribuent de la farine aux Parisiens.

c. Quelles émotions montre la photographie ? Cochez.

☐ La joie   ☐ La peur   ☐ La violence   ☐ La surprise   ☐ Le soulagement

d. Entourez les expressions qui expliquent la scène photographiée.

| le manque alimentaire | la peur | l'aide militaire | la débâcle |
| le débarquement | la Résistance | la collaboration | la capitulation de la France |

e. Rédigez une description de la photographie.

....
....
....
....
....

Production orale

11. Décrivez la photographie de l'événement historique ci-contre. Présentez son contexte (quoi, qui, quand, où), identifiez les émotions et précisez la situation. Enregistrez-vous.

Approche interculturelle

12. En France, des lois précisent les objectifs de la mémoire nationale. Elles condamnent aussi ceux qui ne respectent pas la vérité d'événements passés douloureux, comme la persécution des juifs pendant la Seconde Guerre mondiale. De telles lois existent-elles dans votre pays ?

François Mitterrand (Président français) et Helmut Kohl (Chancelier allemand) rendent hommage aux soldats morts pendant la guerre (1984).

BILAN 2

Nous parlons d'histoire et de mémoire

Compréhension écrite

1 Vous lisez cet extrait du roman de l'écrivain Amin Maalouf.

> Depuis que j'ai quitté le Liban en 1976, pour m'installer en France, que de fois m'a-t-on demandé, avec les meilleures intentions du monde, si je me sentais « plutôt français » ou « plutôt libanais ». Je réponds invariablement : « L'un et l'autre ! » Non par quelque souci d'équilibre ou d'équité, mais parce qu'en répondant différemment, je mentirais. Ce qui fait que je suis moi-même et pas un autre, c'est que je suis ainsi à la lisière[1] de deux pays, de deux ou trois langues, de plusieurs traditions culturelles. C'est précisément cela qui définit mon identité. Serais-je plus authentique si je m'amputais[2] d'une partie de moi-même ?
>
> À ceux qui me posent la question, j'explique donc, patiemment, que je suis né au Liban, que j'y ai vécu jusqu'à l'âge de vingt-sept ans, que l'arabe est ma langue maternelle et que c'est d'abord en traduction arabe que j'ai découvert Dumas[3] et Dickens[4] et les *Voyages de Gulliver*[5], et que c'est dans mon village de la montagne, le village de mes ancêtres, que j'ai connu mes premières joies d'enfant et entendu certaines histoires dont j'allais m'inspirer plus tard dans mes romans. Comment pourrais-je l'oublier ? Comment pourrais-je m'en détacher[6] ? Mais, d'un autre côté, je vis depuis vingt-deux ans sur la terre de France, je bois son eau et son vin, mes mains caressent chaque jour ses vieilles pierres, j'écris mes livres dans sa langue, jamais plus elle ne sera pour moi une terre étrangère.
>
> Moitié français, donc, et moitié libanais ? Pas du tout ! L'identité ne se compartimente pas, elle ne se répartit ni par moitiés, ni par tiers, ni par pages cloisonnées. Je n'ai pas plusieurs identités, j'en ai une seule, faite de tous les éléments qui l'ont façonnée[7], selon un « dosage » particulier qui n'est jamais le même d'une personne à l'autre.
>
> Amin MAALOUF, *Les Identités meurtrières*, © Éditions Grasset & Fasquelle, 1998.

1. à la lisière : à la frontière, entre deux pays.
2. si je m'amputais : si j'enlevais.
3. Dumas : écrivain français du 19ᵉ siècle, auteur des *Trois Mousquetaires*.
4. Dickens : écrivain anglais du 19ᵉ siècle, auteur d'*Oliver Twist*.
5. *Les Voyages de Gulliver* : œuvre satirique de l'écrivain irlandais Jonathan Swift (1726).
6. m'en détacher : m'en désintéresser, m'en éloigner.
7. façonnée : fabriquée, modelée.

Répondez aux questions.

1. Quand Amin Maalouf écrit sur la question de l'appartenance à une nation, il semble…
   a. agacé.   **b.** étonné.   **c.** amusé.

2. En quoi les souvenirs d'enfance évoqués par Amin Maalouf ont-ils eu un impact sur son métier ?

   ....

3. Dites si l'affirmation est vraie ou fausse et citez le passage du texte qui justifie votre réponse.

   Amin Maalouf a découvert des ouvrages français et anglais dans sa langue maternelle.   ☐ Vrai   ☐ Faux

   ....

4. Comment Amin Maalouf considère-t-il la France et la langue française ?

   ....

5. Selon Amin Maalouf, l'identité se caractérise par…
   a. l'endroit où on vit.   **b.** notre lieu de naissance.   **c.** une multitude d'expériences.

Compréhension orale

2 🎧 018 **Vous écoutez un bulletin d'information à la radio française. Répondez aux questions.**

1. Nommez au moins deux des cinq métiers menacés cités dans le reportage.
....
2. Selon la journaliste, à quoi est due la menace de disparition de ces métiers ?
....
3. Comment Didier-Yves Racapé s'est-il adapté à l'évolution de son poste ?
....
4. Quel paradoxe évoque Erwann Tison concernant les études et le marché du travail ?
....
5. Quelle solution propose Erwann Tison ?
....
6. La conclusion de la journaliste est…
   a. optimiste.　　　　b. nuancée.　　　　c. inquiétante.

Production orale

3 Votre professeur vous demande de présenter à la classe pourquoi vous avez choisi d'étudier le français et les liens que vous entretenez avec cette langue. Vous apportez votre témoignage sous la forme d'un court exposé. (3 à 4 minutes environ)

Production écrite

4 Vous lisez ce commentaire sur un site Internet de passionnés de séries historiques. Vous réagissez et donnez votre opinion : un film ou une série historique doit-il nécessairement être fidèle à l'Histoire ? (250 mots minimum)

> **On en débat…**
>
> **Marie62** Quand j'ai entendu parler de la série historique *Reign : le destin d'une reine*, je me suis dit que j'allais découvrir Marie Stuart et son époque, voir de beaux costumes et suivre les intrigues des complots et trahisons de la Cour de France. Mais j'ai fait quelques recherches et j'ai découvert beaucoup d'inexactitudes historiques : personnages ou événements qui n'ont jamais existé, costumes et attitudes qui ne correspondent pas à la mode du 16e siècle… Donc le problème, c'est qu'en regardant cette série, on apprend de fausses informations sur l'Histoire !

DOSSIER 3 > Leçons 1 et 2

Nous nous évaluons

Résumer un livre et dire ce qu'on en pense

1. Lisez le résumé du roman de Michel Bussi et les commentaires d'internautes sur le site critiqueslibres.com. Faites les activités. Vérifiez votre score p. 8 du livret.

---

http://www.critiqueslibres.com

Nouveautés

ON LA TROUVAIT PLUTÔT JOLIE DE MICHEL BUSSI

On la trouvait plutôt jolie, Leyli. Tout charme et tout sourire. Leyli Maal fait le ménage dans les hôtels à Port-de-Bouc, près de Marseille. Malienne, mère célibataire de trois enfants, Leyli nourrit un rêve immense et cache un grand secret. François Valioni travaille pour une importante association d'aide aux migrants à Port-de-Bouc. Il est retrouvé au petit matin assassiné dans un hôtel. Julo Flores est un jeune lieutenant de police. Méfiant envers son commandant et un peu trop sentimental, il ne peut pas croire que Bamby Maal, la fille aînée de Leyli, soit la coupable bien que tout l'accuse. Surtout lorsque survient un second crime.

Marvic En quatre jours et trois nuits, du désert sahélien à la jungle urbaine marseillaise, Michel Bussi nous offre un formidable suspense, dans lequel, comme toujours, priment l'humain, l'émotion, l'universel. Jusqu'au retournement de situation final stupéfiant. Le meilleur ouvrage de Bussi. Bravo mæstro !

Polarista Il est vrai que l'écriture de l'auteur est toujours aussi fluide et agréable, pas de problème de ce côté-là, mais que de longueurs, c'est vraiment lassant ! Et puis, j'ai trouvé ce livre bien trop « donneur de leçon ». Certaines pages ressemblent davantage à de véritables leçons de morale qu'à une enquête policière. De plus, dès le départ, on sait qui a fait quoi, on est bien loin du coup de théâtre magistral auquel nous avait habitué Michel Bussi dans ses précédents romans. En conclusion vous l'aurez compris, pour moi, c'est un mauvais cru.

---

a. Complétez la fiche de lecture du livre de Michel Bussi.

Fiche de lecture

Titre : *On la trouvait plutôt jolie*
Auteur : Michel Bussi
Genre : ....
Informations sur les personnages principaux :
Leyli Maal : ....
Bamby Maal : ....
Julo Flores : ....
Lieux de l'histoire : ....
Événement décisif : ....
Conséquence : ....

b. Complétez le tableau avec les extraits des critiques.

	Critique positive	Critique négative
Le rythme		
Le style		

D3 – Nous nous construisons une culture commune

	Critique positive	Critique négative
Les thèmes favoris		
Le message délivré par l'auteur		
Le dénouement		
L'avis général		

c. Écrivez un message sur le site critiqueslibres.com. Demandez aux internautes s'ils vous recommandent de lire *On la trouvait plutôt jolie*. Expliquez-leur le style de livre que vous appréciez d'habitude.

....

....

....

Mon score ...... /10

Débattre

2. Écoutez l'émission de radio. Faites les activités. Vérifiez votre score p. 9 du livret.

a. 🎧 019 Écoutez la première partie de l'émission de radio. Complétez la présentation de l'événement.

> Événement : ....
> Date : samedi 12 mai
> Lieu : ....
> Personnalités : ....
> Nombre : ....
> Symbole : ....
> Objectif : ....

b. 🎧 020 Écoutez la deuxième partie de l'émission. Formulez le sujet du débat sous forme de question.

....

c. Indiquez qui parle des thèmes suivants.

	des réalisatrices	des réalisateurs
1. L'arrivée des femmes au travail de réalisation	☐	☐
2. Le budget	☐	☐
3. La qualité des films	☐	☐
4. La rémunération	☐	☐

d. Rédigez trois revendications des réalisatrices avec des comparatifs.

1. Nous voulons ....

2. ....

3. ....

Mon score ...... /10

Nous pratiquons > GRAMMAIRE

Les comparatifs et les superlatifs pour comparer et établir une hiérarchie

3. Lisez ces informations sur les habitudes de lecture des Français et écrivez six comparaisons. Variez les structures de comparaison.

Les Français lisent...	
89 % choisissent le format papier (25 % sont de grands lecteurs)	
24 % choisissent le format numérique (5 % sont de grands lecteurs)	
69 % lisent des romans	59 % lisent des livres pratiques (cuisine, bricolage…)
96 % lisent dans des moments de loisirs	4 % lisent exclusivement pour leur travail

1. ....
2. ....
3. ....
4. ....
5. ....
6. ....

4. Soulignez l'expression correcte dans les citations suivantes.

1. Quand on se contente de peu, moins de / les moindres petites choses suffisent à notre bonheur. *Mary Sarah Newton*
2. L'amour se nourrit de patience autant / aussi que de désir. *Amin Maalouf*
3. Le moindre / Le plus grand mal est encore un mal. *Henri-Frédéric Amiel*
4. Le meilleur / Le mieux gouvernement est celui où il y a le moins d' / le moins hommes inutiles. *Voltaire*
5. Avoir peur, c'est mourir mille fois, c'est pire / moindre que la mort. *Stefan Zweig*
6. Le crétin prétentieux est celui qui se croit plus d' / plus intelligent que ceux qui sont aussi / autant de bêtes que lui.

Pierre Dac, humoriste (1893-1975)

5. a. Lisez les sujets des classements du site topito.com. Complétez avec des superlatifs.

Topito.com
1. Top 10 des .... (+ / bon) répliques de cinéma
2. Top 5 des .... (− / bon) films de l'histoire
3. Top 3 des arrondissements de Paris où il y a .... (+ / des tournages)
4. Top 5 des scènes de films .... (+ / effrayant) du cinéma
5. Top 10 des films qui parlent .... (+ / bien) des années lycée
6. Top 3 des films francophones qui s'exportent .... à l'étranger (+)

b. Par deux. Proposez quatre sujets de classement dans le domaine de la littérature. Utilisez quatre superlatifs.

....
....
....
....

D3 – Nous nous construisons une culture commune

Les pronoms relatifs pour éviter les répétitions

6. Associez pour former des phrases. On ne peut utiliser qu'une seule fois chaque élément.

1. C'est le film	dont	incarne le premier rôle.
2. C'est le théâtre	à cause duquel	j'ai joué ma première pièce.
3. C'est la date	à laquelle	il tient beaucoup.
4. C'est l'actrice	où	il n'a pas obtenu le rôle.
5. C'est un rôle	auquel	elle a rencontré la réalisatrice.
6. C'est le jour	qui	j'ai vu la bande-annonce la semaine dernière.
7. C'est le problème	dans lequel	sortira le dernier film de François Ozon.

7. Soulignez le pronom relatif correct dans ces titres d'articles.

1. Quinze détails auxquels / à côté desquels il ne faut pas passer dans *Les animaux fantastiques 2*
2. *La petite maison dans la prairie* pleure Harriet Olleson jouée par l'actrice Katherine MacGregor de laquelle / dont le décès vient d'être annoncé par son agent
3. Les films lesquels / qui cartonnent cette semaine
4. Annonce officielle de la date à laquelle / quand débutera le tournage de la saison 4 de *The expanse*
5. Voici enfin la liste des meilleurs espoirs féminins et masculins qui / que dévoile l'Académie des César
6. Lettre signée par Leonardo DiCaprio et Christopher Nolan dans laquelle / dont ils appellent à sauver un service de streaming dédié au cinéma d'auteur
7. Les moments de cinéma quand / où on a le plus tremblé

8. Complétez l'article avec les pronoms relatifs suivants :

dont (× 2) – où – à cause de laquelle – que – quoi – avec lequel – qui

Télérama.fr

On a infiltré le tournage du *Bureau des légendes*, saison 4

En ce début avril .... (1) il pleut des cordes sur la Cité du cinéma de Saint-Denis, c'est un vent glacial .... (2) souffle sur la grande salle de réunion du *Bureau des légendes*, ... (3) le tournage de la quatrième saison a débuté le 7 février. Un bref rappel du contexte s'impose : le bureau se relève à peine de « l'affaire Malotru », ... (4) la saison 3 se termine par la mort d'un agent et la fuite d'un traître (Malotru, incarné par Mathieu Kassovitz).

« Est-ce que tu t'es méfié de tout le monde dans le service .... (5) tu diriges ? Ce à .... (6) je fais référence, ce n'est pas à la déloyauté mais à la faiblesse, à l'imprudence… » Le phrasé lent .... (7) il s'exprime, montre comment Mathieu Amalric a capté le rythme particulier de la série, ... (8) les catastrophes s'annoncent toujours à mi-voix.

9. Complétez librement ces débuts de phrase.

1. J'apprécie les séries dont ....
2. J'aime les personnages auxquels ....
3. Les scènes dans lesquelles ....

Nous pratiquons > MOTS ET EXPRESSIONS

Qualifier le style ou le contenu d'un livre

10. a. Trouvez le mot correspondant à la définition.

1. Abondant, riche : _ _ _ _ _ N _ _ _ T
2. Manière de s'exprimer par écrit : É _ R _ T _ _ _
3. Un peu fou, bizarre : _ _ U _ _ Q _ _
4. Moyen d'expression qui présente des situations de façon amusante : _ U _ _ U _
5. Amusant, distrayant : _ _ V _ _ _ _ S _ A _ _
6. Le personnage masculin principal d'un roman : _ É _ _ _
7. Ouvrage capital, meilleure œuvre d'un auteur : C _ _ _ -D' _ _ _ V _ _
8. Émouvant : T _ _ C _ _ _ T
9. Caractère de ce qui est original : O _ _ _ _ N _ _ _ _ É
10. Plein(e) de péripéties extraordinaires : R _ _ _ M _ _ _ _ _ Q _ _

b. Complétez l'article avec des mots de l'activité 10a.

La bibliothèque idéale de Daniel Picouly

La palme de l'............................ (1) de la rentrée littéraire va à Daniel Picouly, finaliste du prix Goncourt, qui s'est glissé dans la peau d'un volcan ! Mais l'écrivain est aussi un lecteur qui se confie.

Le livre qui l'a le plus marqué enfant

« *L'Enfant au fennec*, de Jacques Dupont, l'histoire d'un jeune garçon recueillant un petit animal qui risque de mourir de froid, s'il le garde. Pour le sauver, il le confie alors à un prince des pays chauds. C'était la première fois que je voyais un .... (2) qui me ressemblait. Une histoire remplie d'émotions, très .... (3). Une leçon de vie, de style et d'............................ (4) reçue à 10 ans. Un véritable .... (5). »

Le livre qu'il emporterait sur une île déserte

« Le livre qui contient tous les livres, *Don Quichotte*, de Cervantès. Il est difficile de parler de ce livre tant il est riche et .... (6). Grâce à ce personnage extravagant, étrange et .... (7), j'ai appris qu'il était salutaire de sortir de sa bibliothèque, non pas pour voir le monde tel qu'il est, mais pour le réécrire à la pointe de sa propre lance. »

Le livre qui l'a fait le plus rire

San Antonio, lu en intégralité entre 14 et 17 ans. « J'adorais l'............................ (8) et la verve de son auteur Frédéric Dard. Mon père rentrait de sa journée d'usine, épuisé, le front plissé. Le soir, il lisait les aventures .... (9) de San Antonio à table. Alors, il se produisait un miracle : il riait et son front se déplissait. C'était .... (10). C'est là qu'est née ma vocation de "déplisseur de front" : écrivain. »

---

11. 🎧 021 Écoutez les présentations des livres. Associez un titre de livre à un adjectif. Attention, deux adjectifs ne correspondent à aucune présentation.

1. *Vol au vent*, Rob Biddulph
2. *L'Enfant des Lumières*, Françoise Chandernagor
3. *La Balade des perdus*, Thomas Sandoz
4. *Les Onze*, Pierre Michon

a. rocambolesque
b. ennuyeux
c. absurde
d. loufoque
e. laborieux
f. foisonnant

D3 – Nous nous construisons une culture commune

Nous agissons

> Stratégie : Débattre oralement

12. a. Lisez la carte mentale.

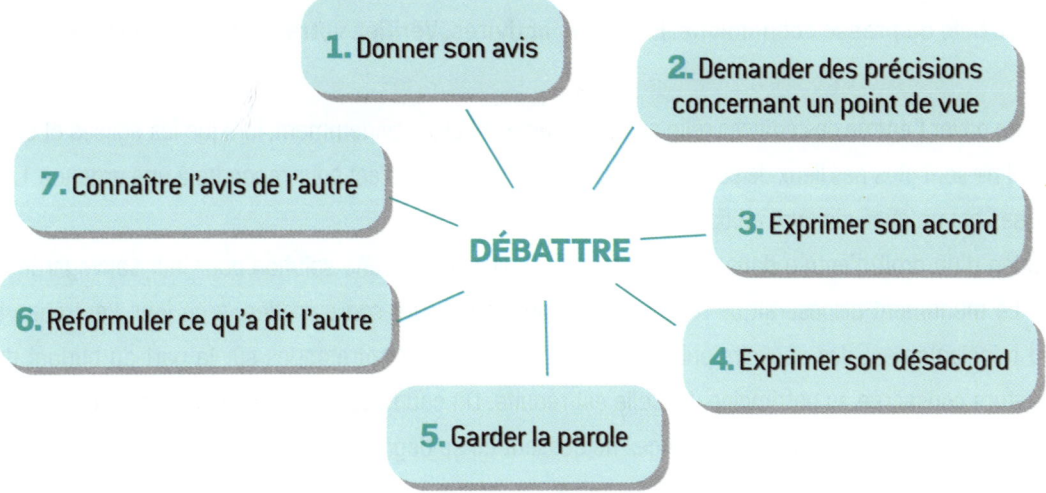

b. Indiquez le numéro de l'objectif de la carte mentale pour chaque expression.

- [ ] Quel est votre avis sur la question ?
- [ ] J'ai l'impression que…
- [ ] Vous voulez dire que…
- [ ] Arrêtez de me couper la parole.
- [ ] Si je vous ai bien compris, vous pensez que…
- [ ] Mais attendez, laissez-moi terminer !
- [ ] Qu'est-ce que vous voulez dire par là ?

- [ ] En ce qui me concerne, je suis persuadé(e) que…
- [ ] Je respecte votre point de vue mais…
- [ ] Comment est-ce que vous voyez les choses ?
- [ ] Je voudrais continuer jusqu'au bout si vous voulez bien.
- [ ] Je partage votre avis.
- [ ] Je ne suis pas d'accord avec vous sur ce point.
- [ ] Vous pourriez préciser votre pensée ?

> Production orale

13. Êtes-vous pour ou contre l'adaptation cinématographique d'œuvres littéraires ? Préparez une liste d'arguments pour et contre. Puis débattez avec la classe avec des expressions de l'activité 12.

> Approche interculturelle

14. Voici le classement des romans préférés des Français.

Top des romans préférés des Français
1. *Les Misérables*, Victor Hugo (1862)
2. *Le Petit Prince*, Antoine de Saint-Exupéry (1943)
3. *Germinal*, Émile Zola (1885)

a. Avez-vous lu ces livres ? Sont-ils connus dans votre pays ?
b. Faites une recherche et présentez le classement des romans préférés dans votre pays.
c. Comparez votre liste avec celle des romans préférés des Français (date de publication, genre, sujet).

trente-sept 37

DOSSIER 3 > Leçons 3 et 4

Nous nous évaluons

Poser un problème et proposer des solutions

1. Lisez l'article de presse économique. Faites les activités. Vérifiez votre score p. 10 du livret.

lepatrimoine.fr

Il faut faire payer l'entrée des édifices religieux. À certaines heures, évidemment, lorsque les églises et cathédrales se visitent et ne sont plus des lieux de culte. Si je fais cette proposition, c'est pour répondre à une urgence. Le patrimoine des églises est un chef-d'œuvre en danger.

La création d'un droit d'entrée dans les églises les plus visitées est une solution pour leur sauvegarde et bien plus encore. Le monument disposerait de ressources propres favorisant son entretien. À ce jour, l'entretien des églises dépend principalement des pouvoirs publics. Les cathédrales sont entretenues sur la part du budget du ministère de la Culture consacrée au patrimoine, laquelle est réduite. Du coup, les sommes consacrées à la maintenance sont systématiquement insuffisantes et les édifices ne cessent de se dégrader.

Au-delà de cette autonomie budgétaire, la mise en place d'un droit d'entrée permettrait de lutter contre une surfréquentation menaçant la conservation du monument. Avec une fréquentation annuelle comprise entre 12 et 14 millions de visiteurs, Notre-Dame de Paris* est au bord de l'asphyxie. La fin de la gratuité permettrait d'en réduire la fréquentation. Si elle était divisée par deux, avec un billet au prix moyen de 10 euros par personne, il en résulterait un produit annuel compris entre 60 et 70 millions d'euros, à comparer avec les 150 millions d'euros jugés nécessaires pour la réalisation des travaux de restauration sur trente ans.

Le droit d'entrée pourrait également être bénéfique pour le visiteur lui-même en permettant d'améliorer son expérience. En effet, à ce jour, c'est à un rythme à peine moins rapide que celui des usagers du métro et dans le brouhaha que les visiteurs font le tour. L'expérience n'est pas satisfaisante. Alors qu'avec un droit d'entrée, on pourrait profiter d'une fréquentation moins dense mais plus régulière, d'audio-guides, d'applications à télécharger, d'éclairages des meilleurs spécialistes… Il deviendrait possible d'effectuer une visite sur mesure avec un parcours classique et des options pour qui veut en savoir plus et faire parler les pierres.

* Article paru avant le grand incendie du 15 avril 2019 qui a ravagé une partie de la cathédrale.

a. Indiquez la nature de l'article. Justifiez par deux exemples.

☐ explicatif ☐ descriptif ☐ d'opinion

Justifiez : 1. ....
2. ....

b. Choisissez le titre de l'article.

☐ Patrimoine des églises en piteux état ☐ Patrimoine des églises en ruine ☐ Patrimoine des églises en péril

c. Résumez les problèmes soulevés par le journaliste et indiquez la solution proposée.

1. L'entretien et la maintenance : ....
....

2. Le tourisme : ....

3. La qualité de la visite : ....

Solution proposée : ....

d. Relevez les mises en relief dans l'article pour souligner :

1. le caractère urgent de la situation. ....

2. la rapidité de la visite. ....

D3 – Nous nous construisons une culture commune

e. Complétez la solution proposée pour Notre-Dame de Paris.

Notre-Dame de Paris est un .... religieux qui souffre de sa popularité, l'exemple type d'un patrimoine en .... Une solution existe pourtant. Avec une entrée coûtant 10 euros et un nombre de visiteurs compris entre .... et ...., la recette d'un peu moins de trois ans de droits d'entrée permettrait le .... de trente ans de ....

Mon score ...... /10

Comprendre un processus de création

2. 🎧 #022 Écoutez la présentation de la série *Invisibles*. Faites les activités. Vérifiez votre score p. 10 du livret.

a. Complétez la fiche de présentation.

> **Titre de la série : Invisibles**
> .... : Alex Ogou
> .... : Alex Ogou et Aka Assié
> .... : 10 de 52 minutes
> .... : 6 mois
> .... : Canal +
> .... : à partir d'octobre

b. Écrivez la mission dont a été chargée l'actrice Prudence Maidou.

....

c. Vrai ou Faux ? Répondez et justifiez avec un extrait de la présentation.

1. *Invisibles* est une série francophone. ☐ Vrai ☐ Faux
Justifiez : ....
2. Les enfants sont des comédiens professionnels. ☐ Vrai ☐ Faux
Justifiez : ....
3. Les enfants jouent bien leur rôle. ☐ Vrai ☐ Faux
Justifiez : ....
4. Prudence Maidou n'est pas sensible au thème de la série. ☐ Vrai ☐ Faux
Justifiez : ....
5. La série a obtenu une récompense. ☐ Vrai ☐ Faux
Justifiez : ....

d. Écrivez ce que remplacent les pronoms en gras dans la présentation.

1. Ils (= les enfants) n'**en** avaient aucune idée.

....

2. Ils (= les enfants) **y** sont arrivés.

....

3. Ils (= les gens) vont **en** parler autour d'eux.

....

e. Rédigez un bref résumé de la série. Utilisez les informations données par le réalisateur.

....
....
....

Mon score ...... /10

Nous pratiquons > GRAMMAIRE

La mise en relief pour souligner une information

3. Écrivez des phrases en mettant en relief le but ou la cause.
Exemple : *Création du loto du patrimoine / But : financer la restauration d'édifices en péril.*
Si le loto du patrimoine a été créé, c'est afin de financer la restauration d'édifices en péril.

a. Rénovation de la maison de Pierre Loti / Cause : financer le loto du patrimoine.

b. Signature d'une pétition par l'association « Vive le Marais » / But : sauver les kiosques à journaux Art nouveau.

c. Inquiétude de la population locale / Cause : détérioration du vieux théâtre.

d. Organisation des journées du patrimoine / But : découvrir des édifices souvent fermés au public.

e. Fierté des Suisses / Cause : inscription du carnaval de Bâle sur la liste du patrimoine culturel immatériel de l'Unesco.

4. Lisez la pétition pour sauver la gare de Bouchain. Identifiez et corrigez les cinq erreurs de pronom relatif.

C'est la plupart des gares où ont été détruites sur la ligne Valenciennes-Cambrai sauf la gare de Bouchain.

C'est un patrimoine historique qui représente la gare de Bouchain. C'est donc de l'histoire ferroviaire et du travail des cheminots qu'il est le symbole. C'est la gare où des millions de voyageurs sont passés. C'est l'architecte de la Compagnie des chemins de fer du Nord, Étienne Lejeune, que l'a conçue. Ce sont la brique rouge, la pierre blanche, le fer et la fonte qui ont été associés pour créer cette architecture exceptionnelle. Elle illustre parfaitement l'architecture industrielle de la seconde moitié du 19e siècle. C'est grâce à sa situation géographique où elle a échappé aux bombardements et aux destructions durant les deux guerres. Ce n'est pas l'enfermement de la gare dans son passé qu'il s'agit, mais c'est la valorisation, lui donner une nouvelle vie, un nouvel avenir, répondant aux besoins d'aujourd'hui.

Les pronoms *en* et *y* pour éviter les répétitions

5. a. 🎧 023 Écoutez les commentaires et indiquez de quoi parlent les personnes.
Exemple : *les journées du patrimoine*

1. ....
2. ....
3. ....
4. ....
5. ....
6. ....
7. ....
8. ....

b.  Réécoutez et reportez-vous à la transcription (p. 10 du livret). Complétez avec les expressions entendues et écrivez la forme verbale à l'infinitif.

		Exemple	*Je m'y rends* → *se rendre à*
Y	Complément d'un verbe introduit par *à*		
	Complément d'un adjectif introduit par *à*		
	Nom de lieu introduit par *à*		
EN	Complément d'un verbe introduit par *de*		
	Complément d'un adjectif introduit par *de*		
	Nom de lieu introduit par *de*		

6. Par deux. À l'oral. Reformulez les questions en évitant les répétitions et interrogez votre camarade. Utilisez *en*, *y* ou un pronom tonique.

1. Quand tu as vu une exposition qui t'a plu, tu aimes retourner à cette expo ?
2. Qui est l'artiste que tu admires le plus ? Pourquoi tu t'intéresses à cet(te) artiste en particulier ?
3. Quand tu viens de voir un film, tu aimes discuter de ce film immédiatement ou tu préfères réfléchir à ce film tranquillement ?
4. Florence Foresti a interdit l'utilisation des téléphones portables pendant son spectacle. Tu es favorable à l'interdiction des téléphones portables pendant un spectacle ou tu es opposé(e) à l'interdiction des téléphones portables pendant un spectacle ?
5. Une personne sur deux dit qu'elle aimerait jouer dans un film. Et toi, tu aurais envie de jouer dans un film ?
6. Si tu apprécies un(e) artiste, tu parles souvent de cet(te) artiste ?

Nous pratiquons > MOTS ET EXPRESSIONS

Parler du patrimoine

7. Associez les mots de même sens.

a. la protection
b. en danger
c. l'édifice
d. une aide financière
e. une rénovation
f. abîmer
g. casser
h. un lieu
i. s'écrouler
j. un chantier

1. le bâtiment
2. la sauvegarde
3. en péril
4. un site
5. des travaux
6. dégrader
7. détruire
8. s'effondrer
9. un financement
10. une restauration

Les registres de langue standard et familier

8. a. Numérotez les phrases du dialogue dans l'ordre.

- [ ] a. Ah oui, je vois, encore un truc sur l'hôpital… Et tu as regardé toute la saison ?
- [ ] b. Tu as raison. Finalement, on s'en fout de qui regarde quoi. Le plus important, c'est de passer un bon moment !
- [ ] c. Ça y est, j'ai regardé *Hippocrate*.
- [ ] d. Tu sais, c'est la série qui passe sur Canal +, c'est sur des internes en médecine…
- [ ] e. Ouais, ce week-end.
- [ ] f. Ah ouais, c'est quoi déjà ?
- [ ] g. Oui. C'était trop bien. Il faut vraiment que tu la regardes cette série.
- [ ] h. Tu veux dire que tu t'es bouffé les huit épisodes en deux jours ?
- [ ] i. Arrête de me mettre la pression. Ça me sort par les yeux les séries qui se passent à l'hôpital. Moi, j'y travaille tous les jours à l'hôpital alors je vais pas me farcir les séries en plus ! Je préfère de loin un bon petit polar, ça me détend.

b. Écrivez les expressions du dialogue de même sens.

1. forcer quelqu'un à faire quelque chose : ....
2. faire quelque chose avec déplaisir ou ennui : ....
3. quelque chose : ....
4. consommer quelque chose en grande quantité : ....
5. ce n'est pas important : ....
6. une série policière : ....
7. ne pas supporter : ....

Parler des séries et des tournages

9. 🎧 024 Écoutez et écrivez la profession de chaque personne.

1. ....   4. ....
2. ....   5. ....
3. ....   6. ....

10. Complétez ce commentaire sur une série de télévision. Attention au nombre de lettres.

> http://www.programmetv.fr
>
> **Attention spoiler !**
>
> La quatrième _ _ _ _ _ _ de la _ _ _ _ _ policière *Falco* démarre ce jeudi 7 avril sur TF1. La chaîne _ _ _ _ _ _ _ les deux premiers _ _ _ _ _ _ _ _, qui marquent la fin de l'aventure pour Falco. L'_ _ _ _ _ _ Sagamore Stévenin qui _ _ _ _ _ _ _ le flic Alexandre Falco a annoncé en juin dernier son départ, à cause de désaccords artistiques avec l'ensemble de la _ _ _ _ _ _ _ _ _ _ sur l'évolution de son _ _ _ _ _ _ _ _ _ _.

Phonétique : Les voyelles nasales et la dénasalisation

11. 🎧 025 Lisez les trois expressions et entourez celle dont la voyelle finale n'est pas nasale. Écoutez pour vérifier.

Exemple : nous l'impressionnons – en l'impressionnant – (ils l'impressionnent)

1. nous le fondons – en le fondant – ils le fondent
2. en le sélectionnant – nous le sélectionnons – ils le sélectionnent
3. ils l'attendent – nous l'attendons – en l'attendant
4. elles le maintiennent – en le maintenant – nous le maintenons
5. nous l'imaginons – ils l'imaginent – en l'imaginant
6. ils le surprennent – en le surprenant – nous le surprenons

D3 – Nous nous construisons une culture commune

Nous agissons

Stratégie : Donner son avis

12. a. Lisez le sujet du débat et l'avis d'un internaute.

> **Pour ou contre des mesures pour limiter le tourisme de masse ?**
>
> Visiter la grotte de Lascaux, se promener sur la plage paradisiaque de Ko Phi Phi, dormir dans un hôtel flottant sur un canal à Amsterdam… **certes**, ça me fait rêver comme tout le monde. **Mais** je ne ferai rien de tout cela. **D'abord, parce que** je m'y refuse totalement. Le tourisme de masse pollue l'environnement, dégrade le patrimoine et dénature les sites, **c'est évident**. **Ensuite, parce que** ce n'est plus possible et **c'est tant mieux** ! En effet, Lascaux est interdite au public depuis bien longtemps, Ko Phi Phi a fermé sa plage pour permettre au corail de se régénérer et Amsterdam a interdit les hôtels flottants. **Pourquoi** ne pas juste limiter le tourisme, **me direz-vous**. **Prenons l'exemple du** Mont Blanc, du Machu Pichu ou de l'Île de Pâques qui limitent le nombre de visiteurs. Cette limitation a pour effet de faire grimper les prix et donc de donner l'accès uniquement aux plus riches ce qui représente une profonde injustice. Ainsi, **je suis en faveur** de mesures radicales car à **mon sens**, ce sont les plus efficaces et les plus justes.

b. Classez les expressions en gras dans le texte.

Exprimer son point de vue : c'est évident, ...

Argumenter son point de vue : D'abord, parce que, ...

Anticiper les contre-arguments : Certes… Mais, ...

Justifier son point de vue avec un exemple : ....

Production écrite

13. Donnez votre avis sur une tendance actuelle. Utilisez des expressions de l'activité 12b.

> **Tendance**
>
> **Binge-watcher est-il dangereux ?**
> Après la dépendance aux jeux vidéo ou au smartphone, une nouvelle sorte d'addiction voit le jour : celle à Netflix.

Approche interculturelle

14. Des traditions françaises font partie du patrimoine culturel immatériel de l'UNESCO.

- Le repas gastronomique des Français
- Le gwoka : des musiques, chants et danses de Guadeloupe
- Les fêtes du feu du solstice d'été dans les Pyrénées
- Le savoir-faire de la dentelle au point d'Alençon
- Le compagnonnage : un réseau de transmission des savoirs et des identités par le métier

a. **Connaissez-vous ces traditions ?**
b. **Y a-t-il des traditions de votre pays qui font partie de la liste du patrimoine culturel immatériel de l'UNESCO ? Lesquelles ?**
c. **Quelles traditions souhaiteriez-vous ajouter ? Pourquoi ?**

BILAN 3

Nous nous construisons une culture commune

Compréhension écrite

1 Vous lisez cet article sur un site culturel français.

> Prenant cette fois-ci des allures de roman policier, *Couleurs de l'incendie*, la suite tant attendue d'*Au revoir là-haut* s'attaque aux années 1930.
>
> Ambitieux, l'auteur Pierre Lemaitre a commencé à réécrire un siècle (1920-2020) comme une fresque balsacienne[1] dans laquelle tout serait vrai sans être obligatoirement exact. Le premier tome, *Au revoir là-haut*, qui avait obtenu le prix Goncourt* en 2013, examinait un nouveau monde capitaliste après la Grande Guerre française de 1914-1918. Le deuxième tome, *Couleurs de l'incendie*, est une affaire de vengeance, celle d'une femme qui a presque tout perdu, mais reste obstinée jusqu'à la manipulation. Dans ce roman, il est en effet question de trahisons orchestrées par les banquiers et les politiques. La crise de 1929 avance à grands pas, le nazisme commence à ronger l'Europe, mais au cœur du roman se tient Madeleine, une femme qui perd tout et remonte l'escalier marche après marche, tout en refermant un piège sur ses ennemis les plus cupides[2].
>
> *Couleurs de l'incendie* s'ouvre sur les obsèques de Marcel Péricourt – le père d'Édouard Péricourt, l'un des deux personnages principaux d'*Au revoir là-haut* –, dont l'empire financier revient logiquement à sa fille, Madeleine, et au jeune fils de celle-ci, Paul. Tout semble réglé et officiel mais, en quelques heures, Madeleine est ruinée, seule avec un enfant handicapé. Après une ouverture digne d'un grand scénographe, Pierre Lemaitre secoue et interpelle son lecteur, pour mieux l'entraîner dans ce voyage au pays de la finance et du complot.
>
> Le plaisir est permanent, dans ce roman qui comporte étonnamment beaucoup d'humour. Tous les personnages, particulièrement les traîtres, sont délicieusement interprétés par un auteur qui sait mêler la documentation historique, les références littéraires et la pure création. Grâce à sa grande pratique du roman policier, Pierre Lemaitre a conservé un rythme très affirmé ainsi qu'une construction bien définie, et de ses lectures classiques, une liberté avec l'Histoire et une joyeuse endurance. Le résultat est parfaitement dosé, aussi vif que profond, avec ses haines et ses instants lumineux. Pierre Lemaitre a déjà en tête le troisième volume, situé dans les années 1940, et envisage d'aller jusqu'au tome dix…
>
> *Prix Goncourt : prix littéraire français.
>
> D'après www.telerama.fr

1. fresque balsacienne : référence à l'écrivain du 19e siècle Honoré de Balzac qui, dans son œuvre (*La Comédie humaine*, 26 tomes), cherchait à dépeindre la société réelle à travers de nombreux personnages de fiction.
2. cupide : intéressé par l'argent.

Répondez aux questions.

1. À quelle époque se situe le roman *Couleurs de l'incendie* ?

....

2. Dites si les affirmations suivantes sont vraies ou fausses en cochant (x) la case correspondante et citez le passage du texte qui justifie votre réponse.

   a. Le roman *Couleurs de l'incendie* est tragique du début à la fin. ☐ Vrai ☐ Faux

   ....

   b. Le premier tome avait eu peu de succès auprès des critiques littéraires. ☐ Vrai ☐ Faux

   ....

3. Qu'est-ce que les romans policiers ont apporté à Pierre Lemaître ?
....

4. Le journaliste qui écrit l'article sur le roman *Couleurs de l'incendie* est…
   a. déçu.   b. surpris.   c. conquis.

Compréhension orale

2 🎧 026 **Vous écoutez une émission sur une chaîne francophone. Répondez aux questions.**

1. D'où viennent les idées du scénario de la série *C'est la vie* ?
....

2. Quelle thématique Alexandre Rideau traite-t-il principalement dans ses productions ?
....

3. En quoi la série *C'est la vie* aide-t-elle à faire changer les mentalités ?
....

4. Dans quel but Alexandre Rideau demande-t-il conseil aux chefs de village ?
....

5. D'après le reportage, quel enjeu est également présent dans la série *C'est la vie* ?
   a. Le secret médical.   b. Le droit des femmes.   c. L'importance des études.

6. Selon Awa Djiga Kane, quel rôle les jeunes peuvent-ils jouer dans la vie réelle ?
....

7. *C'est la vie* est une série…
   a. engagée.   b. historique.   c. humoristique.

Production orale

3 Un loto du patrimoine a été organisé afin que chacun puisse participer au financement de la rénovation de sites et de bâtiments historiques français. Vous débattez des avantages et inconvénients de cette initiative avec un ami et lui donnez votre opinion à ce sujet. (3-4 minutes)

Production écrite

Un site internet de passionnés de cinéma propose la question suivante :
Quel est votre acteur préféré ? Pourquoi l'admirez-vous ? A-t-il eu un impact sur votre vie ou sur la société ?
Vous écrivez un texte, dans lequel vous présentez un acteur ou une actrice que vous admirez particulièrement. Vous décrivez son parcours, vous insistez sur ce qu'il/elle représente pour vous et parlez de l'impact qu'il/elle a eu sur votre vie ou sur la société. (250 mots minimum)

DOSSIER 4 > Leçons 1 et 2

Nous nous évaluons

Décrire et commenter une actualité technologique
Questionner les avantages et les inconvénients d'une technologie

1. Lisez l'article de presse. Faites les activités. Vérifiez votre score p. 12 du livret.

TENDANCE 2.0

Le « cloud » ou « nuage informatique », on en parle partout ! Il devient de plus en plus important dans les entreprises, et les particuliers commencent à le connaître sous la forme de services de stockage à distance ou encore de streaming. Pourtant, cette technologie reste mystérieuse pour le grand public.

C'est une sorte de gigantesque mémoire informatique capable de contenir tout type de document et accessible par Internet. Il sert à accéder à des données depuis n'importe quel endroit équipé d'une connexion Internet, à les partager et à les sauvegarder. On l'utilise tous depuis longtemps, sans le savoir. Notre messagerie électronique, par exemple, c'est du cloud : les méls sont stockés sur un serveur puis copiés sur notre ordinateur pour pouvoir les consulter. De nouveaux services apparaissent chaque année : agenda, carnet d'adresses, fichiers professionnels, photos, vidéos… Les solutions pour les particuliers et les entreprises s'appellent aujourd'hui SkyDrive, iCloud, Google Drive, Dropbox…

Techniquement, nos données sont mieux protégées dans le nuage où elles sont sauvegardées sur plusieurs serveurs que sur un ordinateur personnel qui n'est pas infaillible. D'autre part, les prestataires du cloud doivent s'engager par contrat à respecter la confidentialité des données et sont tenus depuis mai 2018, à se conformer au *Règlement général sur la protection des données* (RGPD). Quelques questions persistent pourtant sur la sécurité. Le cloud n'est pas épargné par le piratage. Il est donc important de faire de la sécurité du cloud une priorité pour son entreprise en utilisant une application de sécurité qui empêchera le trafic Internet malintentionné d'atteindre ses serveurs et son réseau.

a. Choisissez un titre pour cet article.
☐ Les dangers du nuage informatique
☐ Ce qu'il faut savoir sur le nuage informatique
☐ Sauvegarder ses données avec le cloud

b. Associez un thème à chaque paragraphe.

Paragraphe 1 •
• La protection des données
• Les failles du système
• La définition du cloud

Paragraphe 2 •
• Le succès du nuage informatique

c. Rédigez les deux questions formelles de l'article auxquelles répondent le paragraphe 1 et le paragraphe 2.
1. ....
2. ....

d. Parmi ces fonctions, entourez celle qui ne concerne pas le cloud.

stocker les mails   empêcher le piratage des données

conserver des données personnelles   stocker des films, de la musique, des vidéos

D4 – Nous vivons avec les nouvelles technologies

e. Vrai ou Faux ? Répondez et justifiez avec un extrait de l'article.

1. Le cloud présente un avantage par rapport au stockage sur un ordinateur personnel. ☐ Vrai ☐ Faux
Justifiez : ....

2. Il est illégal pour un prestataire du cloud de diffuser des données personnelles. ☐ Vrai ☐ Faux
Justifiez : ....

3. Le cloud est infaillible. ☐ Vrai ☐ Faux
Justifiez : ....

4. Il n'existe pas de solution pour protéger son cloud des actes de malveillance informatique. ☐ Vrai ☐ Faux
Justifiez : ....

Mon score ...... /10

Commenter une évolution sociétale liée aux technologies

2. Écoutez l'émission de radio. Faites les activités. Vérifiez votre score p. 13 du livret.

a. 🎧 027 Écoutez la première partie de l'émission. Puis complétez sa présentation.

> **CETTE SEMAINE**
>
> **Un reportage à ne pas manquer !**
> *L'Instant Médias* vous propose cette semaine un reportage sur
> .... (1). Notre journaliste
> mène l'enquête dans .... (2)
> et notamment au .... (3).
> Il donne la parole à Cathy Closier qui est .... (4).

b. Vrai ou faux ? Répondez et justifiez avec un extrait de l'émission.

1. *Season* est devenu immédiatement l'un des restaurants préférés des instagrameurs parisiens. ☐ Vrai ☐ Faux
Justifiez : ....

2. Cathy Closier a toujours tenu ce genre de restaurant. ☐ Vrai ☐ Faux
Justifiez : ....

3. Cela fait quelques années qu'elle a fondé le restaurant *Season*. ☐ Vrai ☐ Faux
Justifiez : ....

4. Cathy Closier connaissait depuis longtemps les influenceurs. ☐ Vrai ☐ Faux
Justifiez : ....

c. 🎧 028 Écoutez la deuxième partie de l'émission. Indiquez quels sont les signes du succès de *Season*.

☐ Le nombre d'abonnés au compte Instagram de *Season*
☐ Le nombre de plats commandés chaque jour
☐ L'adaptation de la carte du restaurant à la clientèle
☐ Le changement de décoration
☐ L'embauche de personnel

d. Expliquez en quoi Instagram modifie notre rapport au réel.

....
....
....

Mon score ...... /10

Nous pratiquons > GRAMMAIRE

Poser des questions : la question par inversion

3. a. Mettez les mots dans l'ordre pour former des questions par inversion.

1. un mot de passe / - / compliqué / il / sûr / être / doit / être / pour

……… ?

2. est / - / se connecter / Internet / pas / n' / risqué / de / il / sur / un réseau public

……… ?

3. -t- / ciblée / comment / fonctionne / la publicité / elle

……… ?

4. intérêt / -t- / à / quel / publier / sociaux / de / on / des photos / soi / les réseaux / sur / trouve

……… ?

5. sociaux / ont / notre société / ils / des conséquences / les réseaux / sur / - / positives

……… ?

6. -t- / informatique / un système / existe / infaillible / soit / totalement / qui / il

……… ?

b. Par deux. Posez ces questions à un(e) camarade. Il/Elle y répond.

4. 🎧 029 Écoutez les questions. Réécrivez-les dans un registre soutenu.

1. ………
2. ………
3. ………
4. ………
5. ………
6. ………

5. Lisez les réponses. Écrivez la question inversée portant sur la partie soulignée.

1. On n'aura <u>jamais</u> la garantie que nos informations personnelles sont entièrement protégées sur Internet.

→ ……… ?

2. Ils publieront leur publicité <u>sur Instagram</u>.

→ ……… ?

3. Il a posté une photo des enfants sans l'autorisation des parents <u>pour faire la promotion de ses cours d'arts plastiques</u>.

→ ……… ?

4. <u>Non</u>, il ne pensait pas vraiment que ce réseau était sécurisé.

→ ……… ?

5. <u>Si</u>, il existe des risques d'usurpation d'identité avec la reconnaissance faciale.

→ ……… ?

6. Ils ont eu accès à ces informations confidentielles <u>en piratant les comptes Facebook des utilisateurs</u>.

→ ……… ?

D**4** – Nous vivons avec les nouvelles technologies

Exprimer la durée

6. Complétez les phrases avec les expressions de durée : depuis – cela fait – il y a – dans

1. Cette application française de méditation existe .... quelques années déjà.
2. Gilles s'est connecté à un réseau social pour la première fois .... cinq ans. Avant, il n'en comprenait pas l'intérêt.
3. .... l'ouverture de mon compte Instagram, je constate que j'ai beaucoup plus de clients dans mon magasin.
4. .... trois mois que ce café culturel est ouvert et il a déjà un record de *likes* sur Facebook.
5. .... vingt ans, je suis sûre que les gens attacheront moins d'importance aux réseaux sociaux.
6. .... quelques mois, mon compte Facebook a été piraté. Je ne me suis pas connectée .... cet incident.

7. 🎧030 **Écoutez des informations sur les réseaux sociaux. Reformulez chaque information avec la bonne expression de durée entre parenthèses.**

1. (Cela fait… que / Pendant) ....
2. (En / Dans) ....
3. (Depuis / Pour) ....
4. (Il y a / Depuis) ....
5. (Pendant / Pour) ....
6. (Depuis / Pendant) ....

Nous pratiquons > MOTS ET EXPRESSIONS

Les préfixes négatifs pour former certains adjectifs

8. Barrez l'intrus. Justifiez votre réponse.

1. pénétrable / possible / actif ....
2. légal / faillible / submersible ....
3. honnête / favorable / bien intentionné ....
4. régulier / légitime / réel ....
5. prévu / agréable / activé ....
6. logique / limité / remédiable ....

9. a. Complétez le questionnaire avec les adjectifs contraires.

> **Les nouvelles technologies et vous !**
> ❶ La disparition des téléphones fixes vous semble…
>   ☐ réaliste   ☐ ....
> ❷ Le débat que suscite la reconnaissance faciale est…
>   ☐ intéressant   ☐ ....
> ❸ Les inquiétudes liées à la protection des données personnelles sont…
>   ☐ logiques   ☐ ....
> ❹ Sur votre smartphone, le wi-fi est toujours…
>   ☐ activé   ☐ ....
> ❺ La publicité ciblée est…
>   ☐ efficace   ☐ ....
> ❻ Par rapport à la vie privée, les réseaux sociaux sont…
>   ☐ respectueux   ☐ ....

b. Par deux. Répondez au questionnaire.

10. Reformulez les phrases avec un adjectif formé avec un préfixe négatif.
Exemple : *Les possibilités d'utilisation du big data sont sans limite.*
→ *Les possibilités d'utilisation du big data sont illimitées. / Le big data présente des possibilités d'utilisation illimitées.*

1. Tous les systèmes informatiques sont faillibles.

2. Mon serveur a été piraté… Ce n'est pas légitime.

3. Une personne qui a de mauvaises intentions pourrait se connecter à ton compte !

4. Ce projet de reconnaissance faciale dans les aéroports ne me semble vraiment pas admissible.

5. La connexion Internet est vraiment trop mauvaise ici : aucune possibilité de travailler !

6. Je ne supporte plus que tu sois sans arrêt sur Facebook !

7. La fonction géolocalisation n'est pas activée sur mon smartphone.

8. Imaginer une connexion sécurisée pour tout le monde n'est pas réaliste.

Parler des nouvelles technologies et des réseaux sociaux

11. Complétez l'article avec les mots de la liste. Plusieurs réponses sont possibles.

des fonctionnalités • application (x2) • comptes • mots de passe • numérique • sauvegarder • un réseau • la sécurité • des bases de données • la protection • utilisateurs

inforadiomonde.fr	Jamais le même mot de passe !

À l'occasion du Mois européen de la cybersécurité, nous nous interrogeons sur la protection de notre identité .... (1). 150-200, c'est le nombre moyen de .... (2) que chacun de nous doit retenir aujourd'hui. Impossible : on les oublie, on choisit toujours les mêmes. C'est une erreur ! Emmanuel Granier est le fondateur de l'................................. (3) SécuPass. Selon lui, un bon mot de passe est un mot de passe unique pour que personne n'accède à vos .... (4) en cas de vol. SécuPass est une .... (5) de gestion des mots de passe. Elle permet de .... (6) de manière sûre tous nos mots de passe et de les utiliser sans avoir à les retenir un par un. Elle garantit .... (7) de ses utilisateurs et .... (8) des données personnelles : celles-ci sont sécurisées grâce à un mot de passe principal auquel vous seul avez accès. Avec sa nouvelle version, SécuPass présente .... (9) supplémentaires. Elle propose par exemple de surveiller les adresses méls de ses .... (10), de les alerter si elles apparaissent dans .... (11) et de sécuriser l'accès à Internet sur .... (12) public.

D4 – Nous vivons avec les nouvelles technologies

Nous agissons

Stratégie : Rendre compte d'une inquiétude sur un sujet d'actualité

12. a. Lisez l'article.

> **Débat.fr**
>
> **Une nouvelle fonctionnalité de Facebook permet de lancer des pétitions**
>
> Facebook propose à ses utilisateurs américains de lancer des pétitions directement sur le réseau social, et de taguer les personnes à qui elles sont adressées. Avec cette nouvelle fonctionnalité, Facebook espère enrayer la baisse de popularité de sa plateforme, mais suscite de vives inquiétudes. Cette fonctionnalité ne comporte-t-elle pas des risques liés à la confidentialité des opinions politiques ? La vie privée des utilisateurs pourrait-elle être menacée ? Certains, en effet, accueillent avec méfiance cet outil qui pourrait permettre à Facebook d'en savoir encore plus sur les opinions politiques de ses utilisateurs. Quelle exploitation pourrait être faite des données si elles tombaient entre les mains de personnes malintentionnées ? Cette interrogation est plus que légitime. Après les scandales qui ont éclaboussé le réseau social de Mark Zuckerberg en 2018, la question de la protection de ces données et de l'utilisation qui en sera faite sera cruciale. Facebook pourrait également voir apparaître de nombreuses pétitions en faveur de causes douteuses et être rapidement débordé dans leur modération. Pour éviter de telles dérives, Facebook entend, dans un premier temps au moins, limiter ses « *community actions* ».

b. Cochez les procédés utilisés pour rendre compte d'une inquiétude et donnez un exemple tiré du texte.

☐ Expression pour parler de quelque chose qui inquiète
Exemple : ....

☐ Implication du lecteur
Exemple : ....

☐ Expression pour justifier une inquiétude
Exemple : ....

☐ Question envisageant les risques potentiels
Exemple : ....

☐ Opinion de l'auteur
Exemple : ....

☐ Conditionnel pour parler d'une situation hypothétique
Exemple : ....

Production écrite

13. Lisez le lancement du forum sur la technologie RFID sous-cutanée. Postez un commentaire dans lequel vous faites part de vos inquiétudes. Utilisez les procédés de l'activité 12.

> **Forum Innovation**
>
> **La démocratisation de la puce électronique sous-cutanée dans les entreprises**
>
> Un implant RFID peut remplacer une carte d'accès et faciliter les déplacements au sein de l'entreprise. Il peut également être utilisé pour le paiement de la cantine, prendre un billet de train ou encore transmettre des données comme une carte de visite.
>
> Que des avantages ? Pas de risques ? Qu'en pensez-vous ? Nous attendons vos commentaires.

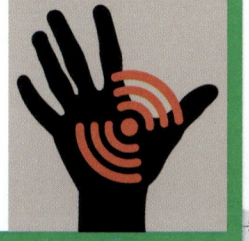

Approche interculturelle

14. 🎧031 **Écoutez l'introduction d'une émission de radio française et répondez aux questions.**

a. Que pensez-vous du compteur *Linky* ?

b. Ce type de produit existe-t-il dans votre pays ? Suscite-t-il un tel débat ?

DOSSIER 4 > Leçons 3 et 4

Nous nous évaluons

Développer un point de vue

1. Lisez l'article d'un magazine scientifique. Faites les activités. Vérifiez votre score p. 14 du livret.

---

sciencesmagazine.fr

Jeux vidéo : des bienfaits sur notre cerveau ?

Beaucoup d'études ont montré les effets négatifs des jeux vidéo : l'addiction, la violence, l'apparition de pathologies mentales graves, une baisse de la mémoire spatiale… Or, de récentes études dans le domaine des neurosciences démontrent les bienfaits de cette activité sur le cerveau. Nous interrogeons à ce sujet un psychologue ayant participé à l'élaboration de *Fortnite*, ce jeu au succès mondial.

Quel est le rôle d'un psychologue dans la conception d'un jeu vidéo ?

Grâce à mes connaissances sur l'intelligence humaine, j'aide les concepteurs à comprendre les problèmes que pourraient rencontrer les joueurs : nous voulons être sûrs qu'ils vont s'amuser, vont s'intéresser rapidement au jeu. Car s'ils ne comprennent pas l'objectif du jeu ou bien s'ils s'ennuient, ils abandonneront la partie.

Quels sont les secrets d'un bon jeu vidéo ?

Selon moi, un bon jeu vidéo est un jeu dans lequel les joueurs trouvent l'expérience qu'ils recherchent. Par exemple, s'ils choisissent un jeu d'horreur, ils doivent avoir peur rapidement ! S'ils font le choix d'un jeu de stratégie, ils doivent entrer tout de suite dans un principe stratégique. C'est pour cela qu'un jeu d'action doit vite mettre en avant des scènes de combat opposant ennemis et amis.

Mais alors, les jeux vidéo ont-ils des bienfaits sur notre cerveau ?

Oui, bien sûr, car les jeux vidéo bien conçus conduisent naturellement à des apprentissages. Quand ils jouent, les joueurs expérimentent, ils ont un retour positif ou négatif sur leur performance (ils gagnent ou ils perdent). Ils apprennent par l'expérience. De plus, les jeux vidéo s'adaptent à chaque joueur et l'entraînent de manière à ce qu'il puisse réutiliser les compétences apprises au jeu dans la vie réelle. D'autre part, jouer aux jeux vidéo augmenterait les connexions de notre cerveau ! À force de jouer, on stimule certaines facultés telles que la prise de décision ou l'organisation, on développe ainsi sa mémoire et sa logique. Les jeux d'action, quand ils proposent des activités de rapidité par exemple, font travailler les réflexes. Donc, oui : quand on joue à un jeu, on apprend énormément de choses ! Les jeux vidéo n'ont pas que des conséquences négatives, bien au contraire !

---

a. Lisez le chapeau de l'article. Identifiez et corrigez les trois erreurs dans le résumé suivant.

De nouvelles études viennent confirmer la thèse selon laquelle les jeux vidéo présentent de nombreux méfaits, ...

notamment sur la socialisation. À ce sujet, un psychologue nous livre son point de vue en se basant ....

sur une étude du jeu vidéo *Fortnite*. ....

b. Lisez l'article et répondez aux questions.

1. Comment un psychologue aide-t-il les concepteurs d'un jeu vidéo ?

....

2. Selon le psychologue, pourquoi un jeu vidéo d'horreur qui ne provoquerait pas la peur chez le joueur ne serait-il pas un bon jeu vidéo ?

....

D4 – Nous vivons avec les nouvelles technologies

c. Complétez la liste des bienfaits des jeux vidéo sur les joueurs.

Quand vous jouez à des jeux vidéo, vous pouvez :

1. *apprendre en étant actif, en expérimentant*
2. ....
3. ....
4. ....
5. ....
6. ....

d. Choisissez trois bienfaits dans la liste. Imaginez une situation pour illustrer chaque bienfait. Utilisez *si... que, tellement... que, tant de... que*.

Exemple : *1. Mon fils joue tellement aux jeux vidéo qu'il a une faculté d'apprentissage décuplée !*

....
....
....

Mon score ...... /10

Développer un raisonnement

2. 🎧 032 Écoutez l'émission de radio. Faites les activités. Vérifiez votre score p. 14 du livret.

a. Répondez aux questions.

1. En quoi consiste la digital detox ?

....

2. Quel autre terme est utilisé pour parler de la digital detox ?

....

b. Retrouvez les informations sur les moyens de déconnecter.

Sur le plan professionnel

Loi : .... Initiative de certaines entreprises : ....

Sur le plan personnel

Type d'offre	Hôtel	Centre de bien-être	Application	Soirée « Nomo »
Descriptif				

c. Complétez le résumé sur la difficulté de déconnecter avec les connecteurs suivants :

c'est pour cela qu' • d'autant qu' • certes... mais... • puisque • or

Il est compliqué de faire seul une digital detox. .... il faut avoir des outils. Nous désirons nous déconnecter. .... l'envie d'être sans cesse connectés est bien présente. .... la déconnexion est difficile sur le plan personnel, il existe beaucoup d'offres pour se déconnecter. C'est facile à dire mais pas à faire. .... on est tentés sans cesse. .... faire une digital detox, c'est bien ...., le plus difficile, c'est de continuer après.

d. À quoi la conclusion fait-elle référence ? Expliquez avec vos propres mots.

....
....

Mon score ...... /10

Nous pratiquons > GRAMMAIRE

Exprimer la cause et la conséquence

3. ♫ 033 **a.** Écoutez la revue de presse sur les évolutions liées aux réseaux sociaux. Pour chaque évolution, cochez la nature de la cause.

Évolution	Nature de la cause				
	Neutre	Positive	Négative	Qui se répète	Présentée comme connue de l'interlocuteur
Exemple				x	
1.					
2.					
3.					
4.					
5.					
6.					

b. Réécoutez la revue de presse. Puis reformulez l'information principale avec l'expression de conséquence entre parenthèses.

Exemple : *(tellement… que…)* Les 16-24 ans regardent tellement les écrans qu'ils ont une vue de plus en plus mauvaise.

1. (c'est la raison pour laquelle) ....
2. (donc) ....
3. (tant de… que…) ....
4. (c'est pour cela que) ....
5. (alors) ....
6. (c'est pourquoi) ....

4. Complétez avec une expression de conséquence de la liste. Plusieurs réponses sont possibles.

donc • c'est pour cela • c'est la raison pour laquelle • alors • c'est pourquoi

Les seniors et les réseaux sociaux

Nous avons tendance à penser que les réseaux sociaux sont réservés aux plus jeunes. Détrompez-vous : aujourd'hui près de la moitié des plus de 65 ans sont inscrits sur les réseaux sociaux ! .... (1) nous nous interrogerons dans ce dossier sur l'impact des réseaux sociaux sur le quotidien des seniors. Facebook, pour ne citer que lui, nous a ouvert la possibilité d'être ami avec le monde entier, d'être en lien. .... (2), même s'ils ont quitté la vie active, les seniors peuvent retrouver avec Facebook une nouvelle vie sociale. C'est un moyen de rester en lien avec le monde, ... (3) il séduit cette tranche d'âge. L'un des enjeux des seniors est d'être capables de s'intégrer socialement, comme lorsqu'ils étaient actifs. .... (4) qu'ils s'intéressent aux réseaux sociaux. En effet, en plus d'échanger des nouvelles avec leurs amis et leur famille, les réseaux sociaux leur permettent de se familiariser avec les outils numériques : ils tentent .... (5) de maîtriser la technologie, et même s'ils n'utilisent pas toutes les fonctions mises à disposition par les réseaux sociaux, nous verrons qu'ils s'en sortent très bien.

D4 – Nous vivons avec les nouvelles technologies

5. Écrivez les définitions en insistant sur l'intensité des conséquences. Utilisez *si, tellement (de)* ou *tant (de) … que*.

> **Petit lexique des maux de l'accro au smartphone**
>
> Exemple : *Un nomophobe : une personne extrêmement dépendante de son téléphone → elle a peur d'en être privée.*
> *Une personne si dépendante de son téléphone qu'elle a peur d'en être privée.*

1. Les smombies : piétons qui ont les yeux rivés à leur écran de smartphone → ils en oublient leur propre sécurité et celle des autres.

2. Le FOMO : quelqu'un qui a vraiment peur de manquer un événement dont on parle sur les réseaux sociaux → il est incapable de se déconnecter.

3. Le bovarysme digital : beaucoup de choses sont postées sur les réseaux sociaux → certaines personnes ont l'impression de vivre une vie banale à côté de celle des autres.

4. La textonite : certains écrivent de nombreux textos ou chattent beaucoup → cela crée une douleur dans les doigts, les mains ou les bras.

5. La vibration fantôme : on est très habitué à sentir vibrer son téléphone → on a l'impression de le sentir vibrer tout le temps.

6. Les autres signes d'addiction : certaines personnes consultent trop leur smartphone → elles ne sont plus capables d'accomplir une tâche au travail.

6. Par deux. À l'oral. Utilisez une expression de cause et une expression de conséquence pour mettre en avant les bienfaits ou les risques des nouvelles technologies suivantes.

Le casque de réalité virtuelle

Le drone

Les productions culturelles (musiques, romans) créées par des algorithmes

L'imprimante 3D

Nous pratiquons > MOTS ET EXPRESSIONS

Le préfixe *re-* pour indiquer un retour à un état antérieur ou une répétition

7. Imaginez un retour à une vie sans Internet ni smartphone. Que feraient les gens ? Complétez la liste en utilisant des termes construits avec les préfixes *re-* ou *ré-*.

1. Ils reprendraient l'habitude de noter les choses sur un agenda papier plutôt que sur leur agenda numérique.
2.
3.
4.
5.

La ponctuation dans un texte d'opinion

8. Ponctuez les billets d'opinion et ajoutez les majuscules nécessaires.

a. Signes de ponctuation à utiliser : 3 x . – ? – 2 x ! – () – « – »

tout commence avec un tweet écrit à partir d'un compte comptant un abonné un seul quelle audience Twitter accordera-t-il à ce premier tweet la réponse est probablement aussi complexe que l'algorithme qui dirige le destin de ce post ce premier tweet décroche un RT retweet de la @cinemathequech et 5 mentions j'aime c'est l'envol

....
....
....
....

b. Signes de ponctuation à utiliser : . – , – : – ()

l'expérience client devient un réel atout commercial car il n'y a pas meilleurs ou pires ambassadeurs que les clients ce sont bel et bien eux qui publient fièrement une belle photo de leur fondue dans un restaurant typique sur les médias sociaux

....
....
....
....

Quelques connecteurs pour développer un raisonnement

9. Entourez les connecteurs logiques corrects dans l'article sur l'essai du philosophe Éric Sadin.

L'intelligence artificielle ou l'enjeu du siècle

Les objets intelligents envahissent depuis quelques années notre quotidien et ont un immense succès auprès du grand public car ils facilitent la vie. **Or / En effet** (1), selon Éric Sadin, ces nouveaux dispositifs influencent trop nos décisions : **de ce point de vue / certes** (2), l'intelligence artificielle attire par ses capacités (on a vu récemment des algorithmes plus performants que des médecins pour repérer des cancers de la peau) **mais / ainsi** (3) elle ne doit pas contrôler nos comportements. **En effet / Certes** (4), elle change notre rapport au réel et elle organise chaque moment de notre quotidien. Elle pourrait **ainsi / d'autant qu'** (5) à l'avenir conditionner totalement nos choix, nos comportements et nos vies. **Même si / De ce point de vue** (6), l'intelligence artificielle semble être quelque chose de dangereux. Pour Éric Sadin, depuis le début des années 2010, les technologies numériques ne sont plus seulement des outils pour collecter, classer, stocker et manipuler de l'information. **En fait / Ainsi**, (7) elles sont devenues des outils de connaissance précise du réel. Par exemple Waze, le logiciel de géolocalisation qui indique l'état du trafic, c'est de l'intelligence artificielle ! Il a la pleine confiance du conducteur même **s' / d'autant qu'** (8) il gère en temps réel les informations envoyées par les autres conducteurs. **Même si / Mais** (9) chacun est libre d'utiliser ces informations ou non, Waze influence nos décisions.

Phonétique : La phonie-graphie des voyelles [y] et [u] – [ø] et [œ] – [o] et [ɔ]

10. 🎧 034 **a. Écoutez chaque liste. Retrouvez les deux intrus.**

Exemple : [y] – [u] : autonome – justement – booster – gracieusement – suffisamment – réapparu
→ *autonome – gracieusement*

1. [ø] – [œ] → .... – ....
2. [o] – [ɔ] → .... – ....
3. [y] – [ø] → .... – ....
4. [o] – [u] → .... – ....

b. Réécoutez l'enregistrement pour vérifier et répétez les mots de chaque liste.

D4 – Nous vivons avec les nouvelles technologies

Nous agissons

Stratégie : Structurer un billet d'opinion

11. Lisez le billet d'opinion.

Pourquoi faudrait-il absolument se déconnecter pendant les vacances ?

On parle d'hyperconnexion numérique quand on reste connecté plus de trois heures par jour à Internet. 67 % des Français déclarent ne pas pouvoir se passer de leurs outils connectés dans leur vie quotidienne. Et, d'après de récentes études, ce phénomène ne semble pas s'arrêter durant les vacances… Est-ce grave, docteur ?

Non, non et non. D'abord, selon moi, il y a un problème pratique dans la déconnexion : les outils numériques aident à régler de nombreux soucis estivaux tels que la réservation des hôtels, la consultation d'horaires ou le paiement de factures ! Ensuite, je trouve que la déconnexion estivale, c'est un luxe que peuvent se payer ceux qui partent en vacances dans les meilleures conditions. En effet, il est beaucoup plus compliqué de s'offrir ce luxe quand on n'est pas sûr d'avoir un travail à la rentrée, quand on a peur qu'on vous bloque votre compte en banque… Et puis, il faut avouer que ceux qui sont pour la déconnexion nous font culpabiliser, et c'est parfois agaçant.

Il ne faut pas vivre la déconnexion comme une obligation morale et culpabilisante. Mon conseil ? Faites comme bon vous semble ! N'écoutez pas les bien-pensants, ils sont tout aussi accro que vous… Profitez de votre été ! Que ce soit avec ou sans écran, veillez surtout à prendre du plaisir !

a. Associez les procédés aux intentions de l'auteur. Soulignez un exemple pour chacun dans le billet d'opinion.

1. On cite des faits, des études, des chiffres.
2. On s'implique personnellement.
3. On utilise l'impératif ou une expression de la nécessité.
4. On utilise des connecteurs pour la progression logique du discours.
5. On définit un concept, une idée.
6. On donne des exemples pour appuyer une idée.
7. On implique le destinataire.
8. On utilise des expressions de l'opinion, du jugement.
9. On joue avec la ponctuation pour soutenir le ton.

• donne des informations

• argumente

• interpelle le lecteur

b. Écrivez le numéro du paragraphe correspondant à chaque type de texte.

Texte injonctif → n°………… Texte argumentatif → n°………… Texte explicatif → n°…………

Production écrite

12. Lisez l'appel à contribution posté par un magazine. Répondez-y sous la forme d'un billet d'opinion.

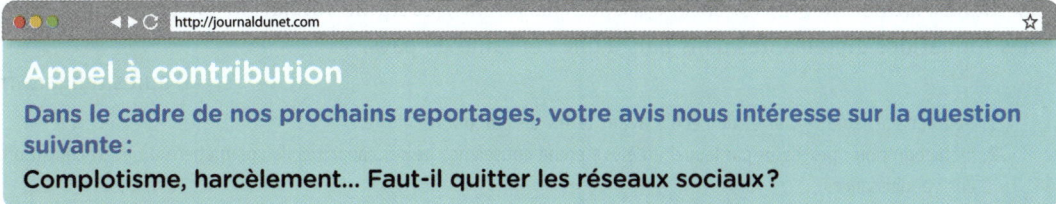

Appel à contribution
Dans le cadre de nos prochains reportages, votre avis nous intéresse sur la question suivante :
Complotisme, harcèlement… Faut-il quitter les réseaux sociaux ?

Approche interculturelle

13. 🎧 035 Écoutez la chronique radio et répondez aux questions.

a. Quel est le thème de la chronique ?
b. Quel est le but du dispositif utilisé par l'humoriste Florence Foresti ? Comment fonctionne-t-il ?
c. Ce genre de dispositif a-t-il déjà été utilisé dans votre pays ? Échangez sur les interdictions du téléphone portable dans votre pays.

cinquante-sept 57

BILAN 4

Nous vivons avec les nouvelles technologies

Compréhension écrite

1 Vous lisez cet article dans un journal français.

Comment l'intelligence artificielle entre peu à peu dans le monde de l'éducation en France

À l'heure où l'intelligence artificielle (IA) gagne tous les secteurs, les robots n'ont pas encore tout à fait conquis l'école française. Des partenariats de financement existent déjà pour la recherche et le développement de projets innovants pour l'apprentissage de certaines matières à l'école. La mise en place de l'intelligence artificielle n'est cependant pas évidente car elle nécessite de très gros investissements. Les champions actuels de l'IA se trouvent surtout de l'autre côté de l'Atlantique, aux États-Unis. Mais petit à petit, les start-up françaises commencent à se positionner sur le secteur de l'apprentissage grâce à ces nouvelles technologies.

Une application web française permet par exemple déjà à de nombreux élèves de personnaliser leur apprentissage de la lecture, en s'adaptant au rythme de l'enfant, grâce à l'apprentissage adaptatif. Car la personnalisation est le principal intérêt de l'intelligence artificielle dans le domaine de la formation. De quoi permettre d'éviter le décrochage scolaire[1], tout en faisant encore progresser les plus performants. Il existe également une application d'entraînement à l'orthographe pour adultes, qui a obtenu un grand succès dès son lancement. Une entreprise travaille également sur des contenus qui permettent de travailler à la fois sur l'apprentissage adaptatif (sélection des contenus et des ressources en fonction du niveau de connaissance et du type d'intelligence – visuelle ou non par exemple – de l'utilisateur) et sur l'ancrage mémoriel (invitation à la répétition pour mieux mémoriser les contenus). Une autre structure se base par ailleurs sur les sciences cognitives, en évaluant le rapport à l'erreur des élèves grâce à l'intelligence artificielle. Les mécanismes d'apprentissage sont expliqués à chaque élève, car des études ont en effet montré que la métacognition[2] stimule les processus d'acquisition. L'élève sera aussi par exemple invité à laisser reposer une leçon avant d'y revenir pour plus d'efficacité.

Des établissements ont par ailleurs recours à l'intelligence artificielle pour optimiser leurs formations. « Un certain nombre de données, comme le nombre de pages consultées, l'avancement des projets…, nous permettent de définir la probabilité qu'un étudiant réussisse sa formation », explique Mathieu Nebra, fondateur d'OpenClassrooms, école de formation en ligne qui délivre des formations diplômantes dans plus d'une centaine de pays.

D'après lefigaro.fr

1. décrochage scolaire : arrêt de l'école avant la fin du parcours scolaire.
2. métacognition : processus par lequel un élève prend conscience de ses capacités de compréhension et d'acquisition des connaissances.

Répondez aux questions.

1. Pourquoi l'intelligence artificielle intègre-t-elle difficilement le secteur de l'éducation en France ?

....

2. Dites si l'affirmation suivante est vraie ou fausse et justifiez votre réponse.

L'application numérique sur la lecture favorise les meilleurs élèves. ☐ Vrai ☐ Faux

....

3. Sur quoi s'appuie l'entreprise numérique qui travaille sur le rapport à l'erreur ?

4. Pourquoi est-il important de donner des explications aux élèves sur leurs erreurs ?

5. Il est conseillé aux élèves…

   a. de réviser la leçon le lendemain.   c. d'apprendre la leçon juste après le cours.

   b. de mémoriser la leçon en une seule fois.

Compréhension orale

2 🎧 036 **Vous écoutez le reportage suivant à la radio. Répondez aux questions.**

1. Quelle est la spécificité de la cantine du lycée Saint-Joseph ?

2. Quels sont les avantages de l'initiative décrite dans le reportage ? *(Trois réponses attendues.)*

3. Les élèves interviewés apprécient…

   a. d'avoir peu d'attente le midi.   b. de payer moins cher leur repas.   c. de sélectionner eux-mêmes les plats.

4. Que constate Philippe Descamps concernant le nombre d'élèves à la cantine ?

5. Le personnel de cuisine…

   a. prépare à l'avance une sélection de produits.

   b. prévoit une quantité importante de produits.

   c. ajuste la quantité de plats produits aux commandes.

Production orale

3 Vous discutez avec un ami qui est effrayé par la place que les nouvelles technologies et en particulier les écrans occupent dans notre vie quotidienne. Vous essayez de le rassurer en lui expliquant les avantages de ces outils numériques, tout en prenant en compte les inconvénients qu'ils peuvent impliquer, à l'aide d'exemples précis.

Production écrite

4 Vous lisez cet appel à témoignages sur un site d'actualités. Vous y répondez. (250 mots minimum)

> Connaissez-vous la nomophobie ? Cette peur de ne pas avoir son smartphone avec soi ou de ne pas pouvoir accéder aux informations sur son téléphone ? Envoyez-nous vos témoignages sur votre expérience et votre opinion argumentée sur ce phénomène.

DOSSIER 5 > Leçons 1 et 2

Nous nous évaluons

Analyser un enjeu de société

1. 🎧037 Écoutez cet entretien avec Agnès Buzyn, ministre de la Santé, dans une émission de radio. Faites les activités. Vérifiez votre score p. 16 du livret.

a. Répondez aux questions.

1. À quelle occasion la ministre de la Santé est-elle invitée dans cette émission de radio ?

....

2. Quel est le constat qu'elle fait concernant la consommation de médicaments en France ?

....

3. À quoi la politique menée par le gouvernement veut-elle inciter ? Pourquoi ?

....
....

b. Pour chaque catégorie, soulignez les termes entendus dans l'entretien.

1. Les personnes : un pharmacien, un prescripteur, un médecin, un patient, un infirmier.

2. Le système de santé : la Sécurité sociale, un hôpital, une assurance complémentaire de santé, rembourser.

3. Le traitement : un médicament, un effet secondaire, une contre-indication, un antibiotique, un générique, la pharmacopée.

c. Rédigez les phrases d'information permettant de mettre en valeur un élément.
Exemple : Négociation du prix de certains médicaments. → Le prix de certains médicaments est négocié.

1. Trop de consommation de médicaments en France dans le passé.

→ ....

2. Remboursement des génériques favorisé dès 2019.

→ ....

3. Importantes économies visées par la Sécurité sociale.

→ ....

d. Pendant l'entretien, le journaliste exprime une incompréhension peut-être partagée par certains Français. Expliquez-la et précisez la position de la ministre.

....
....

Mon score ...... /10

Prendre position sur un fait de société

2. Lisez les deux parties de l'article d'un quotidien. Faites les activités. Vérifiez votre score p. 17 du livret.

Dans le monde francophone, la France dernier héraut* de sa grammaire

*héraut : messager.

a. Comment comprenez-vous le titre de l'article ? Cochez la formulation la plus proche.

☐ 1. Dans le monde francophone, la France arrive en dernière position dans la préservation de la grammaire.

☐ 2. Dans le monde francophone, seule la France défend encore la langue française « pure ».

☐ 3. Dans le monde francophone, la France reste seule protectrice d'une grammaire conservatrice.

Si les pays francophones se sont emparés de l'écriture inclusive et des simplifications orthographiques, l'Hexagone résiste malgré les tentatives récurrentes d'évolution du français.

Les Belges ont dernièrement surpris les commentateurs français en faisant savoir qu'ils aimeraient pouvoir écrire « les crêpes que j'ai mangé » plutôt que « les crêpes que j'ai mangées », selon l'orthographe correcte en vigueur.

Cet exemple est symptomatique des demandes des citoyens, pressantes et répétées, de réviser la langue française, de la simplifier ou de la rendre plus « inclusive », en résumé : qu'elle soit plus progressiste. Il est nécessaire, selon eux, qu'elle s'adapte parce que son orthographe est supposée trop complexe, trop élitiste, et non appliquée et surtout, parce que les femmes n'y sont pas suffisamment prises en compte. En France, ce discours est porté par les milieux féministes, qui affirment qu'il est essentiel non seulement de simplifier l'orthographe, mais aussi de mettre en place l'écriture inclusive.

En réponse, deux positions se sont fait entendre : un éditeur a jugé bon qu'un manuel d'école primaire soit rédigé en utilisant l'écriture inclusive, tandis que l'Académie française, dès octobre 2017, s'insurgeait qu'on puisse adopter ce « péril mortel ». Récemment, et afin de repousser ce problème à une date ultérieure, le Premier ministre français a officiellement invité les administrations à ne pas utiliser les règles de l'écriture inclusive utilisant les tirets ou les points. Cette circulaire ministérielle a calmé le jeu mais il n'est pas certain que cela apaise les milieux sensibles à la cause féministe...

Pourtant, ces débats linguistiques répétés et passionnés sont assez loin des préoccupations dans les pays francophones. En Belgique, au Canada francophone ou en Suisse, hormis l'écriture avec un « point milieu » qui reste réservée à des cercles militants, la féminisation lexicale, qui fait toujours débat chez nous, progresse tranquillement. Elle a ainsi été encouragée dès 1979 par l'Office québécois de la langue française. Dès 2000, la Chancellerie fédérale suisse suggérait que l'on dise « mairesse » et non « maire », « cheffe » et non « chef », même si le débat n'est pas clos. Pour Paul Roux, conseiller linguistique à *La Presse* (quotidien canadien francophone), *« refuser pareille féminisation dans des sociétés qui valorisent l'égalité entre les femmes et les hommes est un combat d'arrière-garde. »*

b. Soulignez les éléments corrects dans cette présentation de l'article.

L'article traite *du thème de l'écriture inclusive / des réformes orthographiques / des changements apportés à la langue française* dans le monde francophone. Il semble que *le conservatisme / le progressisme / le réformisme* soit un aspect plus fort en France que dans les autres pays. Ainsi, les autorités *françaises / canadiennes / suisses / belges* ont souhaité les premières que les professions soient féminisées, même si rien n'est définitivement fixé, les autres ont ensuite plus ou moins adopté les mêmes modernisations. En ce qui concerne l'écriture inclusive, *le Québec a / les trois pays francophones ont / aucun pays n'a* pris la décision officielle de l'appliquer.

c. Reliez les éléments des deux colonnes pour former des opinions puis attribuez-les aux acteurs du débat. Plusieurs réponses sont possibles.

1. Il est dangereux
2. Il est courant
3. On est surpris
4. On espère
5. Il est souhaitable

a. que les écrits officiels n'aient pas recours à l'écriture inclusive.
b. d'accepter officiellement l'écriture inclusive.
c. que certains veuillent réformer l'accord du participe passé.
d. que les noms de professions soient féminisés.
e. que l'écriture inclusive sera généralisée.

L'Académie française : ....
Les militant(e)s féministes : ....
La France : ....
La Belgique : ....
La Suisse : ....
Le Canada francophone : ....

Mon score ....../10

Nous pratiquons > GRAMMAIRE

La voix passive pour mettre en valeur un élément

3. 🎧 038 Écoutez l'annonce des titres du journal. Associez-les à leur résumé et indiquez si l'annonce est à la voix active ou passive.

Annonce n°	Résumé de l'information	Voix active	Voix passive
	a. Un sommet décisif pour l'économie		
	b. Les films de la semaine		
	c. Un jugement attendu sur des comptes publics		
	d. Couvrez-vous et attention aux glissades !		
	e. La situation de l'emploi à l'automne		
	f. Un système de santé très social		

4. Formulez les faits d'actualité à la voix passive.

1. La loi de 1996 a donné au Parlement le droit de vérifier les comptes de la Sécurité sociale.

2. Le remboursement des activités sportives permettant de lutter contre les maux de dos sera prochainement discuté en commission parlementaire.

3. Les fabricants de médicaments influencent-ils trop ceux qui décident du remboursement des prescriptions ?

4. Nous examinons en ce moment la mise sur le marché d'un implant électronique et connecté pour simplifier la vie des personnes atteintes de diabète.

5. On pourrait imaginer un nouveau type de Carte vitale contenant l'ensemble des données médicales d'un patient.

6. Il est possible que les assurances privées remontent leurs tarifs en fonction des remboursements du système public.

5. Transformez les informations suivantes à la voix active ou à la voix passive selon la formulation initiale.

1. Ces vingt dernières années, les lois de financement de la Sécurité sociale ont été régulièrement modifiées.

2. Une commission de spécialistes examine régulièrement l'efficacité des médicaments remboursés par la Sécurité sociale.

3. Depuis quelques années, nous pouvons entendre des recommandations pour limiter la consommation d'antibiotiques.

4. Les médecins auraient également été invités par les autorités à prescrire une pharmacopée plus légère.

5. Dans le futur, on devrait consulter de moins en moins de médecins par soi-même du fait du parcours de santé contrôlé par le médecin traitant.

6. Au cours des prochaines années, les centres de santé généraliseront probablement les consultations à distance.

D5 – Nous débattons de questions de société

Différents emplois du subjonctif pour prendre position et exprimer une opinion

6. 🎧 M039 Écoutez des phrases entendues lors d'un micro-trottoir. Associez-les à ce qu'elles expriment et au mode verbal utilisé.

1.
2.
3.
4.
5.
6.
7.
8.

- Jugement
- Sentiment
- Opinion
- Doute
- Volonté
- Obligation
- But

- Indicatif
- Subjonctif

7. Réécrivez les affirmations avec les expressions indiquées.

1. Les linguistes français ont beaucoup plus de débats qu'ailleurs.

Il semble que ....

Il me semble que ....

2. La règle de l'accord de proximité peut être plus simple à utiliser que la règle actuelle.

J'imagine que ....

Imaginez-vous que .... ?

3. La complexité de la grammaire française fait partie de sa richesse.

Il est possible que ....

Il est probable que ....

4. Les déserts médicaux sont une réalité pour ceux qui vivent loin des villes.

La représentante trouve que ....

La ministre trouve choquant que ....

5. Les Français vont chez le médecin généraliste avant de consulter un spécialiste.

Le parcours de santé a été mis en place afin que ....

On limite désormais les visites médicales puisque ....

6. Le taux de remboursement des lunettes est de plus en plus élevé.

Vous espérez que .... ?

Vous exigez que .... ?

8. Réagissez aux affirmations de l'activité **7**. Écrivez votre avis selon les valeurs proposées.

1. un jugement : ....
2. un doute : ....
3. une opinion : ....
4. un sentiment : ....
5. une obligation : ....
6. une volonté : ....

soixante-trois 63

Nous pratiquons > MOTS ET EXPRESSIONS

Parler de la santé

9. Barrez l'intrus dans chaque liste puis donnez un titre aux six groupes.

1. un(e) ambulancier(ère) – un(e) aide-soignant(e) – un(e) infirmier(-ère) – un service d'urgence – un(e) médecin généraliste/spécialiste – un(e) patient(e) → ....

2. une visite médicale – un examen – une analyse – une opération – un transport en ambulance – une perfusion → ....

3. un médicament – une consultation – l'homéopathie – un antibiotique – une médecine naturelle – la rééducation → ....

4. un kit de premier secours – une trousse de toilette – une armoire à pharmacie – un défibrillateur – une ordonnance – un tensiomètre → ....

5. attraper un virus – un symptôme – faire une réaction – recevoir une transfusion – une intolérance – souffrir d'une maladie chronique → ....

6. l'Assurance maladie – la mutuelle de santé – un hôpital – le diagnostic – être affilié(e) à un système de santé – une clinique → ....

10. Complétez l'histoire de Rosy avec des mots et des expressions de l'activité 9. Faites les modifications nécessaires.

> **Vu sur le web !**
>
> En 2010, Rosy est arrivée en France en tant qu'étudiante. Conformément à la législation française, elle .... (1) au système d'Assurance maladie des étudiants. À cette époque, comme elle n'avait pas beaucoup d'argent, elle a préféré garder son argent pour les loisirs plutôt que pour payer une .... (2) en cas de problème de santé coûteux. Un jour, elle a attrapé une .... (3) virale. Ce n'était pas grave mais face aux premiers .... (4) (très forte fièvre, faiblesse générale, etc.), elle a paniqué et appelé directement un .... (5) pour être transportée à la .... (6) du quartier. Quand elle a reçu la facture, quel choc : elle ne savait pas que le transport n'était pas remboursé sans .... (7) d'un médecin, ni qu'une clinique coûtait plus cher qu'un .... (8) !

Phonétique : La phonie-graphie des sons [s] et [z]

11. 🎧 040 Écoutez et complétez avec les lettres « s », « ss », « sc », « x », « t », « c » ou « z ». Puis indiquez à quel son [s] ou [z] correspond la graphie.

Exemple : Les explications minutieuses du pharmacien sont souvent précieuses pour comprendre.
[z][s]   [s]   [s] [z]   [s] [s] [s]   [s] [z]

les notices d'utilisation des médicaments.
[s]   [z][s]

....elon les dernière.... études publiées dan.... un maga....ine de ....ociété, le.... inégalités
[ ]   [ ]   [ ]   [ ] [ ]   [ ]

entre les ....alaires de.... hommes et ....eux des femmes ....ont toujours au....i vi....ibles.
[ ]   [ ]   [ ]   [ ]   [ ] [ ]

D5 – Nous débattons de questions de société

Nous agissons

Stratégie : Synthétiser le contenu d'un débat

12. 🎧 041 Écoutez le débat entre les membres d'un club de lecture.

a. Cochez le thème correspondant au débat.

☐ L'égalité homme-femme ☐ La mise en place de l'écriture inclusive ☐ La féminisation de la langue écrite

b. Associez les opinions aux locuteurs.

Philippe •
- • 1. L'écriture inclusive servira de base à l'éducation égalitaire des enfants.
- • 2. L'écriture inclusive pourrait gêner la lecture.

Martine •
- • 3. Les mentalités doivent changer.
- • 4. L'écriture inclusive ne peut pas être appliquée aux domaines littéraires.

Françoise •
- • 5. L'écriture inclusive relève du débat idéologique.
- • 6. Seul un changement de législation pourra faire évoluer les choses.

c. Complétez le compte rendu avec les numéros des opinions de la liste.

Face à la question de l'écriture inclusive, les opinions sont partagées entre les membres du club de lecture. Philippe et Martine sont d'accord au départ sur le fait que ……………… . Mais Philippe pense que ……………… et qu'elle ……………… . Martine n'est pas d'accord et affirme que ……………… et que ……………… . Philippe doute que légiférer sur le sujet soit possible. La solution qui met d'accord Françoise et Martine, c'est que ……………… .

Production écrite

13. Répondez à cette demande postée sur le blog de votre centre de langue. Synthétisez les opinions sur la féminisation des langues sous forme d'un compte rendu structuré.

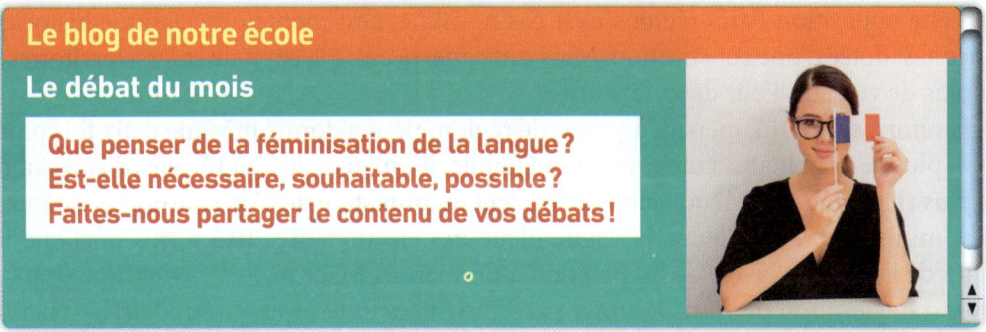

Le blog de notre école

Le débat du mois

Que penser de la féminisation de la langue ?
Est-elle nécessaire, souhaitable, possible ?
Faites-nous partager le contenu de vos débats !

Approche interculturelle

14. En France, les débats sont inscrits dans les programmes de l'enseignement secondaire, en particulier dans le cadre des cours d'enseignement moral et civique.

Voici un extrait du programme officiel 2018.

> L'enseignement moral et civique s'effectue, chaque fois que possible, à partir de l'analyse de situations concrètes. La discussion réglée et le débat argumenté ont une place de premier choix pour permettre aux élèves de comprendre, d'éprouver et de mettre en perspective les valeurs qui régissent notre société démocratique. Ils comportent une prise d'informations selon les modalités choisies par le professeur, un échange d'arguments dans un cadre défini et un retour sur les acquis.

a. Que pensez-vous de cette place accordée aux débats dans les collèges en France ?

b. Comparez avec les programmes d'enseignement dans votre pays.

DOSSIER 5 > Leçons 3 et 4

Nous nous évaluons

Décrire et comparer des faits culturels et politiques

1. Lisez la chronique publiée sur un site d'information culturel. Faites les activités. Vérifiez votre score p. 18 du livret.

HEBDO DES RÉGIONS

Provinces unies, tous contre Paris !

Après les clivages « droite-gauche » et « ouverture-repli », voici venu le temps de l'opposition « Paris-régions ».

Comment s'opposer à Emmanuel Macron ? L'opposition de droite cherche depuis le dernier scrutin présidentiel sur les terrains économique et sécuritaire essentiellement, mais sans succès. Une nouvelle tendance semble donc être apparue la semaine dernière. En effet, jeudi, tous les présidents de région ont rompu les négociations budgétaires, agacés par les restrictions que leur impose l'État… ou plutôt que leur impose « Paris », comme ils le disent.

Voilà donc le nouveau clivage : face à un président décrit comme l'homme des élites parisiennes, l'opposition se positionne tout aussi clairement du côté de la proximité que du côté du bon sens et de l'action de terrain. Ils sont aidés en cela par la tendance naturelle d'Emmanuel Macron, qui n'est pas aussi désireux de partager le pouvoir avec les collectivités territoriales que les présidents précédents.

Ainsi, le thème de la décentralisation occupe objectivement moins de place que dans le passé puisque le mot ne figurait même pas dans son projet présidentiel… Pire – ou mieux selon les points de vue – on peut même parler du retour de davantage de centralisation, illustré par la fin de la taxe d'habitation qui finançait les collectivités.

Bien sûr, cette opposition Paris-régions n'est pas nouvelle, c'est même un classique historique depuis que la France s'est dotée d'une constitution. Mais cette guerre entre la capitale et les « territoires » retrouve de plus en plus de vigueur. Pour deux raisons.

D'abord, la réforme de 2015, menant à moins de régions, leur a donné presque deux fois plus de poids, et infiniment plus de « publicité » auprès du grand public. Ramenées de 22 à 13, elles disposent de budgets nettement plus élevés (au total, l'équivalent du budget du ministère de l'Agriculture) et de tout autant de personnel administratif. Par ailleurs, la vague bleue des élections de 2015 a mis plus que jamais des personnalités de la droite à la tête de l'opposition à Emmanuel Macron.

Mais cette stratégie, qu'on pourrait résumer par « Provinces unies, tous contre Paris » fonctionne pour une autre raison. La région et l'identité régionale reviennent en force depuis quelques années : seule la région semble apporter une forme d'identité socialement moins risquée, un cadre plus rassurant de traditions et d'appartenance locale. Les responsables politiques régionaux l'ont bien compris, et s'en servent pour gagner davantage de popularité. D'où le paradoxe de cette position : ils jouent sur la corde régionale contre « la capitale »… pour finalement se rapprocher des lumières de Paris !

a. Quel est le clivage dont il est ici question dans l'article ?

....

b. Numérotez dans l'ordre chronologique les étapes de la formation du clivage.

☐ La droite est entrée dans l'opposition au gouvernement.

☐ Les responsables régionaux ont quitté la table des négociations.

☐ Le budget des régions comme leur image se sont beaucoup développés.

☐ L'opposition s'est positionnée sur l'axe « Provinces unies, tous contre Paris ».

☐ Elle n'a pas réussi à formuler une critique profonde sur les plans économique ou sécuritaire.

D5 – Nous débattons de questions de société

c. Complétez le tableau des expressions nuancées avec des extraits de l'article.

Pour indiquer une progression	+	....
	+	....
Pour insister	=	....
	=	....
	−	....
Pour donner un ordre de grandeur	+	....

d. Quel est le paradoxe dont parle le journaliste à la fin du texte ? Est-ce un constat ou une opinion ?

....

....

Mon score ...... /10

Commenter un phénomène de société

2. 🎧 N042 Écoutez un entretien diffusé sur une radio régionale. Faites les activités. Vérifiez votre score p. 18 du livret.

a. Vrai ou faux ? Cochez et justifiez votre réponse avec un extrait de l'entretien.

1. Les Français voient des impacts positifs de la victoire au Mondial sur le sentiment de fierté nationale mais pas sur l'image de la France dans le monde. ☐ Vrai ☐ Faux
   Justifiez : ....

2. La politique se mêle toujours aux discussions concernant la gastronomie comme à celles portant sur les succès sportifs. ☐ Vrai ☐ Faux
   Justifiez : ....

b. Quelles sont les trois évolutions (hausse ou chute) récentes citées par le journaliste ? Complétez.

1. Plus 5 points pour ....
2. .... en hausse spectaculaire de 21 points
3. Un recul de 2 points pour ....

c. Associez les émotions de la liste aux extraits.

énervement – sentiment d'unité nationale – déception – fierté et optimisme – soutien fort – rejet

Extraits	Émotions des Français
« ça rend les Français heureux et enthousiastes »	....
« les effusions »	....
« on adore »	....
« on s'agace »	....
« on rejette »	....
« on pleure »	....

Mon score ...... /10

soixante-sept 67

Nous pratiquons > GRAMMAIRE

Nuancer une comparaison

3. 🎧 043 Écoutez ces résultats d'enquêtes. Cochez dans le tableau le type de nuance des comparaisons.

	Indique une évolution		Insiste			Donne un ordre de grandeur	
	+	−	+	=	−	+	−
1							
2							
3							
4							
5							
6							

4. Complétez les commentaires de l'étude sur les domaines à prioriser par l'État selon les Français. Utilisez les expressions de la liste et faites les modifications nécessaires. Plusieurs réponses sont parfois possibles.

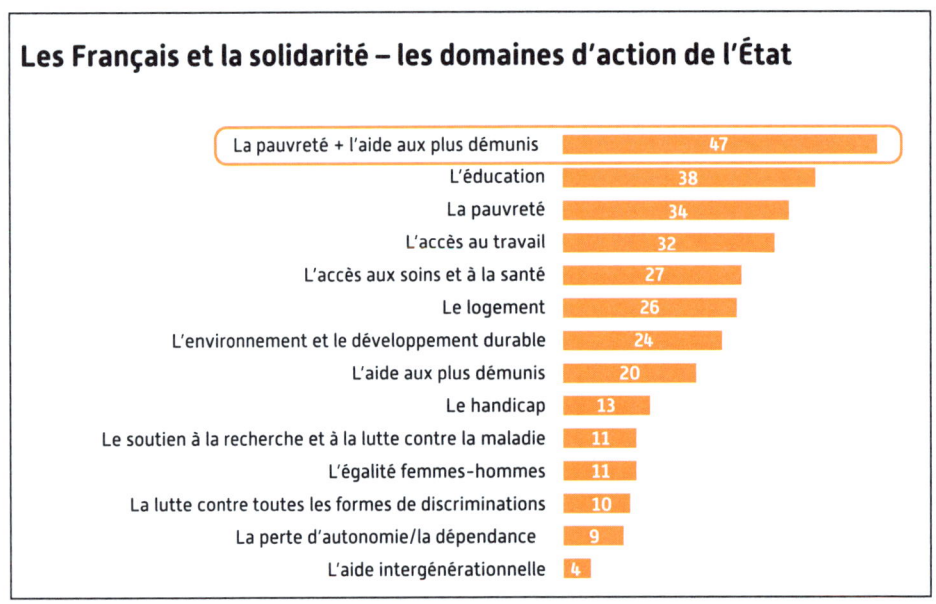

Les Français et la solidarité – les domaines d'action de l'État

- La pauvreté + l'aide aux plus démunis : 47
- L'éducation : 38
- La pauvreté : 34
- L'accès au travail : 32
- L'accès aux soins et à la santé : 27
- Le logement : 26
- L'environnement et le développement durable : 24
- L'aide aux plus démunis : 20
- Le handicap : 13
- Le soutien à la recherche et à la lutte contre la maladie : 11
- L'égalité femmes-hommes : 11
- La lutte contre toutes les formes de discriminations : 10
- La perte d'autonomie/la dépendance : 9
- L'aide intergénérationnelle : 4

de plus en plus — deux fois plus de — beaucoup moins — bien moins — tout autant de

La dernière enquête d'Ipsos sur les Français et la solidarité montre que les citoyens attendent .... (1) actions de l'État dans la lutte contre la pauvreté et l'aide aux plus démunis que dans la protection environnementale et le développement durable. La protection des personnes vulnérables semble importante pour les Français qui se préoccupent .... (2) l'accès aux soins et à la santé que de l'accès au logement. Bien que le social soit à l'honneur, on remarque que les Français sont .... (3) sensibles à l'aide étatique intergénérationnelle ou face à la perte d'autonomie. Pour finir, la plus grande surprise : bien que les débats poussent .... (4) vers les droits des femmes, on voit que l'égalité homme-femme, avec 11 % de réponses, est un sujet .... (5) cité qu'on l'aurait imaginé.

D5 – Nous débattons de questions de société

Le subjonctif pour exprimer une alternative

5. Rédigez des phrases qui expriment des alternatives avec les éléments proposés.

1. Vivre en Belgique / en Allemagne – être en démocratie

....

2. Faire du football / du rugby – pratiquer un sport internationalement populaire

....

3. Adorer les sports collectifs / les détester – leur popularité – rester indéniable

....

4. Être favorable à l'écriture inclusive / préférer la seule féminisation des noms – ne pas pouvoir refuser la féminisation de la langue

....

....

5. Acheter des médicaments de marque / obtenir des médicaments génériques – les effets – être les mêmes

....

6. Prendre des antibiotiques / choisir un traitement naturel – un virus – nécessiter plusieurs jours de repos

....

Nous pratiquons > MOTS ET EXPRESSIONS

Parler des institutions et de la politique

6. Complétez la présentation des institutions de la République française avec les mots suivants :

Parlement – République – Président de la République – gouvernement – élections – démocratie – Sénat – participer – Assemblée nationale – citoyens – scrutins.

La France est une .... (1) qui repose sur la volonté et l'expression du peuple. Celui-ci est constitué des hommes et des femmes qui peuvent .... (2) à différents .... (3) dès qu'ils ont 18 ans, que ce soit au travers d' .... (4) locales ou nationales. Cela la définit comme .... (5).

Plus précisément, les .... (6) votent directement pour le .... (7), les membres de l'Assemblée nationale (les députés) et les membres des conseils locaux (municipal, départemental et régional). Les sénateurs sont quant à eux élus indirectement. En revanche, le .... (8) n'est pas élu mais nommé par le Président de la République. Les deux assemblées, l' .... (9) et le .... (10), forment le .... (11).

Parler des émotions et des sentiments

7. Pour chacune des expressions suivantes, imaginez une situation qui pourrait provoquer un tel sentiment. Présentez-la en une phrase.

1. Être euphorique : ....

2. Éprouver de la joie : ....

3. Éprouver de l'aversion : ....

4. Haïr : ....

5. Se sentir malheureux : ....

8. a. Écrivez le sentiment éprouvé par le personnage pour chaque vignette de cette bande dessinée.

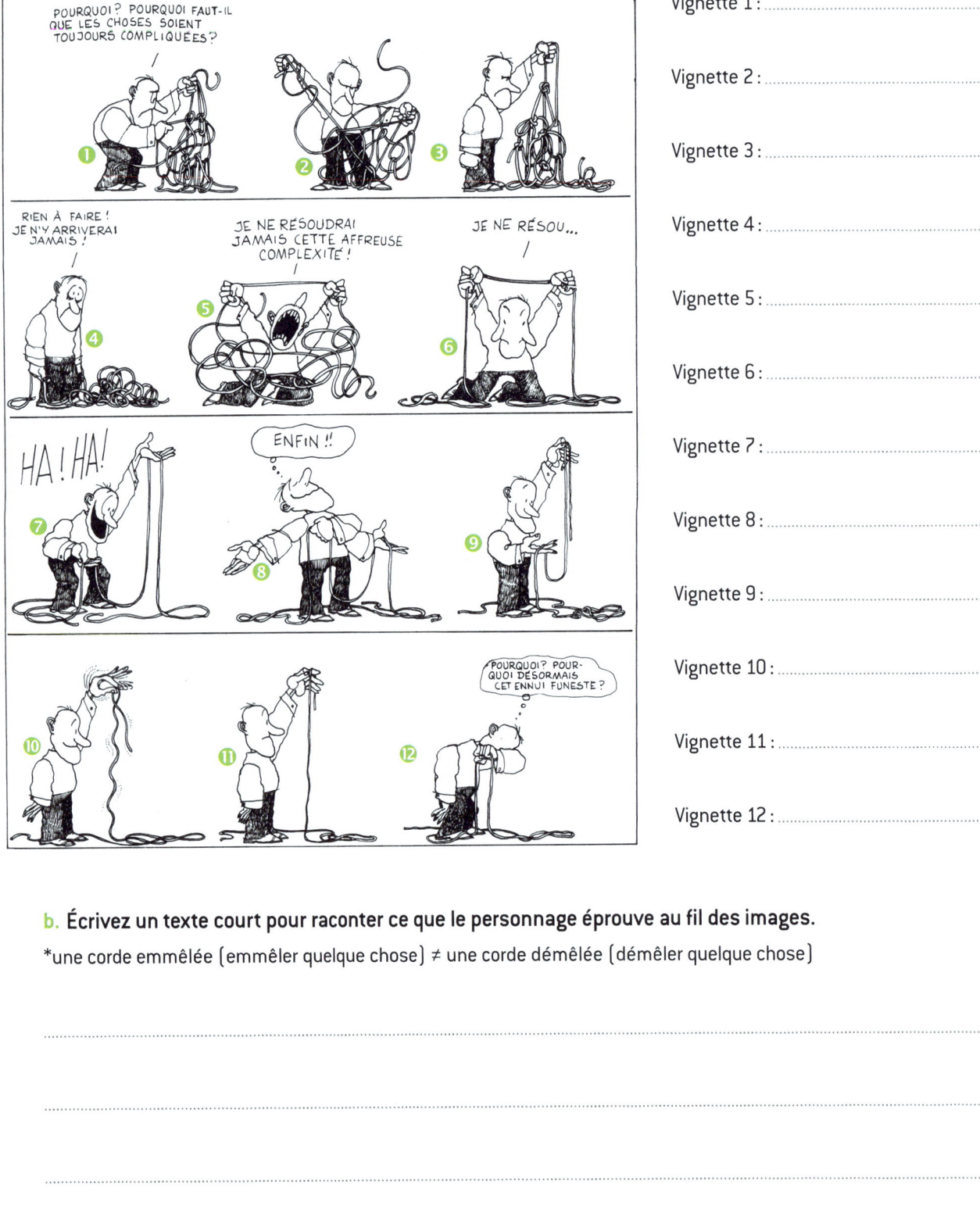

Vignette 1 : ....
Vignette 2 : ....
Vignette 3 : ....
Vignette 4 : ....
Vignette 5 : ....
Vignette 6 : ....
Vignette 7 : ....
Vignette 8 : ....
Vignette 9 : ....
Vignette 10 : ....
Vignette 11 : ....
Vignette 12 : ....

b. Écrivez un texte court pour raconter ce que le personnage éprouve au fil des images.

*une corde emmêlée (emmêler quelque chose) ≠ une corde démêlée (démêler quelque chose)

....
....
....
....

D5 – Nous débattons de questions de société

Nous agissons

Stratégie : présenter une opinion argumentée dans un débat

9. Lisez le texte d'opinion et faites les activités.

❶ Dans le contexte actuel de recherche d'égalité des sexes, la question de **la mixité des pratiques sportives dans les établissements scolaires** se pose. Que l'on s'interroge sur les bénéfices que cela peut apporter aux jeunes ou que l'on s'intéresse aux problèmes que cela pose, il est clair que c'est un sujet de débat qui ne peut pas être tranché facilement.

❷ **On dit que garçons et filles doivent être éduqués de la même manière car l'égalité se construit dès le plus jeune âge.**

❸ Certes, cela est vrai pour les enfants. Cependant, **est-on bien sûr que les adolescents soient toujours heureux de pratiquer certains sports ensemble, par exemple la natation pendant la puberté ?** Cet exemple révèle certainement à quel point la volonté d'égalité peut s'opposer au **besoin de ne pas toujours faire les mêmes**

❹ **choses et en même temps à certains âges, besoin qui permet à beaucoup de jeunes de se sentir bien.**
Par ailleurs, les corps des adolescents ne se développent pas au même rythme, c'est un fait.

❺ **Les bras, les jambes, le développement musculaire : tous ces aspects de la croissance se font à des moments et des vitesses différents.** C'est pourquoi l'engouement pour la mixité de toutes les activités et à tous les âges, peut être contraire à la bonne santé de la jeunesse.

❻ **Ainsi, il me semble clair que l'égalité de traitement et d'accès aux sports doit être une priorité dans l'éducation mais que la mixité systématique dans les pratiques sportives, et à tous les âges, n'est pas souhaitable.**

a. Observez la structure de l'opinion argumentée. Indiquez le numéro correspondant aux étapes de l'argumentaire.

☐ Le deuxième argument   ☐ La thèse soutenue
☐ Le premier argument   ☐ Le thème général
☐ La synthèse de l'opinion   ☐ La thèse rejetée

b. Relevez les expressions utilisées pour :

1. Introduire le sujet : ....
2. Ajouter une idée : ....
3. Présenter une cause : ....
4. Mentionner une conséquence : ....
5. Exprimer un doute : ....
6. Formuler une certitude : ....
7. Faire une concession au camp opposé : ......
8. Conclure : ....

Production écrite

10. Présentez dans un texte structuré votre opinion nuancée sur le sujet suivant :

> **Des équipes de sportifs exclues des compétitions internationales pour cause de dopage**

Approche interculturelle

11. Les Français s'identifient volontiers à des symboles nationaux comme la gastronomie française. Célèbre en Europe et dans le monde depuis le 18ᵉ siècle, la cuisine française est devenue une valeur reconnue internationalement. En 2010, elle a même été classée au patrimoine culturel de l'humanité.

a. Que pensez-vous de ce sentiment de fierté des Français à l'égard de la gastronomie française ?
b. La gastronomie est-elle aussi une source de fierté nationale dans votre pays ?
c. Connaissez-vous d'autres pratiques culturelles qui sont sources de fierté pour les Français ? Échangez et comparez avec celles de votre pays qui suscitent un tel sentiment.

BILAN 5

Nous débattons de questions de société

Compréhension écrite

1 Vous lisez cet article sur un site Internet.

La « charge mentale », le syndrome des femmes épuisées « d'avoir à penser à tout »

Penser à tout, tout le temps, pour assurer le bon fonctionnement du foyer : la « charge mentale » pèse plus lourd pour les femmes que pour leur conjoint. Mais comment y remédier ?

La chercheuse Nicole Brais, de l'Université Laval de Québec, définit la « charge mentale » comme « ce travail de gestion, d'organisation et de planification qui est à la fois intangible[1], incontournable et constant, et qui a pour objectifs la satisfaction des besoins de chacun et la bonne marche de la résidence. » Génératrice de stress, cette charge concerne surtout les femmes qui, en plus de leur emploi, s'assurent que tout fonctionne correctement à la maison.

Le partage des tâches ménagères reste, encore aujourd'hui, l'une des démonstrations les plus flagrantes des inégalités femmes-hommes dans la société française. Inscrite au sein même des foyers, cette inégalité n'a que très peu diminué au cours des vingt-cinq dernières années. Selon l'Insee[2], en 2010, les femmes prenaient en charge 64 % des tâches domestiques et 71 % des tâches parentales au sein des foyers. En 1985, ces taux s'élevaient respectivement à 69 % et 80 %.

Dans une bande dessinée consacrée à la « charge mentale », la dessinatrice Emma illustre ce concept avec justesse, en présentant une situation commune à bien des ménages : une femme, prise par ses nombreuses tâches, laisse déborder une casserole sur le feu. Le compagnon fictionnel lui dit : « Fallait me demander, je t'aurais aidé ! » Emma résume la situation : « Quand le partenaire attend de sa compagne qu'elle lui demande de faire les choses, c'est qu'il la voit comme la responsable en titre du travail domestique. C'est donc à elle de savoir ce qu'il faut faire et quand il faut le faire. » Selon Emma, les conjoints refuseraient, consciemment ou non, de prendre leur part de « charge mentale », au risque de faire subir à leur compagne une situation de surmenage.

La solution qu'écrit Emma dans sa bande dessinée réside dans le fait que « les hommes doivent apprendre à se sentir responsables de leur foyer », contrairement aux générations précédentes. « On voit nos mères prendre en charge toute la gestion de la maison, pendant que nos pères ne font que participer à son exécution », analyse Emma. Elle rappelle également que pour que cela change, il est possible « d'être parfois absente, sans tout préparer et sans culpabiliser » : « l'inversion des rôles est souvent plus efficace que la confrontation ».

D'après www.lexpress.fr

1. intangible : sacré, qui ne doit subir aucune modification.
2. Insee : Institut national de la statistique et des études économiques.

Répondez aux questions suivantes.

1. La chercheuse Nicole Brais souligne le caractère…
   a. passif   **b.** injuste   **c.** obligatoire   … de la charge mentale

2. Dites si l'affirmation suivante est vraie ou fausse et justifiez avec un extrait de l'article.

On note une nette amélioration dans la répartition des tâches entre les hommes et les femmes.   ☐ Vrai ☐ Faux

....

3. Quel constat fait la dessinatrice Emma sur la répartition des tâches ménagères ?

....

4. Selon Emma, le moyen de faire assumer aux hommes la charge mentale est de…
   a. leur montrer comment faire.   b. leur laisser prendre le contrôle.   c. participer à valeur égale aux tâches.

Compréhension orale

2 🎧 044 Vous écoutez une émission d'une radio francophone. Répondez aux questions.

1. Selon la journaliste, on peut avoir recours à l'automédication par manque…
   a. d'argent.   b. de temps.   c. de connaissance.

2. D'après la journaliste, à quels aspects doit-on particulièrement faire attention ? *(Deux réponses.)*
   ....

3. Quelle est la définition du professeur Alain Baumelou pour le terme « se soigner » ?
   ....

4. Sophie trouve que prendre rendez-vous chez le médecin est…
   a. inutile.   b. trop cher.   c. important.

5. Nathalie Richard souligne que des médicaments de base comme le paracétamol sont…
   a. nocifs.   b. très utiles.   c. inefficaces.

6. En quoi les antibiotiques sont-ils un enjeu de santé publique ?
   ....

Production orale

3 Votre professeur de français vous demande de préparer un exposé sur le sport et ses valeurs dans un monde où l'argent occupe désormais une place primordiale. Argent et esprit sportif sont-ils encore compatibles ? Vous présentez votre point de vue argumenté à ce sujet et l'illustrez avec des exemples.

Production écrite

4 Vous lisez cette consultation sur un site Internet d'actualité. Vous répondez à cet appel. Vous écrivez un texte dans lequel vous présentez votre opinion argumentée à ce sujet. (250 mots minimum)

---
https://www.ouest-france.fr

Appel à témoignages : la politique et vous

Votre témoignage nous intéresse. Nous vous invitons à répondre aux questions suivantes :

Pourquoi la politique suscite-t-elle beaucoup de désillusions ? Quelles sont vos attentes ?

DOSSIER 6 > Leçons 1 et 2

Nous nous évaluons

> **Dresser un bilan**

1. Lisez l'article. Faites les activités. Vérifiez votre score p. 20 du livret.

Écotendance

Bilan de l'économie sociale et solidaire : l'entreprise autrement

Qu'est-ce qui différencie une entreprise sociale et solidaire d'une entreprise classique ? Cela peut être son domaine d'activité : commerce équitable, microfinance… mais aussi ses règles de fonctionnement. En particulier dans les pratiques de rémunération. Au sein des petites entreprises sociales, les écarts de salaire respectent par exemple un rapport de un à cinq. Dans les grandes, compétitivité oblige, ce ratio peut passer de un à quinze. Cet encadrement des salaires ne semble pas affecter l'attractivité de ces entreprises, qui reçoivent massivement des CV en provenance des meilleures écoles de management et d'ingénieurs car les jeunes diplômés sont davantage en quête de sens que d'argent vite et mal gagné.

Contrairement à ce qu'on pourrait penser, les entreprises sociales et solidaires ont elles aussi des ambitions de croissance et de rentabilité. Ces sociétés privées se fixent des objectifs de ventes, de retour sur investissement, et adoptent sans complexes les codes de l'économie de marché. Certaines d'entre elles atteignent ainsi des dimensions dignes des grandes multinationales.

Complexes, ces modèles ont besoin de souplesse. C'est pourquoi les entreprises sociales font souvent travailler ensemble coopératives, sociétés anonymes, filiales… Un mélange des genres et une flexibilité qui pourraient bien finir par séduire les entreprises « classiques ». Ces dernières, soucieuses de leur empreinte sociétale, sont aussi de plus en plus nombreuses à promouvoir l'entrepreneuriat social. Pour cela, il faut bien sûr que le projet ait une vocation sociale en lien avec le cœur de métier de l'entreprise et qu'il puisse être transformé en modèle économiquement durable et autonome. Ainsi, BNP Paribas a développé un programme de microcrédit pour les pays du Sud, Seb a créé une entreprise d'insertion pour recycler des stocks obsolètes de sa marque Tefal.

a. Choisissez un chapeau pour cet article.

☐ 1. Les plus importantes organisations internationales érigent l'économie sociale et solidaire comme modèle à suivre. L'économie alternative en marche.

☐ 2. Les entreprises d'économie sociale et solidaire font leur promotion dans les grandes écoles de management. Grand événement.

☐ 3. Une nouvelle génération d'entreprises cherche à conjuguer activités à visée sociale et objectifs de performance économique. Un succès.

b. Associez un titre à chaque paragraphe de l'article.

Paragraphe 1 •   • Une source d'inspiration

                       • Concurrence en hausse

Paragraphe 2 •   • Efficacité et rentabilité

                       • Une gouvernance souple

Paragraphe 3 •   • Moins d'inégalités sociales, plus d'équité salariale

D**6** – Nous faisons évoluer la société

c. Vrai ou faux ? Répondez et justifiez avec un extrait de l'article.

1. La concurrence plus importante dans les grandes entreprises a un impact sur l'écart entre les salaires. ☐ Vrai ☐ Faux
Justifiez : ....

2. Les jeunes diplômés privilégient la rémunération à l'intérêt du travail. ☐ Vrai ☐ Faux
Justifiez : ....

3. Une entreprise de l'ESS engrange des bénéfices et répond à une logique de développement comme une entreprise classique. ☐ Vrai ☐ Faux
Justifiez : ....

4. L'ESS ne recouvre que de petites entreprises. ☐ Vrai ☐ Faux
Justifiez : ....

5. Les entreprises sociales et solidaires ne travaillent qu'avec des acteurs associatifs. ☐ Vrai ☐ Faux
Justifiez : ....

d. Quelles sont les deux conditions de la promotion de l'entrepreneuriat social par les entreprises classiques ? Répondez.

1. ....
2. ....

Mon score ...... /10

Provoquer une prise de conscience et faire des recommandations

2. 🎧 045 Écoutez l'émission de radio et faites les activités. Vérifiez votre score p. 21 du livret.

a. Complétez le tableau.

Problème	....
Causes	– .... – .... – .... – ....
Conséquence principale	....
Solutions mises en place	– Au niveau européen : .... – Au niveau local : ....

L'apiculture ou l'élevage des abeilles

b. Répondez aux questions.

1. À quelles informations correspondent ces deux données ?
35 % : ....   80 % : ....

2. Les deux informations ci-dessus sont-elles vérifiées ? Justifiez.
....

3. Que regrette l'intervenant concernant la protection de l'apiculture ? Justifiez avec un extrait de l'émission.
....

Mon score ...... /10

Nous pratiquons > GRAMMAIRE

Exprimer la condition

3. Rédigez les conditions pour intégrer une coopérative d'habitants avec les éléments proposés.

La coopérative d'habitants est faite pour vous…

1. aimer contribuer à la vie collective (si) → ....

2. avoir envie de partager avec ses voisins des valeurs communes (si tant est que)
→ ....

3. disposer de temps libre pour participer à la vie de la coopérative (à condition que)
→ ....

4. pouvoir payer les charges produites par les équipements et services communs (pourvu que)
→ ....

5. être ouvert à la discussion (si) → ....

6. savoir pratiquer le consensus (si tant est que)
→ ....

4. Complétez librement les conditions suivantes.

1. Je vous propose de faire du covoiturage à condition que ....

2. Une entreprise pratique l'ESS si ....

3. Ce jeune diplômé intégrera cette coopérative de travail si tant est que ....

4. Anna fera carrière dans l'économie sociale et solidaire pourvu que ....

5. Cette année, je ferai du bénévolat si tant est que ....

6. L'entreprise devrait connaître un fort développement cette année à condition que ....

Le conditionnel pour atténuer ou exprimer des faits hypothétiques

5. 🎧 046 Écoutez les extraits d'une chronique radio sur l'environnement. Cochez la valeur du conditionnel exprimée.

	1	2	3	4	5	6
Affirmation atténuée ou suggestion						
Faits hypothétiques ou probables						
Information non confirmée						

6. Rédigez un édito pour présenter ces informations. Utilisez l'indicatif ou le conditionnel.

> **Le changement climatique**
>
> **Faits avérés :** réchauffement de la planète – impact sur l'environnement
> **Faits probables :** augmentation de la température (jusqu'à 4,8 °C d'ici 2100) – risques sanitaires accrus – migrations climatiques
> **Informations non confirmées :** ignorance de nombreuses conséquences – existence de solutions pour inverser le changement climatique

D6 – Nous faisons évoluer la société

....
....
....
....
....

Le conditionnel passé pour exprimer un reproche ou un regret

7. Transformez les suggestions en reproches.

1. Il faudrait supprimer les moteurs diesel dans les grandes villes.
....

2. On devrait limiter l'artificialisation.
....

3. Tu pourrais mieux isoler ton logement.
....

4. Ce serait bien de ne pas toucher au portefeuille des Français en matière d'écologie.
....

5. Il faudrait éveiller la conscience écologique bien plus tôt.
....

6. Vous ne devriez pas faire payer une taxe sur la quantité de déchets rejetés par les ménages.
....

8. À l'oral. Lisez les situations et exprimez un reproche ou un regret avec le conditionnel passé. Plusieurs réponses sont possibles.

Exemple : *Nicolas Hulot a démissionné de son poste de ministre de la Transition écologique. → Nicolas Hulot n'aurait pas dû démissionner de son poste de ministre. / Il aurait dû rester à son poste de ministre. / Il aurait pu terminer son mandat de ministre.*

1. Mes parents m'ont donné leur voiture diesel.
2. Les promoteurs immobiliers continuent de bétonner la côte.
3. Cet agriculteur a utilisé des pesticides pendant de nombreuses années.
4. Les promesses de campagne concernant l'écologie n'ont pas été tenues.
5. On a contraint les gens à choisir entre l'écologie et le pouvoir d'achat.
6. La politique des petits pas arrive trop tard car l'écologie est une urgence absolue maintenant.
7. Mes parents n'ont jamais fait le tri sélectif.
8. Madame Winter a parcouru 200 000 miles en avion l'année dernière uniquement pour assister à des conférences.

soixante-dix-sept 77

Nous pratiquons > MOTS ET EXPRESSIONS

Parler d'économie et de finance

9. Soulignez les groupes de mots corrects dans l'article.

> **SOS, « la Rolls-Royce de l'économie sociale et solidaire / coopérative et alternative »**
>
> Il n'a fallu qu'une trentaine d'années à Jean-Marc Borello pour construire un empire. Les chiffres disent la réussite fulgurante du **financement / groupe** SOS : passant d'une petite association de lutte contre la toxicomanie en 1984 à un monstre de 17 000 **salariés / investissements**, 495 établissements et 910 millions d'euros de **chiffre d'affaires / lucrativité** aujourd'hui. SOS est le leader européen dans le domaine. L'organisation repose sur une **acquisition / gouvernance** purement associative. Ce qui signifie qu'il n'y a ni **actionnaires / employés**, ni hauts salaires mais que l'ensemble des **bénéfices / coûts** sont réinvestis, favorisant son développement rapide. Les 4 millions d'euros perçus cette année seront **remboursés / réinvestis** dans des **structures déficitaires / mensualités**. « La philosophie de SOS, c'est d'utiliser les **emprunts / recettes** de l'entreprise pour faire du social et de lutter contre les bulles **spéculatives / concurrentes** qui touchent certains secteurs comme le marché senior », estime un ancien du groupe.

Parler de la biodiversité

10. 🎧 047 Écoutez les extraits d'une conférence sur la biodiversité de l'île de la Réunion. Associez chaque extrait à un thème.

- Extrait 1 •   • La faune
- Extrait 2 •   • La flore
- Extrait 3 •   • Le monde aquatique
- Extrait 4 •   • L'agriculture
- Extrait 5 •   • Les dangers et les menaces

11. a. Entourez les 17 mots de la biodiversité.

opugsurexploitationjhgfdboisementnbvcxinsectertyuioplestuaireojygfhfgcagriculturefdtrdpopoiut
habeillehgfhfytfcruefresaqjhbcôteoijigygfcfdxezqsingeijhbvforêttgnbvcfleuraqwxsedcknlkpesticidef
rtyuninondationolmplsylvicultureytcdsdéforestationopiutrezfleuveoiextinctionrs

b. Classez-les.

La faune : ....
La flore : ....
Le monde aquatique : ....
L'exploitation de la terre : ....
Les dangers et les menaces : ....

D6 – Nous faisons évoluer la société

Nous agissons

Stratégie : Mettre en relief une problématique dans une argumentation

12. a. Observez la carte mentale.

```
                    1. Des images fortes

6. Des expressions                              2. Des expressions pour parler
   pour alerter                                    de l'augmentation

                  METTRE EN RELIEF
                  UNE PROBLÉMATIQUE

5. Des expressions pour parler                  3. Des expressions pour
   des conséquences                                parler de la diminution

                    4. Des expressions pour parler
                       de l'évolution rapide
```

b. Indiquez pour chaque expression soulignée le moyen utilisé de la carte mentale.

L'heure est grave ☐. Le déclin ☐ de la biodiversité s'accélère ☐. L'activité humaine a un impact considérable sur nos espaces marins ☐. Les scientifiques tirent la sonnette d'alarme ☐ face au pillage des océans ☐. 31,4 % des stocks de poissons dans le monde sont surexploités ! Le phénomène est trois fois plus important ☐ qu'il y a quarante ans, alertent ☐ les scientifiques. Tout aussi grave, la proportion de zones de haute mer dépourvues d'oxygène a plus que quadruplé ☐ tandis que les sites à faible teneur en oxygène ont été multipliés par dix ☐. Les effets pourraient être irréversibles ☐. Les mers se vident de leurs poissons ☐. La situation est telle ☐ qu'à ce rythme ☐, il n'y aura plus de poissons ou de fruits de mer à consommer en 2048.

Production écrite

13. Choisissez un problème lié à la biodiversité. Rédigez un essai argumenté à l'attention des autres étudiants de la classe pour provoquer une prise de conscience. Utilisez la carte mentale de l'activité 12.

Exemples de problème :
Diminution de 80 % de la population de requins en quinze ans
La Grande Barrière de corail australienne en danger
Prolifération de tortues de Floride en Europe
Pollution sonore et collisions : dangers mortels pour les baleines et les dauphins
Le moustique tigre : parmi les dix espèces les plus invasives du monde

Approche interculturelle

14. 🎧048 Écoutez l'introduction d'une chronique radio sur une mesure écologique.

a. Qu'en pensez-vous ? Cette mesure vous semble-t-elle utile ? Quels en sont les intérêts (financier, écologique, médical) ?

b. Cette mesure existe-t-elle dans votre pays ? Comparez avec le dispositif français.

soixante-dix-neuf 79

DOSSIER 6 > Leçons 3 et 4

Nous nous évaluons

Comprendre et proposer une action

1. Lisez l'article d'une revue d'information médicale. Faites les activités. Vérifiez votre score p. 22 du livret.

Alerte !   INFO   QUESTIONS   TENDANCES   FORUM   Rechercher…

Irène Frachon : quand l'Erin Brockovich française fait éclater le scandale du Mediator

La pneumologue Irène Frachon a joué un rôle décisif dans l'affaire du Mediator, dangereux coupe-faim commercialisé par le groupe pharmaceutique Servier, qui a fait des milliers de victimes. Rencontre.

Comment vous êtes-vous retrouvée au cœur de l'affaire du Mediator ?
En 2007, à l'hôpital de Brest, j'ai pris en charge une dame obèse qui souffrait d'hypertension pulmonaire. Elle prenait du Mediator. J'ai alors repensé que quinze ans auparavant, lors de ma formation, j'avais vu des jeunes femmes mourir de cette même maladie après avoir pris un coupe-faim du même laboratoire, l'Isoméride. À l'époque, il y avait eu une bataille pour faire interdire cette molécule. J'ai donc repensé à cette affaire et je me suis demandé si ces deux médicaments n'avaient pas un lien de parenté.

Pour le savoir, vous avez dû mener l'enquête.
Oui, car il n'existait aucune information sur le Mediator dans les bases de données scientifiques. J'ai donc contacté le laboratoire pharmaceutique, qui m'a répondu qu'il s'agissait de deux produits radicalement différents. J'avais pourtant lu dans une revue médicale indépendante qu'ils étaient proches. J'ai donc écrit à cette revue, qui m'a procuré plusieurs publications scientifiques datant des années 1970, dans lesquelles des chercheurs de Servier décrivaient une nouvelle molécule dérivée de l'Isoméride, qui n'était rien d'autre que le Mediator ! J'ai alors pris conscience que le laboratoire me mentait, et que son médicament était un poison.

Comment avez-vous donné l'alerte ?
J'ai demandé à être entendue par l'Agence nationale de sécurité du médicament mais je n'ai pas été prise au sérieux. Alors, j'ai écrit un livre pour dénoncer cette situation : *Mediator 150 mg, Combien de morts ?* Cela a abouti au retrait du marché du médicament. Puis il y a eu l'ouverture d'une instruction judiciaire et la mise en place d'un processus d'indemnisation des victimes.

Que faut-il changer pour qu'un tel drame ne se reproduise pas ?
Les médecins devraient renoncer à certains avantages et financements des laboratoires, qui sont d'abord des moyens d'influence.

---

a. Complétez la fiche informative du lancement d'alerte raconté dans l'article.

> **Nom de la lanceuse d'alerte :** ……………………………
> **Profession :** ……………………………
> **Domaine de l'alerte :** ……………………………
> **Raison :** ……………………………
> **Conséquences du lancement d'alerte :** ……………………………
> ……………………………

b. Numérotez les étapes de l'affaire du Mediator dans le bon ordre.

- ☐ La découverte de la tromperie
- ☐ L'échec de la révélation aux autorités
- ☐ L'avertissement sur les liaisons dangereuses entre les médecins et les laboratoires
- ☐ L'aboutissement de plusieurs années de travail
- ☐ Une investigation longue et minutieuse
- ☐ Les premiers soupçons
- ☐ La révélation au grand public

D6 – Nous faisons évoluer la société

c. Vrai ou faux ? Cochez et justifiez avec un extrait de l'article.

1. La nouvelle molécule dérivée de l'Isoméride est le Mediator. ☐ Vrai ☐ Faux

Justifiez : ....

2. Irène Frachon a obtenu l'ensemble des publications scientifiques de la revue. ☐ Vrai ☐ Faux

Justifiez : ....

3. Les médecins ne doivent renoncer à aucun avantage ni financement de la part des laboratoires. ☐ Vrai ☐ Faux

Justifiez : ....

d. Complétez la réponse à la dernière question de l'interview : « *Que faut-il changer pour qu'un tel drame ne se reproduise pas ?* » Utilisez les éléments proposés.

1. sensibiliser / les conflits d'intérêts

....

2. veiller / prendre des décisions pour les patients / pas d'influence des laboratoires

....

Mon score ....../10

Dénoncer un problème de société / Proposer des solutions

2. 🎧 049 Écoutez le reportage radio. Faites les activités. Vérifiez votre score p. 22 du livret.

a. Complétez le titre de ce reportage.

Le café .... : une action .... envers les plus ....

b. Expliquez le concept avec vos propres mots.

....
....
....

c. Répondez aux questions.

1. Où et quand est née cette action ?

....

2. À quels autres produits s'est étendu ce concept ?

....

3. Quel est le but véritable de cette action selon le gérant du café ?

....

d. Reformulez les propos des deux intervenants.

1. Alain, le donneur :

Ce geste permet ....

      empêche ....

      et ....

2. Joseph, le bénéficiaire :

Dans quelque temps, si ça va mieux, je souhaiterais participer ....

Mon score ....../10

Nous pratiquons > GRAMMAIRE

Les adjectifs et les pronoms indéfinis pour préciser une idée ou une quantité

3. Remplacez les mots entre parenthèses par un adjectif ou un pronom indéfini de même sens ou de sens proche.

1. (Des gens) .... disent que les lanceurs d'alerte sont des héros.
   (D'autres personnes) .... pensent que ce sont des traîtres.
2. (On) .... peut lancer l'alerte sur les fraudes dont nous sommes témoins au sein de notre entreprise.
3. Les lanceurs d'alerte n'enfreignent (pas de) .... loi.
4. (70 %) .... des cadres estiment que les choix et pratiques de leur entreprise entrent régulièrement en contradiction avec leur éthique personnelle.
5. (Tout) .... salarié qualifié à responsabilité peut devenir un lanceur d'alerte.
6. (Quelques) .... pays bénéficient d'une loi protégeant les lanceurs d'alerte.
7. Les lanceurs d'alerte publient une information car ils sont allés voir des gens avant et que (personne) .... n'a réagi.

4. Complétez avec les pronoms indéfinis *tout, tous, toute, toutes*.

1. .... les participants à la Nuit de la solidarité espèrent la naissance d'une prise de conscience des pouvoirs publics.
2. Les lanceurs d'alerte exercent un devoir de citoyen car on ne nous dit pas ....
3. Les révélations publiées sur WikiLeaks sont .... vérifiées en amont.
4. .... les manifestations citoyennes font naître un nouvel espoir.
5. Erin Brockovich, Antoine Deltour, Irène Frachon, ... ont osé sacrifier leur carrière pour dénoncer des méfaits dans leur entreprise.
6. .... la planète connaît Edward Snowden.
7. Nous croyons .... en la vertu de la liberté d'expression et de l'éthique.
8. Dans la loi Sapin, ... est question de transparence.

5. a. Écrivez le contraire. Utilisez des pronoms ou des adjectifs indéfinis différents à chaque fois. Faites les modifications nécessaires.

1. <u>Aucun</u> lanceur d'alerte n'a rencontré de problèmes.
....

2. <u>Très peu d'</u>entreprises ont un comité d'éthique.
....

3. <u>Tout le monde</u> connaît parfaitement les risques de dénoncer les dérives d'un système.
....

4. Nous sommes <u>le même</u> type de consommateurs qu'il y a cinquante ans.
....

5. <u>Chaque</u> publicité a un impact négatif sur le consommateur.
....

6. <u>Tout</u> est influencé par la publicité.
....

b. Par deux. À l'oral. Échangez sur chaque paire de phrases. Quelle est celle des deux qui vous semble vraie ? Pourquoi ?

D6 – Nous faisons évoluer la société

L'accord du participe passé avec le COD placé avant le verbe

6. a. Transformez comme dans l'exemple.

Exemple : *Le journal* Le Parisien *a fait une campagne de publicité. Elle est très drôle.*
→ *La campagne de publicité que le journal* Le Parisien *a faite est très drôle.*

1. Le Secours populaire a lancé une campagne de collecte « Don'actions ». Elle permet de récolter des fonds pour développer une solidarité de proximité en toute indépendance.

....

....

2. L'Agence nationale de sécurité du médicament a mis à la disposition des lanceurs d'alerte une adresse particulière. Ceci permet de leur faciliter la tâche.

....

....

3. La ville de Lyon a ouvert ses premiers frigos solidaires. Ils sont installés dans des restaurants du 9ᵉ arrondissement.

....

4. Un jeune assistant de publicité a écrit la phrase « Parce que je le vaux bien » dans les années 1970. Elle est encore aujourd'hui le slogan officiel de la marque L'Oréal.

....

....

5. La publicité a créé des besoins. Ils ne seront jamais comblés.

....

6. Les entreprises ont introduit les notions d'éthique et de transparence. Elles leur permettent de valoriser leur image.

....

b. Entourez les participes passés dont la prononciation change.

Exemple : *La campagne de publicité qu'a faite le journal* Le Parisien *est très drôle.*

7. Identifiez et corrigez les cinq erreurs du blog portant sur l'accord du participe passé.

Il y a un an jour pour jour, j'avais réglé mon téléphone pour qu'il sonne une heure plus tôt avec comme unique obsession d'arriver la première chez Zara pour l'ouverture des soldes d'hiver. Cette année, je l'ai réglée comme d'habitude. Parce qu'avec le recul, je trouve ça ridicule, je n'avais besoin de rien l'année dernière et cette année encore moins. Je me rappelle très bien de mes achats ce jour-là : des bottes marron que j'ai très peu porté, une robe de soirée que je n'ai mis qu'une fois et qui a fini au fond de mon placard, une pochette à paillettes dont j'avais oublié l'existence et que j'ai retrouvé dans la malle à déguisements de ma fille la semaine dernière. Je sais que c'est agaçant de passer à côté d'un manteau ou d'une paire de chaussures que l'on a convoité pendant des semaines mais ne vous mettez pas dans un état de stress pour autant, ça n'en vaut pas la peine…

Nous pratiquons > MOTS ET EXPRESSIONS

Les locutions et verbes prépositionnels pour parler d'une action

8. a. Associez les synonymes.

1. avoir pour but
2. rendre possible
3. faire attention
4. rendre réceptif
5. avoir pour résultat
6. rendre impossible

a. aboutir
b. empêcher
c. permettre
d. viser
e. sensibiliser
f. veiller

b. 🎧 050 Écoutez les questions et répondez oralement avec des verbes de la deuxième colonne (a. à f.). Faites preuve d'imagination.

Parler de la publicité

9. Entourez les expressions correctes dans l'article.

La publicité à l'heure d'Instagram

Guerlain : une des premières nouveautés / marques en France à avoir lancé sa consommation / campagne sur Instagram. Premier annonceur / acheteur Instagram, Guerlain a suscité les meilleurs taux d'engagement. La publicité pour la poudre Terracota a duré quatre semaines et a contrôlé / a ciblé les femmes françaises. Instagram s'est avéré être la plateforme parfaite pour délivrer un fort message / sondage marketing et atteindre un audimat / un public plus jeune et plus urbain.

Parler de la solidarité

10. Écrivez les mots manquants.

http://www.lacroixrouge.fr

L'action _ _ c _ _ l _ à la Croix-rouge française

Les plus démunis sont touchés par les problèmes d'_x _ _ _ _ _ _ _ et de sans-abrisme. Un bénévole donne de son temps, s'_ _ _ _ g _, se _ _ b _ _ _ _ _, coordonne des _ _ t _ _ _ _ et se porte v _ l _ _ _ _ _ _ e pour aider les personnes dans le besoin. Pour venir en aide aux s_ _ _-a _ _ _, la Croix-rouge met en place des actions régulières telles que des _ _ _ _ _ d _ _ et des s _ _ _ _ _ populaires.

Phonétique : Les liaisons

11. 🎧 051 Écoutez et dites si la liaison est obligatoire ou interdite aux endroits indiqués.

Exemple : Est-ce que les gen**s o**nt participé ? Oui, il**s o**nt participé.

1. – Est-ce que quelqu'u**n a** répondu à l'annonce pour faire du bénévolat ? – Oui, nou**s a**vons répondu à l'annonce hier.
2. – C'est trè**s i**mportant d'être solidaire de nos jours ! – Je suis d'accord, c'est extrêmemen**t i**mportant !
3. – C'est un succè**s i**ncroyable, vous ne trouvez pas ? – Oui, c'est incroyable… e**t i**nespéré même !
4. – Vo**s a**mis e**t** vou**s ê**tes bien conscients des difficultés, n'est-ce pas ?
   – Oui, nou**s e**n sommes bien conscients, ne vou**s i**nquiétez pas !

D6 – Nous faisons évoluer la société

Nous agissons

> **Stratégie** : Employer la satire pour dénoncer dans un billet d'opinion

12. Lisez le billet d'opinion d'Amélie.

1. Bien plus grave que l'épidémie de gastro, voici venue la fièvre acheteuse. Chaque année, la même histoire : frappant ses victimes par millions avec des 60, 70 et même des 80 %, les soldes font chauffer la carte bancaire jusqu'à tuer la moindre trace de bon sens qui viendrait nous sauver d'un achat inutile. Plus, plus, toujours plus !
2. Sans modération. Cédant volontiers à la pression consumériste et à l'euphorie de la promo, des millions de
3. Français partent à la conquête du Saint Graal dont ils se sont pourtant passés pendant tant d'années.
4. D'optionnel, il leur est devenu indispensable, quitte à se taper la foule hystérique dès l'entrée de la boutique et même à poser leur dernier jour de congé, histoire d'être le premier dans les starting-blocks. On ne plaisante pas
5. avec les soldes, surtout en période de crise. Un vrai bal populaire.
6. Je suis donc j'achète, sur un coup de tête et parfois même par principe, pour que la voisine ne devienne pas
7. l'heureuse héritière du dernier modèle en rayon. La raison attendra.
8. Entre compétition malsaine et folie dépensière, les soldes révèlent au grand jour les pires défauts de l'humanité,
9. à coups de caddies bondés aux frontières de la boulimie. Économiser en dépensant : en voilà un beau paradoxe !

a. Quel est le ton employé dans le billet d'opinion ? Cochez.

☐ grave   ☐ sérieux   ☐ humoristique

b. Indiquez le numéro des passages du texte pour chaque procédé.

Image de la maladie : ....   Exagération : ....

Critique : ....   Phrase choc : ....

Moquerie : ....

c. Complétez la définition de la satire avec les verbes : *dénoncer, réagir, critiquer*.

La satire est le fait de .... en se moquant. Elle permet de .... des défauts, des problèmes pour faire changer les choses ou faire .... et réfléchir.

> Production écrite

13. Écrivez un billet d'opinion pour dénoncer les méfaits de la surconsommation (le Black Friday, les produits jetables, l'obsolescence programmée…). Utilisez les procédés propres au texte satirique identifiés dans l'activité 12.

> Approche interculturelle

14. a. Observez l'infographie. Que comprenez-vous ?

Qui sont les Français qui font du bénévolat et pourquoi ils s'engagent ?

13 millions de bénévoles
21 % chez les moins de 35 ans
35 % chez les plus de 65 ans

Les motivations
Être utile à la société
Agir pour les autres

Les secteurs qui mobilisent le plus
1. le social caritatif
2. le sport
3. les loisirs
4. l'éducation populaire
5. la culture

---

b. Faites des recherches et réalisez l'infographie du bénévolat dans votre pays. Présentez-la à la classe en la comparant à l'infographie française.

BILAN 6

Nous faisons évoluer la société

Compréhension écrite

1 Vous lisez cet article dans un journal français.

À Rennes, une épicerie gratuite pour les étudiants

À une demi-heure de l'ouverture, une file d'étudiants attend déjà devant le bâtiment. « Il faut arriver tôt pour avoir plus de choix », explique Nicolo, étudiant en langues étrangères, qui vient surtout chercher « de la viande, car ça coûte trop cher ». Comme lui, ils sont au moins 200, chaque lundi soir, à s'approvisionner gratuitement en produits frais, à l'épicerie gratuite de l'université de Rennes 2. Accueillis par des étudiants bénévoles, les bénéficiaires entrent progressivement pour faire leurs emplettes. « La semaine dernière, j'ai eu un poulet entier, ça m'a fait cinq jours, c'était super. Je n'avais pas mangé de viande depuis la rentrée », raconte Damien, étudiant en histoire. « Ça aide à aller jusqu'à la fin du mois », explique Marise, étudiante en psychologie.

Les bénévoles récupèrent, chaque lundi matin, des denrées proches de la date de péremption d'un supermarché local. Principalement des produits frais, des plats préparés, des viandes, agrémentés de dons de fruits et légumes de fin de marché du week-end, à Rennes.

À l'entrée de l'épicerie, on ne demande rien. Ni inscription, ni justificatifs qui pourraient freiner les étudiants ou faire craindre d'être stigmatisé. Si l'épicerie est vitale pour Erwan, étudiant en histoire qui ne peut pas toujours « faire deux repas par jour », pour d'autres, elle permet d'améliorer le quotidien : « On a pris du fromage et du jambon pour se faire une raclette, s'extasient Léna, Manon et Jérémy. Ça permet de se faire plaisir sans faire de trou dans le budget et on évite le gaspillage. »

Cette épicerie étudiante totalement gratuite, a priori unique en son genre, a en effet une double vocation : « lutter contre la précarité étudiante, mais aussi contre le gaspillage, puisque ces produits allaient tous être jetés », explique Hélène Bougaud, étudiante en urbanisme et présidente de l'association Épicerie gratuite. Une aberration, quand on sait que près de 20 % des étudiants français vivent sous le seuil de pauvreté, selon l'Igas, l'Inspection générale des affaires sociales, et qu'un étudiant sur cinq à Rennes peine à se soigner et ne mange pas à sa faim. Avec 42 % de boursiers, le campus de Sciences sociales de Rennes 2 est particulièrement touché : « L'épicerie gratuite est l'une des réponses », rapporte Olivier David, président de l'université, qui a fourni local et réfrigérateurs à l'association.

Celle-ci est sur le point de finaliser un partenariat avec la mairie de Rennes pour récupérer les plats non ouverts de deux cantines scolaires, et proposer, non plus une, mais trois distributions par semaine. Une initiative solidaire et anti-gaspillage qui pourrait essaimer, puisque trois autres universités ont déjà contacté l'épicerie, dans l'idée de monter leur propre structure.

Répondez aux questions.

1. Qu'apporte l'épicerie aux étudiants rennais ? *(Plusieurs réponses possibles, deux attendues.)*

....

2. Les dons alimentaires proviennent de…
   a. l'université.   b. particuliers.   c. supermarchés.

3. Dites si l'affirmation suivante est vraie ou fausse en cochant (x) la case correspondante et citez le passage du texte qui justifie votre réponse.

   Il faut remplir un formulaire pour se rendre à l'épicerie étudiante.   ☐ Vrai ☐ Faux

....

4. Quels sont les objectifs de l'épicerie étudiante ?

....

5. Quelle est la réalité des étudiants en France ?

....

6. Quelle est l'aide apportée par l'université de Rennes ?

....

7. Cette initiative…
   a. va se développer.   b. est amenée à disparaître.   c. va continuer sur la même lancée.

Compréhension orale.

2 🎧 052 **Vous écoutez ce bulletin d'informations à la radio. Répondez aux questions.**

1. De quel problème écologique le bulletin traite-t-il ?

....

2. Quel est l'objectif des recommandations du cabinet d'analyse ?

....

3. Citez deux mesures proposées par le cabinet. *(Plusieurs réponses possibles, deux attendues.)*

....

4. Ces recommandations sont…
   a. difficiles à accepter.   b. impossibles à réaliser.   c. simples à mettre en place.

5. Quel est le paradoxe souligné par l'un des rédacteurs du rapport concernant la transition à mener ?

....

Production orale

3 Un ami déménage et souhaite se débarrasser de ses livres. Vous discutez avec lui et tentez de le convaincre de l'intérêt de donner aux livres une seconde vie, notamment par le biais d'initiatives solidaires.

Production écrite

4 Vous lisez la publication suivante sur un site Internet. Vous réagissez à cette information et la commentez en donnant votre opinion argumentée à ce sujet. [250 mots minimum]

> **Tout ce qui peut encourager ou faciliter la générosité des Français est à saluer. Y compris la créativité.**
> Exemple avec Monsieur BMX, un artiste de rue qui a trouvé une idée originale : encastrer des chariots de supermarché dans les murs de Montpellier et de Nîmes pour inviter les passants à y déposer quelques dons en faveur des plus démunis et pour lutter contre la surconsommation.

DOSSIER 7 > Leçons 1 et 2

Nous nous évaluons

Présenter des parcours et expliquer des choix de vie

1. 🎧 053 Écoutez l'émission de radio. Faites les activités. Vérifiez votre score p. 25 du livret.

a. Répondez aux questions.

1. Pourquoi Jean-Marc a-t-il été choisi pour cette émission ?
....

2. La journaliste évoque différents lieux de vie. Lesquels ? ....
3. Quelles sont les étapes du parcours de Jean-Marc ?
Après le bac : .... et ....
Premier poste : ....
Poste à la fin de sa première carrière : ....
Emploi actuel : ....

b. Complétez le tableau des différentes périodes de la vie de Jean-Marc.

Période de sa vie	Sentiments éprouvés et motivation
Scolarité / Études	Il a avancé naturellement, sans vraiment y réfléchir.
Premier poste	
Poste à la fin de sa première carrière	
Proposition d'un client	
Travail actuel	

c. Dans chaque groupe de questions, cochez celle qui a été posée avant ou pendant l'entretien. Justifiez avec un extrait de l'entretien.

1. ☐ Que préférez-vous comme lieu de rencontre ?
   ☐ Quel lieu de rencontre préférez-vous ?
Justifiez : ....

2. ☐ Qu'est-ce que vous souhaitez faire dans quelques années ?
   ☐ Qu'est-ce que vous souhaitez faire les prochaines années ?
Justifiez : ....

3. ☐ Où envisagez-vous votre vie l'année prochaine ?
   ☐ Où envisagez-vous votre vie dans quelques années ?
Justifiez : ....

4. ☐ Est-ce que vous pourriez continuer à traduire mes rapports financiers ?
   ☐ Comment est-ce que vous pourriez continuer à traduire mes rapports financiers ?
Justifiez : ....

Mon score ....../10

D7 – Nous agissons au travail

Identifier et décrire des compétences professionnelles

2. Lisez l'article. Faites les activités. Vérifiez votre score p. 25 du livret.

Un engagement supérieur à celui d'un salarié classique !

Expérience partagée de la responsable du pôle web du groupe coopératif *Chèque déjeuner*

Après une maîtrise de littérature comparée et un stage, elle a été embauchée comme rédactrice dans une start-up. Un an et demi plus tard, elle avait l'impression d'avoir fait le tour du poste, dans une entreprise où l'on ne lui offrait aucune perspective d'évolution. En outre, que l'on parle de l'ambiance managériale ou de l'équilibre entre vies privée et professionnelle, elle se sentait insatisfaite.

Une amie lui parlait toujours avec grand plaisir de son employeur, le groupe *Chèque déjeuner*. Lorsque celle-ci lui a proposé de remettre son CV à la direction des ressources humaines pour un poste similaire, elle s'est décidée et a accepté de postuler. Lors de l'entretien de recrutement, il a été question du poste mais également des valeurs sociales du groupe, du management de proximité ainsi que des possibilités d'évolution. C'est parce que cette identité d'entreprise lui convenait qu'elle a pris le risque de démissionner d'un CDI pour un CDD, quoi que l'on en pense autour d'elle. Et surtout : elle réalisait à quel point l'économie sociale et solidaire lui offrirait le contexte de travail qu'elle recherchait dans la rédaction numérique.

Comme dans n'importe quelle entreprise, des objectifs sont fixés afin d'être toujours meilleur que la concurrence. Cependant, le management veille à ce qu'ils soient à la fois ambitieux et atteignables, le but n'étant pas de mettre les collaborateurs en situation d'échec mais plutôt de les pousser à émettre des propositions. De plus, tous les salariés, hommes et femmes, même après un congé maternité, bénéficient d'une promotion interne tous les trois ans, en plus des formations internes et externes régulières. Pour finir, la responsabilisation de chacun est visible : même s'il y a des horaires à respecter, il est tout à fait possible de concilier vie privée et vie professionnelle. Si l'on doit s'absenter, on peut en faire la demande et proposer une solution de récupération. Chacun étant responsable de son travail, il n'est pas nécessaire de se justifier lorsque l'on part plus tôt. Cela permet évidemment de gagner en sérénité et en convivialité tout en favorisant l'autonomie. Chacun fait ainsi de son mieux, salariés et dirigeants, afin d'entretenir un véritable lien social.

a. Cochez les informations sur la responsable du pôle web données dans l'article puis complétez son profil.
- ☐ Formation : ....
- ☐ Poste précédent : ....
- ☐ Domaine d'expertise : ....
- ☐ Tâche exécutée : ....
- ☐ Responsabilité assumée : ....
- ☐ Années d'expérience dans le groupe : ....

b. Donnez un exemple des caractéristiques de l'entreprise mises en avant par la responsable.
1. Le management de proximité : ....
2. Les possibilités d'évolution : ....

c. Entourez les compétences valorisées par l'entreprise.

La capacité à s'organiser pour atteindre les objectifs   Les compétences techniques

La capacité d'initiative   La fiabilité

La capacité à gérer le stress   La capacité à actualiser ses connaissances

Savoir collaborer et communiquer   La connaissance et le respect des règles

Le sens des responsabilités   Avoir l'esprit d'entreprise

Mon score ....../10

Nous pratiquons > GRAMMAIRE

Le discours indirect pour rapporter des paroles au présent ou au passé

3. a. 🎧 054 Écoutez le message de la mère de Félix. Cochez les phrases correspondantes rapportées au discours indirect.

1. ☐ a. Elle lui dit que ça va.
   ☐ b. Elle lui demande si ça va.
2. ☐ a. Elle dit qu'elle a bien eu son message mais qu'elle ne comprend rien.
   ☐ b. Elle veut savoir s'il a bien eu son message, s'il ne comprend rien.
3. ☐ a. Elle demande ce qu'il voulait lui dire.
   ☐ b. Elle demande que voulait-il lui dire.
4. ☐ a. Elle s'exclame qu'elle avait laissé le téléphone dans la maison.
   ☐ b. Elle lui reproche d'avoir laissé le téléphone dans la maison.
5. ☐ a. Elle se demande si elle a oublié son entretien d'aujourd'hui.
   ☐ b. Elle se demande comment elle a pu oublier son entretien d'aujourd'hui.
6. ☐ a. Elle lui dit de la rappeler avant 7 heures car elle doit sortir.
   ☐ b. Elle lui dit qu'il peut la rappeler avant 7 heures car elle doit sortir.

b. 🎧 055 Écoutez le dialogue entre Félix et sa mère. Soulignez les formes verbales correctes des phrases qui ont été dites au discours direct.

1. « Ce sera / Ce serait une évaluation de mon profil et de mes compétences. »
2. « Tu croiseras / Croise les doigts pour moi. »
3. « Pouvez-vous / Pourrez-vous passer un test en ligne demain ? »
4. « Qu'est-ce que tu en penses / tu en pensais ? »
5. « J'ai analysé / J'avais analysé les résultats de votre test et il faut / fallait en discuter. »
6. « Je propose que nous nous rencontrions aujourd'hui / Rencontrons-nous aujourd'hui, c'est toujours de cette manière qu'on finalise / qu'on finalisait le test. »

4. a. Indiquez le type de paroles que les verbes introducteurs permettent de rapporter. Plusieurs réponses sont parfois possibles.

	Affirmation	Ordre ou demande	Question
1. dire			
2. vouloir savoir			
3. admettre			
4. préciser			
5. affirmer			
6. déclarer			
7. demander			
8. exiger			
9. expliquer			
10. ordonner			
11. répondre			
12. assurer			

b. Complétez les notes prises par le responsable de Félix pendant son entretien. Utilisez des verbes du tableau au passé composé.

1. L'étudiant .... si ses résultats auraient des conséquences sur ses études.
2. Je lui .... que cela serait seulement une aide dans son orientation.
3. Concernant les premières conclusions, Félix .... qu'il n'était pas vraiment surpris.
4. Cependant, il .... que je lui explique certains scores.
5. Comme il semblait inquiet, je lui .... que l'objectif était de l'aider.
6. Avant les dernières conclusions, je lui .... comment il pouvait améliorer ses compétences.

5. Rédigez un texte rapportant l'interview de Geneviève, auteure de théâtre. Faites les modifications nécessaires.

> **Interview de Geneviève, 10 heures, le 23/3/2019**
> — Bonjour Geneviève ! Et merci de répondre à nos questions aujourd'hui ! Pouvons-nous commencer par votre actualité ?
> — Oui, volontiers ! Hier, j'ai signé un contrat pour entrer dans une nouvelle vie !
> — Que pouvez-vous me dire de cette nouvelle vie ?
> — La semaine prochaine, je serai une auteure de théâtre à plein temps, une débutante de 50 ans… !
> — Résumez votre parcours pour que je vous comprenne bien…
> — Il y a deux ans encore, j'étais expatriée à Pékin. J'avais travaillé pour une grande entreprise puis j'avais ouvert mon propre studio. Je ne m'intéressais pas professionnellement au théâtre, seulement dans le cadre de mes loisirs.
> — Comment êtes-vous arrivée à la création ?
> — J'ai rencontré une troupe de comédiens l'année dernière. Ils m'ont fait réaliser que ma vie d'expatriée en Chine comportait des éléments de théâtre !

Le journaliste a commencé par remercier Geneviève puis il lui a demandé ....

Nous pratiquons > MOTS ET EXPRESSIONS

Le registre soutenu

6. Réécrivez les phrases avec des marques du registre soutenu quand c'est possible. Utilisez *lorsque*, *également* et *l'*.

1. Quand on observe les résultats des entreprises et qu'on regarde plus précisément les performances de leurs salariés, un constat s'impose.

....

....

2. En effet, quoiqu'on s'attache aux compétences professionnelles, on réalise aussi l'importance des qualités humaines.

....

....

3. Si on souhaite les développer, on doit ainsi aller au-delà des compétences traditionnellement visées par les formations.

....

....

4. Puisqu'on sait que les performances sont directement liées à la connaissance de soi, nous proposons différentes formations pour améliorer les prises de décisions.

....

....

5. Qu'on choisisse des ateliers suivis d'entretiens, ou qu'on préfère rester en grand groupe, chacun peut en tirer bénéfice.

....

....

6. Les ateliers et entretiens créent des moments où on établit une intimité favorable pour révéler ses qualités humaines cachées.

....

....

7. Au contraire, quand on est en grand groupe, on fait l'expérience d'une dynamique de groupe qui est aussi bénéfique aux prises de conscience de ses forces et de ses faiblesses.

....

....

Décrire des compétences professionnelles

7. a. 🎧 056 Écoutez des extraits de profils de poste et écrivez le numéro correspondant devant la compétence évoquée.

☐ La capacité à s'organiser, à prioriser les tâches
☐ La capacité à actualiser ses connaissances
☐ La connaissance et le respect des règles
☐ La créativité
☐ La capacité à travailler sous pression

b. Trouvez une profession pour chaque profil de poste.

1. .... 4. ....
2. .... 5. ....
3. ....

Nous agissons

D7 – Nous agissons au travail

> Stratégie : Identifier des compétences professionnelles

8. Observez la carte mentale des compétences professionnelles du futur.

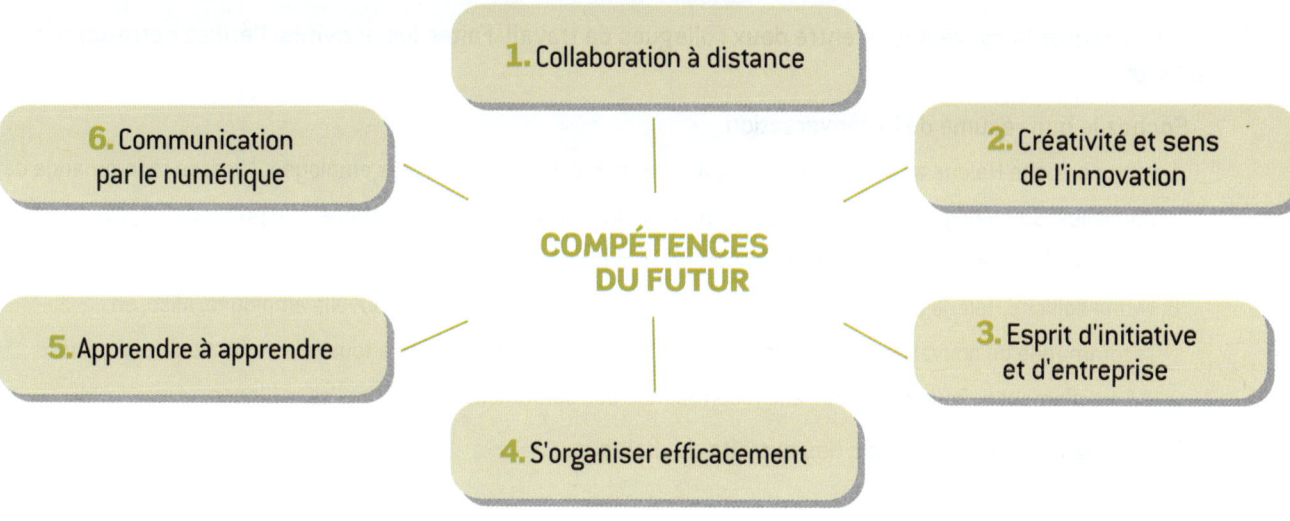

a. Indiquez à quelle compétence de la carte mentale appartiennent les tâches suivantes.

☐ Gestion des contenus en ligne de l'entreprise
☐ Communication avec les collaborateurs expatriés
☐ Participation trimestrielle aux formations internes proposées
☐ Conception de produits multimédias originaux
☐ Création de sa propre activité
☐ Contrôle et gestion de son activité

b. Faites la liste des tâches que vous effectuez déjà ou que vous apprenez à effectuer. Déterminez à quelle(s) compétence(s) du futur elles appartiennent.

> Production orale

9. À l'oral. Préparez puis enregistrez votre candidature à un poste d'un métier du futur que vous déposerez sur un service d'emploi en ligne. Imaginez ce métier, présentez brièvement vos compétences. Donnez des exemples de tâches que vous accomplissez et qui sont propres à votre profession.

> Approche interculturelle

10. Chaque année en France, les salariés(e)s rencontrent leur responsable pour un entretien. Ils/Elles remplissent ensemble une grille d'évaluation des savoir-faire et des savoir être de l'employé(e), notent les points forts et les points d'amélioration, et précisent ses projets professionnels.

a. Qu'en pensez-vous ?

b. Une telle rencontre formelle existe-t-elle dans votre pays ? Quel est le mode d'évaluation des employé(e)s par leur(s) responsable(s) ?

c. Comparez les deux modes d'évaluation.

DOSSIER 7 > Leçons 3 et 4

Nous nous évaluons

> **Communiquer en contexte professionnel**

1. 🎧 057 Écoutez la conversation entre deux collègues de travail. Faites les activités. Vérifiez votre score p. 26 du livret.

a. Cochez le bon résumé de la conversation.

☐ 1. Iwona sollicite Hélène au sujet des normes de communication. Une nouvelle employée, Alice, en recommande de nouvelles. Selon Hélène, « Cordialement » n'est pas adapté à toutes les situations, elle préfère « Bien à vous ». Pour les clients, elle recommande les salutations à la mode.

☐ 2. Iwona sollicite Hélène au sujet des normes de communication écrite. Une nouvelle employée, Alice, en recommande de nouvelles. Selon Hélène, « Bien à vous » n'est pas adapté à toutes les situations, elle préfère « Cordialement ». Pour les clients, elle recommande des salutations traditionnelles raffinées.

b. Répondez aux questions avec des extraits du dialogue.

1. Quel âge ont les stagiaires ?
....

2. Alice travaille-t-elle depuis longtemps dans l'entreprise ?
....

3. Selon la rumeur, Alice pourrait-elle quitter l'entreprise ?
....

4. Quelle est la réaction d'Iwona face au nouveau mémo ?
....

5. Quel risque y a-t-il à avoir plusieurs règles différentes ?
....

c. Associez chaque extrait aux expressions que remplacent les doubles pronoms compléments.

1. Je les leur ai expliquées.   A. de nos doutes
2. Montre-le-moi.   a. aux stagiaires   B. des normes de communication écrite
3. Je les leur donnais comme exemple. b. à Hélène   C. les méls importants
4. Je leur en fais part.   c. à Iwona   D. les formules « Cordialement », « Très cordialement »,
5. Ils devront toujours te les soumettre   « Bien cordialement »
                                                          E. le mémo
                                                          F. les normes de communication écrite

d. Reportez-vous à la transcription du dialogue p. 26 du livret. Retrouvez les expressions de même sens. Puis indiquez la figure de style utilisée : un euphémisme, une litote ou une hyperbole.

1. Hélène a beaucoup d'expérience en communication professionnelle écrite.
.... →..............

2. Hélène est contente que sa collègue passe dans son bureau.
.... →..............

3. Les modifications sont importantes.
.... →..............

Mon score ...... /10

D7 – Nous agissons au travail

Comprendre un métier et un environnement professionnel
Exprimer un point de vue argumenté sur une question liée au travail

2. Lisez cet article paru dans la presse. Faites les activités. Vérifiez votre score p. 27 du livret.

Licenciement massif dans un hôtel japonais !

L'établissement Henn-na rêvait d'être le premier hôtel au monde entièrement géré par des robots. Il est aujourd'hui le premier à les avoir virés…

Ouvert triomphalement en 2015, l'hôtel Henn-na (« étrange » en japonais) était tenu par 243 robots et huit humains. Des chariots à bagages automatisés, des humanoïdes souriants et des robots-dinosaures à la réception, des assistants vocaux dans la chambre, des robots-poissons dans l'aquarium, un système de reconnaissance faciale pour ouvrir les chambres… L'objectif était (évidemment) de réduire les coûts en assignant les machines à des tâches plus ou moins simples. Une manière comme une autre de répondre au manque de main-d'œuvre et au déficit démographique du Japon.

Si ces robots avaient rapidement séduit le patron de l'hôtel (un robot, ça ne bavarde pas, ça ne demande pas d'augmentation de salaire, ça ne fait pas grève et ça bosse 24 heures sur 24), les nombreuses pannes les ont cependant vite rendus incontrôlables et, selon les clients, « inopérants », voire « agaçants ». Bref, ils n'auront pas tenu bien longtemps, les pauvres, puisque la moitié d'entre eux a été virée. Premier bug, dès l'arrivée : les « réceptionnistes » à la voix de canard étaient, sinon incapables, du moins inutiles puisqu'ils ne répondaient à aucune question (depuis des questions touristiques jusqu'aux horaires des vols : rien) et renvoyaient simplement aux écrans tactiles. Venaient ensuite les chariots à bagages automatiques, qui auraient enfin pu montrer la supériorité musculaire des machines sur l'homme. Malheureusement leurs misérables roulettes ne pouvaient atteindre que 24 des 100 chambres de l'établissement et pire encore : « lents et bruyants », ils faisaient des bruits atroces en cas de pluie ou de neige. De quoi devenir fou, même pour les plus patients d'entre nous ! Et ce n'est pas fini : arrivés dans leur chambre, les clients trouvaient un assistant-robot chargé de régler la luminosité ou de répondre à leurs questions, sauf que… le petit robot rose prenait les ronflements* des clients pour des questions et les réveillait en pleine nuit en braillant : « Pardon, je n'ai pas compris. Pouvez-vous répéter votre demande ? » On en reste soufflé. Pour des vacances reposantes, on a vu mieux…

L'hôtel s'est donc tourné vers une valeur sûre pour tenir son établissement comme il se doit : les êtres humains. Cet échec n'a pas pour autant découragé les dirigeants du Henn-na qui comptent toujours bien faire de leurs hôtels des établissements 100 % gérés par des robots, et qui attribuent ces dysfonctionnements à l'âge des robots (quatre ans, *oh my god !*). Que ceux qui craignent que les robots nous remplacent soient rassurés, ce n'est vraiment pas pour aujourd'hui !

*un ronflement : bruit fort de respiration produit quand on dort.

a. Complétez la présentation de l'équipe de robots de l'hôtel.

Types de robots employés	Tâches assignées	Difficultés rencontrées
1. Robots-dinosaures		
2. Chariots à bagages automatisés		
3. Assistants vocaux		
4. Robots-poissons		
5. Système de reconnaissance faciale		

b. Attribuez les opinions suivantes aux dirigeants de l'hôtel (D) ou aux clients (C).

1. Même si les robots leur ont plu au début, ils sont vite devenus ingérables. ☐ D ☐ C
2. On peut au minimum dire qu'ils ne servent à rien. ☐ D ☐ C
3. Ils pouvaient seulement remplir un quart de leurs missions. ☐ D ☐ C
4. Malgré cet échec, ils restent optimistes. ☐ D ☐ C

Mon score ...... /10

Nous pratiquons > GRAMMAIRE

La double pronominalisation pour ne pas répéter

3. 🎧 058 Écoutez les échanges pendant une formation en bibliothèque. Soulignez la reformulation avec un double pronom correspondante.

1. Nous pourrons les leur prêter ? / Ils pourront nous les prêter ?
2. On peut les leur commander ? / On peut leur en commander ?
3. Vous leur en devez. / Vous devez leur en parler.
4. On ne les y garde pas ? / On n'y en garde pas ?
5. Notez-les-leur bien ! / Notez-les-y bien !
6. Je peux essayer de le lui trouver ? / Je peux essayer de vous le trouver ?

4. Répondez aux questions d'un stagiaire en évitant les répétitions.

1. Est-ce que vous m'avez transmis les documents à photocopier ?

Non, ...

2. Je vais ensuite envoyer ces documents à la comptable, c'est ça ?

Oui, ...

3. Le dossier, je le transmets au directeur dès que possible, n'est-ce pas ?

Oui, transmettez ....

4. Et je vous donne aussi une copie de ce dossier ?

Non, ne ....

5. Est-ce que je dois donner des courriers recommandés au facteur ? (deux courriers)

Oui, ...

6. Excusez-moi, c'est moi qui ai mis ces originaux dans le photocopieur ?

Oui, c'est ....

5. À l'oral. Reformulez ces phrases en changeant de pronom comme indiqué.

1. *à vous* : « Bien à vous », je vous l'ai déjà écrit. → *à lui*
2. *à eux* : Ces salutations, je ne les leur ai jamais adressées. → *à toi*
3. *à elle* : Vos dates de congés, donnez-les-lui sans tarder ! → *à moi*
4. *à nous* : La procédure de remboursement, il nous l'a encore répétée. → *à elle*
5. *moi* : La réunion ? Oui, vous m'y avez déjà invité. → *elles*
6. *à toi* : L'audit financier, je t'en ai parlé, n'est-ce pas ? → *à eux*

D7 – Nous agissons au travail

Nous pratiquons > MOTS ET EXPRESSIONS

Quelques figures de style

6. a. 🎧 059 Écoutez et indiquez le numéro de la réponse correcte à chaque déclaration.

☐ a. Je ne suis pas débordée du tout, c'est vrai…

☐ b. Écoute, je ne suis pas fan de cette expression, c'est tout.

☐ c. Vraiment, des méls comme ça, ça devrait être un motif de licenciement !

☐ d. Non mais attends, je rêve ! C'est du délire total !

☐ e. Tu sais, on a tous compris que l'orthographe et lui, c'est un peu difficile…

☐ f. Oui, j'ai entendu que sa gestion du projet avait été un peu critiquée, en effet.

b. 🎧 060 Écoutez les dialogues complets. Identifiez les figures de style utilisées : un euphémisme, une litote, une antiphrase ou une hyperbole.

1. ....
2. ....
3. ....
4. ....
5. ....
6. ....

7. À l'oral. Formulez des phrases selon le contexte avec les figures de style indiquées.

1. Vos collègues vous proposent d'aller voir un film qui n'est pas du tout à votre goût mais vous ne voulez surtout pas les offenser. → une litote

2. Vous exprimez votre opinion concernant la dernière formation à laquelle vous avez assisté, sachant qu'elle ne vous a pas beaucoup plu. → un euphémisme

3. Votre meilleur(e) ami(e) vous interroge sur votre nouveau responsable. Vous le/la détestez. → une antiphrase

4. Vous voulez convaincre vos camarades d'aller dans votre restaurant préféré. → une hyperbole.

Le registre familier

8. Complétez le dialogue avec les expressions familières suivantes : *débarquer, se barrer, être soufflé, paumé, une gamine*. Faites les modifications nécessaires.

— Hier, j'ai assisté à une réunion vraiment incroyable. Tu vois, normalement, c'était seulement notre service, et mon responsable devait animer la réunion. Et là, devine qui .... ? Le patron !

— Ton patron ! Mais c'est exceptionnel ça ! Vous avez dû tous .... ! Et pourquoi est-il venu ?

— Il était furieux parce que mon responsable a pris sa fille comme stagiaire cet été. Le patron a vu son contrat de stage avec la rémunération et il trouve incroyable que .... inexpérimentée soit payée autant sous prétexte que c'est la fille du manager !

— Et qu'est-ce qui s'est passé ensuite ?

— Ben il a fait son petit discours, mon responsable n'a pas dit un mot, il avait l'air totalement .... Puis le boss .... en claquant la porte !

Quelques expressions pour nuancer un point de vue

9. 🎧 061 Écoutez ces opinions sur les communications écrites professionnelles dans différents pays. **Cochez la reformulation correcte.**

1. ☐ La longueur des signatures allemandes peut être surprenante.
   ☐ La succession de titres dans les signatures en Allemagne peut choquer.
2. ☐ Les formules de politesse aux États-Unis sont trop simples.
   ☐ Les formules de politesse américaines sont aussi polies que les françaises.
3. ☐ Les formules de fin de lettre dans les méls doivent se moderniser.
   ☐ Les traditions françaises doivent être conservées, elles ne sont pas lourdes.
4. ☐ Utiliser les prénoms dans la vie professionnelle n'est pas approprié.
   ☐ Utiliser les prénoms des salariés, c'est les traiter comme des enfants.

10. Exprimez votre opinion nuancée sur ces comportements dans le contexte professionnel. Utilisez les expressions suivantes : *pour autant, sinon… du moins*.

1. se faire la bise au travail : ....
   ....
2. parler de sa vie privée : ....
   ....
3. critiquer des collègues : ....
   ....
4. prendre souvent des jours de congé plutôt que des semaines entières : ....
   ....

Phonétique : Les homonymes

11. 🎧 062 Écoutez et complétez les phrases avec un des mots de la liste.

1. leur – leurs – l'heure
   Mes collaborateurs, je .... annonce toujours mes intentions avant de prendre la moindre décision.
2. cent – sans – s'en – c'en
   .... est bientôt terminé de toutes ces démarches pour obtenir enfin l'approbation du conseil d'administration !
3. court – cours – cour – coure
   Il faudra vraiment que je .... moins après les résultats, si je veux préserver toute mon énergie pour réussir les tâches les plus simples.
4. fin – faim – feint
   Je ne crois pas que la .... justifie les moyens dans toutes les situations de la vie professionnelle.
5. compte – conte – comte
   Au bout du ...., il faudra bien que je finisse de rédiger ce rapport avant la fin de la journée, avec ou sans aide de mes collègues.

Nous agissons

D7 – Nous agissons au travail

Stratégie : Rédiger un mél professionnel

12. Lisez ces méls professionnels.

1.
Madame, Monsieur,
J'ai l'honneur de vous adresser ma candidature au poste de chargé de projet que vous offrez, mon expérience comme mon niveau d'études correspondant à votre annonce.
Je serais très heureux de vous rencontrer afin de vous exposer mes motivations.
Dans cette attente, je me permets de joindre à ce courrier mon CV ainsi qu'une lettre de motivation.
Je vous prie de recevoir, Madame, Monsieur, mes plus sincères salutations.
Pierre Larudet

2.
Madame,
Faisant suite à votre demande du 10 janvier dernier, je vous prie de trouver ci-joint notre programme de formations de Team building.
Je me permettrai de vous contacter prochainement afin de mieux connaître vos besoins spécifiques et de vous proposer une solution sur mesure.
Nous nous tenons à votre disposition pour toute question.
Bien cordialement,
Géraldine Halot
Chargée de promotion

3.
Chère Madame Leroux
À l'occasion du lancement de notre **gamme printemps-été**, nous vous avons réservé une surprise : **15 % de remise sur votre prochaine commande !**
Cliente fidèle depuis dix ans déjà, nous regrettons votre absence depuis quelques mois.
Nous espérons que nos services ne vous ont pas déçue et que nous aurons la chance de vous retrouver prochainement !
Bien à vous,
Antoine Durtour
Responsable du Service client

Indiquez le numéro du mél dont relève chaque information.

Nature du mél
☐ Mél de motivation
☐ Réponse à un mél
☐ Mél d'offre commerciale

Objet du mél
☐ Offre exceptionnelle
☐ Présentation de la candidature et résumé des motivations
☐ Référence au message précédent et réponse à la demande

Contenu
☐ Proposition de rencontre en face à face
☐ Rappel des relations passées
☐ Proposition commerciale

Type de demande
☐ Offre de renseignements
☐ Espoir de collaborer à nouveau
☐ Demande polie de réponse

Production écrite

13. Répondez à un des méls de l'activité **12**. Prenez soin d'utiliser les formules adaptées au contexte (atténuation, nuance). Choisissez bien vos formules de politesse.

Approche interculturelle

14. Depuis 2003, l'opération « J'aime ma boîte » a pour vocation de rassembler salariés et entrepreneurs autour de leur entreprise pour une journée festive.
Un événement similaire existe-t-il dans votre pays ? Encourage-t-on les employés et les responsables à cultiver l'esprit d'entreprise de manière festive ? Qu'en pensez-vous ?

BILAN 7

Nous agissons au travail

Compréhension écrite

1 Vous lisez cet article dans un journal français.

Transhumanisme et travail : danger ou opportunité ?

Tantôt décrit comme un espoir pour l'humanité ou une idéologie dangereuse, le transhumanisme fait débat, tant sur le plan médical que philosophique : quelles avancées sont réellement possibles et éthiquement acceptables ?

À l'heure où la robotisation a déjà fortement touché nos emplois, le développement du transhumanisme appelle aujourd'hui à la vigilance quant à ses impacts sur le monde du travail. François Berger, neuro-oncologue et directeur à l'INSERM, explique pourquoi il prône la méfiance face aux promesses transhumanistes.

Pour commencer, qu'est-ce que le transhumanisme ?
Au contraire de la réparation de l'homme malade, c'est l'augmentation de l'homme sain à l'aide de drogues, de technologies, voire de modifications génétiques. Le transhumanisme fait encore aujourd'hui figure de science-fiction. Mais en sommes-nous encore au stade de la théorie ou le transhumanisme est-il déjà une réalité ? Il se trouve que l'apport des micro-nanotechnologies et des technologies de l'information comme l'intelligence artificielle permet de disposer d'implants, par exemple rétiniens[1], qui sont déjà utilisés en clinique chez les patients aveugles. Certains dispositifs pour le cerveau existent également pour des patients handicapés tétraplégiques[2]. Il faut toutefois faire attention au fait que ces technologies génèrent des fantasmes (créer des surhommes immortels par exemple).

Concrètement, comment le transhumanisme va-t-il se manifester dans le monde du travail ? Est-ce une façon de prévenir les pathologies liées au travail ?
La prévention des maladies liées au travail n'entre pas dans le champ du transhumanisme mais dans celui de la médecine. Par exemple, le travail de prévention sur l'exposition aux facteurs de risque du monde du travail fait partie intégrante de la médecine du travail moderne. C'est d'ailleurs une des premières utilisations des exosquelettes[3] qui permettent aux militaires et aux ouvriers de moins subir les charges lourdes, dangereuses pour les os et les articulations. Il s'agit aussi d'éviter, à l'aide de bras robotisés commandés à distance, la toxicité d'environnements radioactifs, par exemple. En revanche, l'utilisation d'implants connectés au cerveau du pilote de chasse pour détecter l'attaque d'un ennemi avant même qu'il en ait conscience, ou l'utilisation de drogues pour neutraliser le sommeil sont des exemples pour lesquels des problèmes médicaux et éthiques se posent de façon évidente. Alors qu'une utilisation éthique, médicale et encadrée des technologies permettrait d'améliorer la productivité au travail, le transhumanisme vise à libéraliser ces développements en dehors de tout contrôle, sans se soucier des effets secondaires. Cette libéralisation doit être combattue.

D'après www.lemonde-apres.com

1. rétiniens : dans la partie au fond de l'œil qui reçoit les impressions lumineuses et permet de voir.
2. tétraplégiques : paralysés des quatre membres. 3. exosquelettes : nouvelles technologies d'assistance physique.

Répondez aux questions.

1. Quel est le paradoxe évoqué par l'auteur concernant les points de vue sur le transhumanisme ?

....

2. Concernant le transhumanisme, François Berger est…

   a. confiant.   **b.** sceptique.   **c.** méfiant.

3. Reformulez la définition du transhumanisme avec vos propres mots.

....

4. Quelle alerte lance François Berger concernant l'utilisation de l'intelligence artificielle sur l'homme ?

....

5. Cochez la bonne case et justifiez avec un extrait de l'article.

Selon François Berger, le travail sur la prévention des risques au travail concerne directement
le transhumanisme. ☐ Vrai ☐ Faux

....

6. Donnez deux exemples d'innovations technologiques pour la prévention des pathologies dans le domaine du travail. ....

7. Le risque majeur du transhumanisme pour François Berger est que les nouvelles technologies…

    a. dépassent l'être humain.   b. deviennent incontrôlables.   c. remplacent les travailleurs.

Compréhension orale

2 🎧 063 **Vous écoutez une émission de radio française. Répondez aux questions.**

1. Selon l'émission, une mauvaise maîtrise de l'orthographe peut mener à…

    a. la perte d'un emploi.   b. une diminution de salaire.   c. un manque de reconnaissance.

2. Quelle solution est proposée par l'entreprise motoblouz.com pour remédier aux problèmes d'orthographe ?

....

3. Quel est le rôle d'Isaline Demonchy dans ce projet ?

....

4. Qu'est-ce qui pose le plus problème aux moins de trente ans qui ont des problèmes avec l'orthographe ?

    a. L'évolution de carrière.   b. Les remarques des collègues.   c. Le recrutement dans l'entreprise.

Production orale

3 **À deux, vous simulez la première partie d'un entretien d'embauche dans laquelle vous présentez votre expérience et mettez en valeur vos compétences. Votre partenaire vous donne ensuite des conseils pour améliorer votre présentation.**

Production écrite

> **Marie22** : Bonjour à tous. Je suis belge et je vis au Japon depuis deux ans. Je remarque beaucoup de différences culturelles qui peuvent parfois créer des malentendus ! Par exemple, l'autre jour, j'ai eu un problème de transport, je suis arrivée au travail en courant juste à temps pour une réunion, et tous mes collègues m'ont jeté des regards accusateurs parce que j'aurais dû arriver en avance et non juste à l'heure ! Et vous, avez-vous déjà rencontré des difficultés culturelles ?

4 **Vous lisez ce témoignage sur un forum de discussion. Vous réagissez à cette publication et la commentez en exprimant votre point de vue et en racontant votre expérience à l'aide d'exemples précis. (250 mots minimum)**

DOSSIER 8 > Leçons 1 et 2

Nous nous évaluons

Présenter des expériences novatrices

1. Lisez l'article d'un magazine pour étudiants. Faites les activités. Vérifiez votre score p. 29 du livret.

Écoles d'ingénieurs : une nouvelle pédagogie fondée sur la « résolution de problème »

Démodés les cours magistraux en amphi ? Les écoles d'ingénieurs recourent de plus en plus aux « pédagogies actives » et à l'approche par compétences.

Au Cesi de La Rochelle

Identifier l'algorithme de chiffrement du message envoyé par un vaisseau spatial ennemi. Eva, Justin, Paul et la douzaine de jeunes chargés de cette mission ne sont pas les héros du dernier blockbuster signé Steven Spielberg, mais des élèves de deuxième année d'informatique du Cesi, une école d'ingénieurs post-bac, installée à La Rochelle.

Des étudiants qui ne savent pas ce que c'est qu'un cours en amphi, et pour cause : l'essentiel des formations d'ingénieurs du groupe est fondé sur la « résolution de problème », une pédagogie innovante rapportée d'outre-Atlantique par son directeur au milieu des années 2000.

Au Cesi, une semaine type commence par un cas comme celui-ci (un « Prosit »), présenté par l'enseignant. Comme dans une équipe d'ingénieurs, les étudiants doivent se répartir les rôles (l'animateur, le secrétaire...) et identifier le problème à résoudre. Ils ont un jour et demi ensuite pour tenter de trouver une solution, sur la base des documents fournis par l'école.

L'exercice se termine par une « restitution », au cours de laquelle l'équipe présente ses résultats, suivie le lendemain par une évaluation. *« Les Prosit sont l'occasion de mettre en pratique et de consolider les compétences qui viennent d'être acquises »*, explique M. Saveuse, le directeur des études du Cesi.

Des professeurs accompagnateurs

Les professeurs – qu'on appelle ici les tuteurs ou les pilotes – sont là pour *« questionner, écouter et accompagner les étudiants dans leur cheminement »*, énumère Jean-Louis Allard, directeur de Cesi école d'ingénieurs. Une approche qui nécessite un « changement de posture » et une bonne dose de formation.

Répondre aux nouvelles attentes des entreprises

Communication, autonomie, prise de parole en public, travail en équipe, gestion des priorités... En faisant de l'étudiant l'acteur de son enseignement, dans des situations proches de celles auxquelles il serait confronté en entreprise, ces pédagogies permettent de développer les fameuses *soft skills* (compétences humaines). Un must aujourd'hui selon les entreprises.

a. Cochez la/les bonne(s) réponse(s).

1. L'article parle d'une pédagogie...

☐ traditionnelle.

☐ novatrice.

☐ inconnue.

2. Cette pédagogie repose sur...

☐ une alternance de cours magistraux et de travaux pratiques.

☐ des travaux pratiques.

☐ des cours magistraux.

☐ du travail en petits groupes.

☐ une réflexion collective des étudiants sur des situations proches du réel.

☐ des projets individuels.

☐ l'élaboration de raisonnements.

b. Complétez la présentation du Prosit.

Les 5 étapes :

1. .... 4. ....

2. .... 5. ....

3. ....

Posture de l'étudiant : .... Posture de l'enseignant : ....

c. Présentez les objectifs des Prosit et les fonctions de l'enseignant avec des nominalisations.

1. Les deux objectifs des Prosit : ....

2. Les trois fonctions de l'enseignant : ....

....

Mon score ...... /10

Donner des explications / Parler de l'apprentissage des langues

2. 🎧 064 Écoutez l'interview. Faites les activités. Vérifiez votre score p. 29 du livret.

a. Complétez la fiche d'identité d'Alex.

Fiche d'identité d'Alex

Nationalité : ....

Langue maternelle : ....

Nombre de langues étrangères apprises : ....

Parmi lesquelles : ....

b. Répondez aux questions :

1. Quelle aptitude particulière Alex possède-t-il ?

....

2. Pourquoi la ville de Chicago est-elle particulièrement bien adaptée à Alex ?

....

3. Que manque-t-il encore à Alex ?

....

c. Complétez le tableau sur les méthodes d'apprentissage d'Alex.

	Méthode 1	Méthode 2	Méthode 3
Support			
Utilisation			
Compétence(s) travaillée(s)			

Mon score ...... /10

Nous pratiquons > GRAMMAIRE

Les propositions relatives pour exprimer un souhait ou un but

3. a. Associez les débuts et les fins de phrases.

1. Le lycée recherche un professeur qui
2. Nous voulons former des élèves qui
3. J'aimerais apprendre une langue qui
4. On doit développer une pédagogie qui
5. Il faudrait que je pratique l'espagnol avec quelqu'un qui
6. On doit proposer des cursus qui

a. (mettre) l'élève au centre de l'apprentissage.
b. (être parlée) dans de nombreux pays.
c. (correspondre) au profil de chacun.
d. (m'apprendre) des expressions idiomatiques.
e. (savoir) raisonner par eux-mêmes.
f. (pouvoir) former ses collègues à la pédagogie inversée.

b. Écrivez les phrases en mettant le verbe entre parenthèses au bon mode.

1. ...
2. ...
3. ...
4. ...
5. ...
6. ...

4. Indicatif ou subjonctif ? Entourez la forme correcte dans l'article.

Un avenir pour les Mooc

Les Mooc qui (sont pensés) / soient pensés pour permettre à tout un chacun de se former, touchent finalement un public restreint. « L'autoformation reste un phénomène assez élitiste parmi des étudiants qui sont / soient déjà très engagés », constate ainsi Matthieu Cisel, normalien et chercheur à l'université Paris-Descartes dans un article du *Monde*. IFP School, école d'ingénieurs spécialisée dans les domaines de l'énergie et de la mobilité durable, a pourtant décidé d'investir dans les Mooc. Elle souhaite proposer un nouveau modèle qui peut / puisse séduire le plus grand nombre et qui connaîtra / connaisse enfin le succès. C'est un modèle bien loin de celui que l'on connaît qui se restreint / se restreigne à un cours filmé de deux heures complété d'un QCM. La formule qu'IFP School veut mettre en place est une vidéo qui a / ait une durée de cinq à huit minutes et qui répond / réponde ainsi aux consommations Internet de la jeune génération. Après chaque session, les programmeurs souhaitent créer un mini-jeu ou *serious game* qui permettra / permette de mettre concrètement en application les connaissances acquises.

5. Exprimez un souhait ou un but à partir de la photo avec une proposition relative introduite par *qui*.

D8 – Nous échangeons sur des modèles éducatifs

La valeur du subjonctif dans l'expression de l'opinion

6. À l'oral. Reformulez les propos de chaque personne avec les expressions entre parenthèses.

Débat : Pour ou contre l'école numérique ?

1. Bien sûr ! Le téléphone portable peut être un outil pédagogique !

2. Je suis contre l'utilisation de tout type d'écran en salle de classe. Cela ne permet pas une meilleure concentration ou créativité des élèves. Bien au contraire !

3. Steve Jobs avait dit que ses enfants n'avaient jamais utilisé d'iPad. Cela prouve bien qu'il y a un risque !

4. Il faut vivre avec son temps. Les outils numériques renforcent la motivation des élèves.

5. La nécessité d'équiper chaque classe de tablettes et de tableaux numériques est une catastrophe environnementale !

6. L'école numérique n'est pas un désastre comme certains le disent. Au contraire, il faut y voir une opportunité.

1. (je crois que)
2. (je ne pense pas que)
3. (le fait que)
4. (je crois que – je trouve que)
5. (le fait que)
6. (je ne crois pas que – je pense que)

La nominalisation pour synthétiser et mettre en valeur des informations

7. Donnez un titre à chaque brève. Utilisez la nominalisation.

1. ....
La police sud-africaine a arrêté 31 étudiants, mardi, lors d'une manifestation sur le campus de l'université de Witwatersrand à Johannesburg.

2. ....
Les écoles se noient sous la paperasse. Les contrats aidés, en charge des tâches administratives, sont supprimés. Les directeurs des écoles protestent contre ces réductions de personnel.

3. ....
Le fondateur d'Iliad-Free, Xavier Niel, a présenté mardi 26 mars une nouvelle formation à l'informatique, qui ouvrira ses portes en novembre prochain. Ouverte à tous les 18-30 ans, sans condition de diplôme, la scolarité sera gratuite pour les 1 000 personnes sélectionnées.

4. ....
Dans le cadre du plan Espoir banlieues, les écoles de production ont obtenu un financement exceptionnel. Basées sur le principe du « faire pour apprendre », ces écoles accueillent des jeunes sortis du système scolaire.

8. a. 🎧 H065 Écoutez la présentation de la réforme du lycée. Synthétisez les différents points en utilisant la nominalisation.

1. ....
2. ....
3. ....
4. ....

cent cinq 105

Nous pratiquons > MOTS ET EXPRESSIONS

Parler de scolarité et de pédagogie

9. Répondez à ce questionnaire puis comparez vos réponses avec un camarade. Expliquez vos choix.

1. L'école, ça sert à
   - ☐ connaître les savoirs de base.
   - ☐ socialiser.
   - ☐ s'amuser.

2. Le plus important, c'est de
   - ☐ savoir lire.
   - ☐ savoir écrire.
   - ☐ savoir compter.
   - ☐ maîtriser oralement sa langue maternelle.

3. En classe, je préfère
   - ☐ les projets individuels.
   - ☐ les projets collectifs.

4. La faculté qui me caractérise :
   - ☐ l'effort.
   - ☐ la rigueur.
   - ☐ la mémoire.

5. Les cours magistraux sont
   - ☐ nécessaires.
   - ☐ ennuyeux.
   - ☐ inutiles.

6. Le professeur doit être
   - ☐ au centre de l'apprentissage.
   - ☐ accompagnateur.
   - ☐ facilitateur.

7. En classe, j'apprécie
   - ☐ les débats.
   - ☐ les exposés.
   - ☐ les jeux.

8. La pédagogie que j'aime :
   - ☐ le prof expose son savoir et je l'intègre.
   - ☐ le prof m'aide à élaborer des raisonnements que j'applique ensuite.

9. Si j'étais professeur, j'aimerais enseigner
   - ☐ à l'école maternelle.
   - ☐ à l'école élémentaire.
   - ☐ au collège.
   - ☐ à l'université.
   - ☐ au lycée.

10. Les grandes écoles
    - ☐ sont élitistes.
    - ☐ me font rêver.
    - ☐ non merci !

Parler de l'apprentissage des langues

10. Complétez la grille de mots croisés.

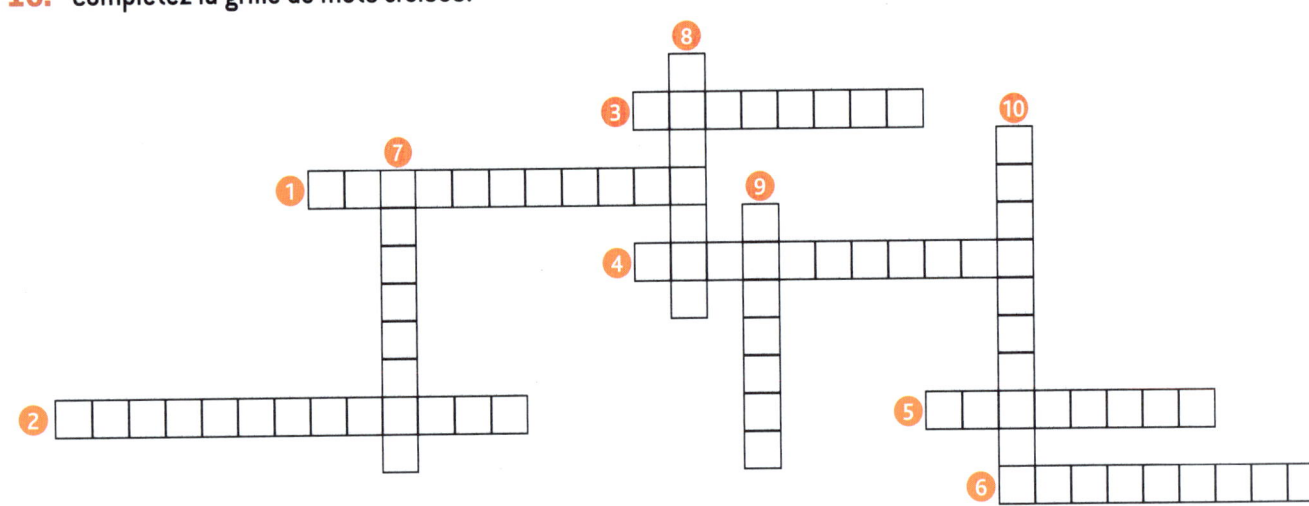

① Discipline thérapeutique qui vise à soigner les troubles du langage.
② Manière dont les sons du langage sont articulés.
③ Son de la voix représenté par 19 lettres en français.
④ Quand on parle plusieurs langues.
⑤ Qui parle deux langues.
⑥ Langue qui n'est pas la langue maternelle d'une personne.
⑦ Ensemble des nuances de ton d'une voix.
⑧ Son de la voix représenté par six lettres en français.
⑨ Lorsqu'on fait un apprentissage très jeune.
⑩ La première langue apprise par l'enfant.

Nous agissons

D8 – Nous échangeons sur des modèles éducatifs

Stratégie : Enrichir son vocabulaire

11. Observez la carte mentale du verbe « apprendre ».

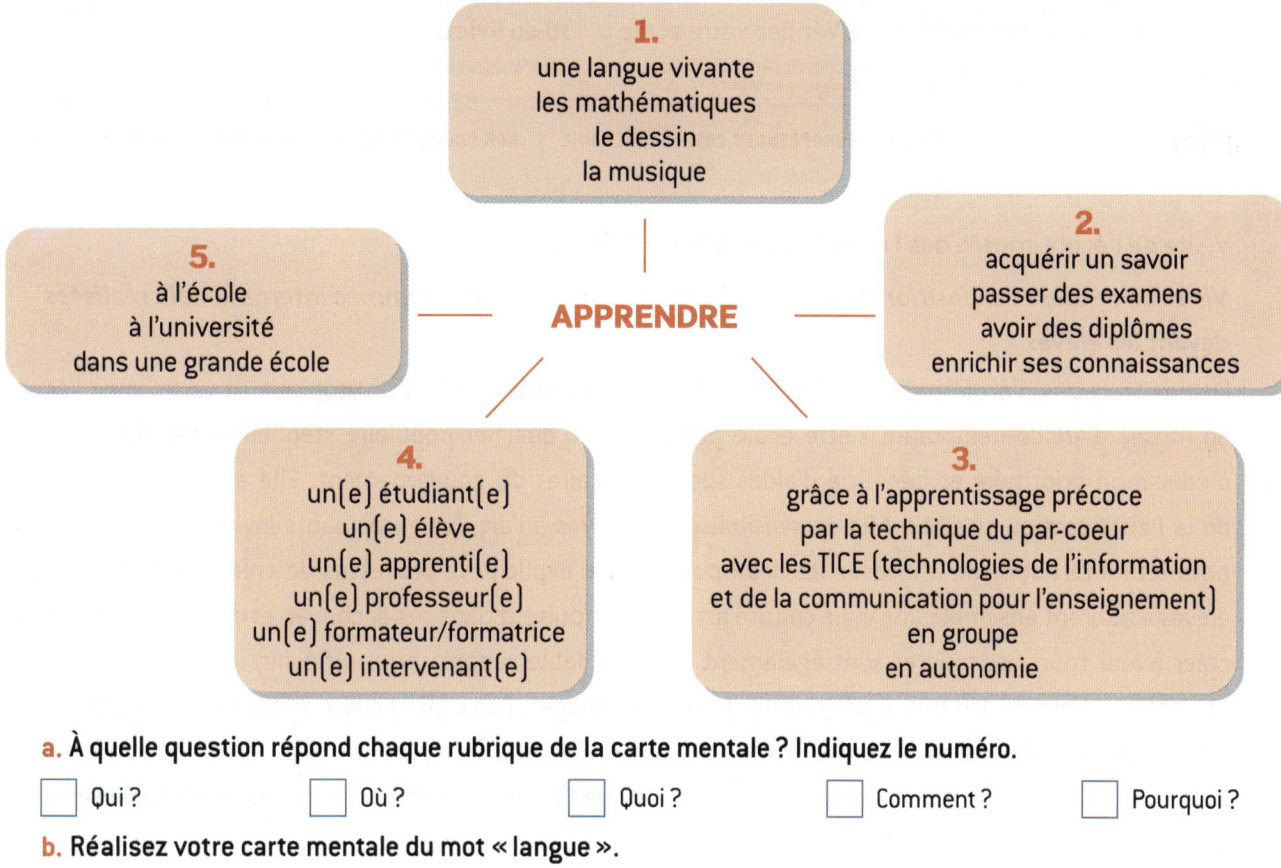

a. À quelle question répond chaque rubrique de la carte mentale ? Indiquez le numéro.

☐ Qui ?   ☐ Où ?   ☐ Quoi ?   ☐ Comment ?   ☐ Pourquoi ?

b. Réalisez votre carte mentale du mot « langue ».

Production orale

12. Lisez l'annonce de la consultation citoyenne pour la promotion de la langue française dans le monde. Participez à cet événement en proposant vos idées. Utilisez un vocabulaire varié (carte mentale de l'activité **11 b**). Enregistrez-vous.

> institut-français.com
>
> L'Institut français s'est vu confier par le Président de la République l'organisation d'une consultation citoyenne et professionnelle sur la promotion de la langue française et du plurilinguisme dans le monde.
> Une large consultation en ligne est lancée pour recueillir des idées et des propositions destinées à soutenir la promotion et l'apprentissage de la langue française et le développement du plurilinguisme dans le monde.
> La mise en place de ce processus participatif vise à mobiliser aussi bien les citoyens français que les étrangers francophones et/ou francophiles.

Approche interculturelle

13. 🎧 066 Écoutez le témoignage d'une enseignante en linguistique informatique. Puis répondez aux questions.

a. De quelle loi l'enseignante parle-t-elle ? Existe-t-il une loi semblable dans votre pays ?

b. Quelle est son opinion ? Que propose-t-elle ? Qu'en pensez-vous ?

c. Est-ce que sa proposition serait applicable dans votre pays ? Est-elle déjà appppliquée ?

DOSSIER 8 > Leçons 3 et 4

Nous nous évaluons

Présenter une initiative éducative / Analyser des différences

1. Lisez l'article. Faites les activités. Vérifiez votre score p. 30 du livret.

---

http://journeeseuropeennesdupatrimoine.fr

info: JOURNÉES EUROPÉENNES 2018 | À LA UNE | NOS COUPS DE CŒUR | PRATIQUE | FORUM

Visite de l'école-musée des Frères Chappe à Saint-Etienne

Visite de l'école et exposition de plus de 50 œuvres d'artistes de renommée internationale réalisées devant les élèves.

Depuis trois ans, l'école publique des Frères Chappe poursuit un objectif utopique : transformer l'école en musée d'Art contemporain. Cette école primaire d'un quartier populaire stéphanois est classée zone d'éducation prioritaire et bénéficie d'aides supplémentaires du gouvernement. Elle accueille 400 élèves de la Petite section au CM2. Afin de sensibiliser les élèves à l'art, les enseignants invitent des artistes de notoriété internationale à investir les lieux pour rendre explicite le processus de création artistique. Les élèves élaborent ensemble une vraie culture artistique et puisent dans ces découvertes des inspirations pour créer à leur tour. Ces œuvres sont également un formidable support pour réfléchir, interpréter, débattre et penser le monde. Liu Bolin, Jef Aérosol, Jérôme Mesnager, Rero, Ella et Pitr, Madame Moustache, Oak Oak, Mademoiselle Maurice, Sandra Sanseverino, Erell, Cap Phi, Don Mateo, Bocse, Biancoshock, Big Ben, Bulbe… : ils sont une vingtaine à avoir investi les murs de l'école. Les créations ont toutes été réalisées sous les yeux des élèves et des enseignants. Parfois même avec leur collaboration.

« Il y a une espèce d'aller-retour entre l'apprentissage et l'art, l'art et l'apprentissage. L'art de comprendre le monde. Notre travail d'enseignants, c'est de mettre les cerveaux en mouvement, de permettre aux enfants d'être en réflexion sur les enjeux de société mais aussi sur les problèmes quotidiens qu'ils peuvent vivre en tant qu'élèves et en tant qu'enfants. Pour ça, l'art, c'est simplement un prétexte. » Jérémy Rousset, directeur, initiateur du projet.

Une école qui fait confiance à l'art pour apprendre.

Le parcours permettra aux visiteurs de découvrir une cinquantaine d'œuvres, des espaces vidéo, des expositions de travaux d'élèves. Les élèves proposeront aux visiteurs qui le souhaitent une visite guidée de l'école-musée.

---

a. Complétez le carton d'invitation de l'école des Frères Chappe.

INVITATION

Dans le cadre de ....,
l'ensemble de l'équipe éducative et les élèves vous invitent à ....
.... Venez découvrir ....
et ....
Vous pourrez visiter les lieux librement ou profiter d'une ....
.... animée par ....

D8 – Nous échangeons sur des modèles éducatifs

b. Cochez la bonne réponse.

1. L'école des Frères Chappe est…

☐ une école maternelle.   ☐ une école primaire.   ☐ un collège.

2. Elle est située dans…

☐ un quartier riche.   ☐ un quartier défavorisé.   ☐ un quartier à la mode.

3. Elle bénéficie de moyens supplémentaires pour…

☐ encourager les enseignants à réaliser des projets.
☐ pallier des problèmes d'ordre sociaux et scolaires.
☐ tester des méthodes éducatives avant-gardistes.

c. Formulez avec vos propres mots les missions de l'enseignant selon Jérémy Rousset.

....

Mon score ...... /10

Comprendre un fait de société

2. 🎧 067   Écoutez le reportage. Faites les activités. Vérifiez votre score p. 30 du livret.

a. Parmi ces quatre livres sur le travail, cochez celui qui est en lien avec le reportage.

☐ *L'emploi est mort, vive le travail !,* de Bernard Stiegler
☐ *La révolte des premiers de la classe*, de Jean-Laurent Cassely
☐ *Bonjour paresse*, de Corinne Maier
☐ *L'absurdité d'être accro au boulot*, d'Annie Kahn

b. Complétez le profil d'Anaïs.

> **Profil d'Anaïs**
>
> Formation initiale : ....
> ....
> Poste occupé pendant trois ans et demi : ....
> Formation suivante : ....
> Poste actuel : ....

c. Vrai ou faux ? Répondez et justifiez avec un extrait de l'entretien.

1. Elle n'a jamais apprécié son premier travail.   ☐ Vrai   ☐ Faux
Justifiez : ....
2. Dans son premier travail, elle se sentait déconnectée du monde réel.   ☐ Vrai   ☐ Faux
Justifiez : ....
3. Sa formation initiale est un handicap pour son travail actuel.   ☐ Vrai   ☐ Faux
Justifiez : ....

d. Comment envisagez-vous l'évolution de ce phénomène de société ? Formulez deux probabilités avec des expressions différentes.

....
....

Mon score ...... /10

Nous pratiquons > GRAMMAIRE

Le subjonctif pour exprimer la probabilité

3. Numérotez ces expressions de probabilité de la plus forte à la moins forte.

☐ il est improbable ☐ il y a de grandes chances
☐ il se peut ☐ il est bien possible
☐ il est peu probable ☐ il se pourrait
☐ il y a de fortes chances ☐ cela ne fait nul doute

4. Répondez à ces questions en utilisant les expressions données. Attention à l'utilisation du mode !

1. Reviendra-t-on dans le futur à des écoles sans écran ?

Il se peut que ....

Il y a de fortes chances que ....

2. La dictée fera bientôt partie du programme du bac.

Il est certain que ....

Il y a peu de chances que ....

3. La course aux diplômes est terminée.

Il est peu probable que ....

Il ne fait aucun doute que ....

5. Exprimez une probabilité plus ou moins forte sur chacun de ces sujets. Variez les expressions.

Exemple : *les études à l'étranger → Il se peut que je parte au Mexique pour terminer mes études.*

1. l'évolution de la pédagogie : ....
2. les classes à niveaux multiples : ....
3. la transformation du métier d'enseignant : ....
4. la motivation des élèves : ....
5. la perte de valeur des diplômes : ....
6. l'autodidaxie : ....

La négation *ne … ni … ni …*

6. Écrivez ces phrases à la forme négative.

1. Dans notre système scolaire, nous pratiquons la dissertation et la note de synthèse.

....

2. Les élèves et le personnel éducatif sont en faveur de la réforme du lycée.

....

3. Guillaume a réussi son CAP bijoutier et a été embauché par un diamantaire.

....

4. L'un et l'autre ont été acceptés en classe prépa.

....

5. Vous êtes sérieux et rigoureux dans votre travail scolaire.

....

6. Les diplômes sont un aboutissement et un symbole de réussite sociale.

....

D8 – Nous échangeons sur des modèles éducatifs

7. 🎧 068 Écoutez les commentaires de personnes sur leur parcours scolaire. Complétez le tableau en indiquant si leur reformulation avec *ne… ni… ni…* est possible ou non. Reformulez quand c'est possible.

	Possible	Reformulation	Impossible
Exemple	✓	À l'école, je n'ai fait ni de latin ni de grec.	
1			
2			
3			
4			
5			
6			

Nous pratiquons > MOTS ET EXPRESSIONS

Parler des études et du système éducatif

8. Trouvez le mot ou l'expression manquant(e) dans chaque paire de titres de journaux.

Exemple : *Parcoursup* : quelles sont les **filières** les plus demandées par les jeunes cette année ?
 Études de santé : **la filière** officine boudée par les étudiants en pharmacie

1. Les écoles d'ingénieurs peinent à s'ouvrir aux .... technologiques et professionnels
 Martigny-les-Bains : des récompenses pour les .... ayant obtenu une mention au bac

2. L'apprentissage n'est pas une ....
 Le lycée professionnel de Cluny : une voie d'excellence, pas une ....

3. Jeune, urbain, ... … La réussite assurée !
 Quand les .... déclarent la guerre au surmenage

4. Université de Savoie : ouverture d'un nouveau .... en archéologie
 Parcoursup : sélection du .... post-bac

5. Bac : la méthodologie de la .... en BD
 Conseils pour éviter le hors-sujet en ....

6. Même avec un .... , les femmes accèdent moins facilement au statut de cadre
 Studyrama : un salon pour les étudiants du bac au ....

cent onze 111

9. Vrai ou faux ? Répondez.

1. Une CPGE est une certification du lycée professionnel. ☐ Vrai ☐ Faux
2. On peut préparer le bac professionnel ou le brevet professionnel grâce à l'apprentissage. ☐ Vrai ☐ Faux
3. Le bac technologique se prépare dans un lycée professionnel. ☐ Vrai ☐ Faux
4. On ne passe aucun examen au collège. ☐ Vrai ☐ Faux
5. Si l'on n'a pas sauté de classe ou redoublé, on passe le bac l'année de ses 18 ans. ☐ Vrai ☐ Faux
6. Pour accéder au titre d'ingénieur, il faut faire cinq ans d'études supérieures. ☐ Vrai ☐ Faux

10. Faites le quiz.

1. Combien d'années compte l'école maternelle ?

2. À partir de quel âge et jusqu'à quel âge l'instruction est-elle obligatoire en France ?

3. À quels diplômes universitaires correspondent le bac + 3 et le bac + 5 ?

4. À la fin de quelle classe passe-t-on le brevet des collèges ?

5. Quel travail présente-t-on pour valider son doctorat ?

6. Quelle est la première classe du lycée ?

7. Combien d'années comprend l'enseignement secondaire ?

8. Que faut-il faire pour entrer dans une grande école ?

9. Quelle est la condition pour entrer à l'université ?

10. Nommez deux diplômes du lycée professionnel.

Phonétique : Adopter le ton juste

11. 🎧 069 Écoutez. Identifiez le ton des phrases et complétez le tableau.

	Exemple	1	2	3	4	5	6	7	8
Ton neutre									
Ton agacé									
Ton moqueur	✓								
Ton triste et découragé									

D8 – Nous échangeons sur des modèles éducatifs

Nous agissons

> Stratégie : Construire une argumentation

12. Lisez ce début d'article.

Peut-on se passer de l'école ?

L'école est un haut lieu du savoir. Elle est une institution qui fabrique et transmet des connaissances, dans des domaines variés. Elle façonne la vision des élites qui dirigent les nations. Elle instruit, elle crée des classes sociales. L'école se pose comme un détour indispensable à toute personne ambitieuse et désireuse de se faire accepter ou de se faire une place de choix dans la société moderne. En clair, l'école apparaît comme une nécessité pour la réussite.

Cependant, on a souvent vu ou entendu parler de ces personnes qui ont « réussi, sans avoir été vraiment à l'école ». On en connaît aussi qui ont été longtemps à l'école, mais qui n'ont pas « réussi ».

Alors, l'école est-elle nécessaire pour réussir ? Quelle différence entre l'école et l'école de la vie ? L'école est-elle indispensable au but ultime de chacun qui est la réalisation de soi et l'atteinte de ses objectifs pour une vie meilleure ?

a. Mettez dans l'ordre les éléments structurels de l'article en les numérotant.

☐ un argument ☐ une problématique
☐ un titre ☐ une définition
☐ un contre-argument

b. Repérez les trois connecteurs logiques. Identifiez leur fonction.

.... Fonction : ....
.... Fonction : ....
.... Fonction : ....

c. Indiquez la valeur du pronom « on » dans le deuxième paragraphe.

☐ remplace le pronom « nous » ☐ remplace « tout le monde » ☐ signifie « personne »

> Production écrite

13. Vous publiez un post sur un réseau social dans lequel vous questionnez sur l'utilité des notes à l'école. Référez-vous à la structure et aux éléments identifiés dans l'activité **12** pour rédiger votre post.

> Approche interculturelle

14. Lisez le document paru sur un site français.

Top 5 des pratiques à l'école qui nous ont traumatisées

1. Le carnet de correspondance 4. Les exposés
2. Les rencontres parents-professeurs 5. La pratique de la flûte à bec
3. Les interro surprises

a. Que pensez-vous de ce classement ?

b. Ces pratiques existent-elles dans votre pays ? Si oui, effraient-elles les élèves ? Pourquoi ?

c. Proposez le top 5 des pratiques traumatisantes à l'école dans votre pays et comparez avec la classe.

cent treize 113

BILAN 8

Nous échangeons sur des modèles éducatifs

Compréhension écrite

1 Vous lisez cet article sur un site d'information français.

Les étudiants étrangers en France affichent une satisfaction record

La France, quatrième destination pour l'accueil des étudiants internationaux, est de plus en plus appréciée par ceux qui l'ont choisie. Parmi les 14 245 étudiants issus de 161 pays interrogés par Campus France[1], 93 % se disent satisfaits de leur séjour, 88 % apprécient *« la valeur des diplômes et la qualité de l'enseignement dispensé »* dans l'Hexagone[2] et 92 % recommandent la France comme destination d'études. Des taux de satisfaction en hausse de 1 à 3 points par rapport au niveau déjà élevé des enquêtes précédentes. Pour Béatrice Khaiat, directrice générale de Campus France, ces résultats *« récompensent les efforts faits depuis plusieurs années pour améliorer l'accueil »*.

Depuis la dernière enquête il y a trois ans, la destination France a confirmé ses points forts et quelque peu amélioré ses points faibles. L'accueil reçu en France est jugé positif par 87 % des étudiants étrangers (+ 5 points), même si leur sentiment est plus mitigé quant à la cohabitation avec leurs collègues français (75 % les trouvent accueillants). Le suivi pédagogique satisfait 81 % d'entre eux (+ 6 points), et 78 % déclarent avoir des contacts réguliers avec leurs enseignants (+ 5 points).

Les motifs de déception sont toujours les mêmes et concernent notamment le coût de la vie et celui du logement, les chiffres sont toutefois plus mesurés que pour la précédente enquête. Cette relative amélioration tient en partie à l'inflation des prix dans les grandes villes étudiantes ailleurs dans le monde, qui rend la comparaison moins sévère. C'est du reste sur Paris que se concentrent les critiques, car les étudiants ayant étudié dans d'autres régions se disent satisfaits du coût de la vie et du logement à 63 %.

L'étude confirme l'importance de cette expérience d'études pour renforcer le lien des étudiants étrangers avec la France. Après leur séjour, 57 % d'anciens étudiants non francophones déclarent parler couramment le français ; et 67 % de ceux qui travaillent ailleurs déclarent avoir, au moins de temps en temps, des contacts avec le pays de Molière dans le cadre de leur activité professionnelle.

D'après www.lemonde.fr

1. Campus France : organisme responsable de l'accueil des étudiants étrangers.
2. Hexagone : nom symbolique donné à la France métropolitaine.

Répondez aux questions.

1. Qu'est-ce que les étudiants étrangers apprécient le plus dans les universités françaises ?

a. Les cours.

b. Le suivi administratif.

c. La relation avec les enseignants.

2. Comment Béatrice Khaiat explique-t-elle la satisfaction croissante des étudiants ?

.....

3. Cochez la bonne case et justifiez avec un extrait de l'article.

a. La plupart des étudiants internationaux trouvent les Français bienveillants.

☐ Vrai ☐ Faux ....

b. Les étudiants étrangers sont plus satisfaits des conditions de logement à Paris qu'en province.

☐ Vrai ☐ Faux ....

4. Selon l'article, quels liens les étudiants étrangers conservent-ils avec la France ? (Deux réponses.)

....
....

Compréhension orale

2 🎧 N°70 Vous écoutez une émission de radio française. Répondez aux questions.

1. Quel constat peut-on faire d'après les chiffres d'Academia pour le soutien scolaire en France ?

....

2. Selon Jacquy, qui témoigne de Madagascar, les cours particuliers sont…

a. néfastes pour le système éducatif.

b. inutiles pour suivre les cours à l'école.

c. indispensables pour trouver un métier.

3. Quel paradoxe concernant les enseignants souligne Eugénie (Cameroun) ?

....

4. Que constate Muriel Poisson sur le développement des cours particuliers ?

....

5. Comment Philippe Coléon explique-t-il le recours aux cours particuliers en France ?

a. Les enseignants privilégient le travail en classe.

b. Les élèves doivent beaucoup travailler à la maison.

c. Les parents souhaitent que leurs enfants réussissent les examens.

Production orale

3 Un ami/une amie affirme qu'on ne peut réussir dans sa vie professionnelle sans diplôme. Vous débattez avec lui/elle de l'utilité des diplômes de nos jours, à l'aide d'exemples précis.

Production écrite

4 Vous lisez ce témoignage sur un forum de discussion. Vous répondez à Élise en lui donnant votre opinion argumentée et en la conseillant à l'aide d'exemples précis. (250 mots au minimum)

> **Élise :** Bonjour à tous, Je suis étudiante en troisième année de droit. L'université nous propose des programmes d'échange étudiants pour l'année prochaine. J'hésite à m'inscrire : est-ce que ça en vaut vraiment la peine ?
> Merci d'avance pour votre aide !

PORTFOLIO

Pour chaque affirmation, cochez une des trois cases dans la section « À l'oral » et « À l'écrit ».
🙂 Je le fais très bien !
😐 Je peux le faire / Je comprends assez bien mais j'ai encore des difficultés
☹️ Je ne peux pas encore le faire / Je ne comprends pas encore.
Quand vous cochez 😐 ou ☹️, révisez la leçon et faites à nouveau les exercices.

Dossier 1	À l'oral			À l'écrit		
	🙂	😐	☹️	🙂	😐	☹️
Je comprends…						
quand quelqu'un parle d'un phénomène de mode						
la description d'un mode alimentaire						
la description d'une tenue vestimentaire et de l'apparence						
Je peux…						
parler de l'apparence et de la tenue vestimentaire						
décrire des modes et des régimes alimentaires						
décrire un mode de vacances						
présenter et analyser une tendance						
caractériser une tendance						
introduire un texte explicatif						

Dossier 2	À l'oral			À l'écrit		
	🙂	😐	☹️	🙂	😐	☹️
Je comprends…						
un témoignage sur le choix de la langue d'écriture						
la description d'un métier d'autrefois						
l'évocation de souvenirs d'enfance						
quand quelqu'un décrit des sensations						
des événements historiques						
le lexique de la guerre						

Je peux…						
parler du passé avec précision						
décrire un métier passé, actuel ou futur						
présenter une évolution de la société						
faire des hypothèses sur le passé						
analyser différentes manières de présenter ou de raconter l'histoire						
exprimer des sensations						
parler de la guerre						

Dossier 3	À l'oral			À l'écrit		
	🙂	😐	☹️	🙂	😐	☹️
Je comprends…						
quand quelqu'un donne son avis sur un livre						
la présentation d'une série et d'un tournage						
un débat sur le sous-titrage et le doublage						
quand quelqu'un parle du patrimoine						
un processus de création						
Je peux…						
résumer un livre						
donner mon avis sur un livre						
comparer et établir une hiérarchie						
qualifier le style ou le contenu d'un livre						
présenter un problème						
proposer des solutions						
parler du patrimoine						
parler des séries et des tournages						
adapter mon registre de langue						

Dossier 4	À l'oral 😊 😐 ☹	À l'écrit 😊 😐 ☹
Je comprends…		
l'actualité technologique		
un billet d'opinion		
quand quelqu'un parle des risques et des dérives d'une technologie		
quand quelqu'un soulève un problème sous forme de questions		
un reportage qui présente une expérience de déconnexion		
Je peux…		
décrire et commenter une actualité technologique		
questionner les avantages et les inconvénients d'une technologie		
commenter une évolution sociétale liée aux nouvelles technologies		
formuler des questions dans un registre soutenu		
parler des nouvelles technologies et des réseaux sociaux		
développer un point de vue		
développer un raisonnement		
rédiger un billet d'opinion		

Dossier 5	À l'oral 😊 😐 ☹	À l'écrit 😊 😐 ☹
Je comprends…		
l'analyse d'un enjeu de société		
des commentaires sur un phénomène de société		
quand quelqu'un prend position dans un débat		
le lexique de la santé		
le lexique de la politique		
le lexique des émotions et des sentiments		

	À l'oral			À l'écrit		
Dossier 5	🙂	😐	☹️	🙂	😐	☹️
Je peux…						
analyser un enjeu de société						
prendre position et exprimer une opinion sur un fait de société						
parler de la santé						
décrire et comparer des faits culturels et politiques						
nuancer une comparaison						
nuancer une opinion						
parler des institutions et de la politique						
parler des émotions et des sentiments						

	À l'oral			À l'écrit		
Dossier 6	🙂	😐	☹️	🙂	😐	☹️
Je comprends…						
la présentation d'un nouveau type d'économie						
une explication des problèmes liés à la biodiversité						
quand quelqu'un parle d'une action citoyenne						
un texte provocateur sur la publicité et le marketing						
Je peux…						
exprimer une condition						
atténuer une affirmation						
exprimer des faits hypothétiques ou probables						
parler d'économie et de finance						
faire des recommandations						
parler de la publicité						
parler de la solidarité						

Dossier 7

	À l'oral			À l'écrit		
	😊	😐	😞	😊	😐	😞
Je comprends…						
des pratiques professionnelles différentes						
quand quelqu'un présente son parcours						
la description de compétences professionnelles						
la présentation d'un métier						
la communication professionnelle						
le registre soutenu						
le registre familier						
quelques figures de style						
Je peux…						
présenter mon parcours						
expliquer un choix de vie						
décrire des compétences professionnelles						
rapporter les paroles de quelqu'un						
communiquer en contexte professionnel						
argumenter mon point de vue						
nuancer mon point de vue						

COSMOPOLITE 4 Cahier

Corrigés et transcriptions

DOSSIER 1 Nous nous intéressons aux nouvelles tendances

LEÇONS 1 ET 2

1. a. 2. *(0,5 point)*
b. 1. Vrai : *Il pense que cette tendance devrait s'installer.* (1 point)
2. Faux : *La location de maroquinerie est rentrée dans les mœurs aux États-Unis.* (1 point)
3. Vrai : *des robes chics signées Lanvin, Rime Arodaky, Celestina Agistino, Jenny Packham.* (1 point)
4. Faux : *2 500 pièces, plutôt branchées et dernier cri.* (1 point)
5. Vrai : *des fringues de créateurs* (1 point)
c. 1, 2 et 4 *(0,5 point par bonne réponse)*
d. 1. Le marché de l'occasion ayant fait ses preuves, voilà que celui de la location de vêtements et accessoires de luxe est en plein essor. *(0,5 point)* 2. faisant fureur outre-Atlantique *(0,5 point)* 3. tout en s'offrant une belle pièce *(0,5 point)* 4. friande de nouveautés *(0,5 point)*

2. 🎧▶2 **Partie 1**
Journaliste : Végétarisme, crudivorisme, sans lactose, sans gluten… petit tour des régimes alimentaires à la mode dans nos sociétés occidentales… Cet essor des nouveaux régimes est causé par l'abondance d'informations, d'alertes, de recommandations au sujet de l'alimentation qu'on trouve dans les médias. Cela conduit à un sentiment collectif d'angoisse et de recherche du « manger sain ». Pour vous, nous décryptons certaines de ces nouvelles modes alimentaires.
🎧▶3 **Partie 2**
Journaliste : La « raw food », littéralement la « nourriture crue », ça se confirme, est le nouveau régime alimentaire à la mode. Cela fait peu envie me direz-vous. Pourtant, certains affirment que manger cru permettrait de vivre en meilleure santé et de rester jeune plus longtemps. Venue de Californie, cette pratique fait de plus en plus d'adeptes parmi les célébrités et les sportifs. Par exemple, les stars de la natation française ont adopté ce régime pour améliorer leurs performances aux derniers jeux Olympiques. Manger cru, est-ce vraiment bon pour la santé ? Plongée au cœur d'un régime dernier cru avec le nutritionniste Nicolas Charbonnier.
Nicolas Charbonnier : Les personnes en faveur du crudivorisme estiment que les vitamines et tous les nutriments, notamment anti-cancérigènes, contenus dans les aliments seraient détruits avec la cuisson. Les crudivoristes se réclament d'un retour à la terre, aux origines de l'alimentation de l'homme, tout en oubliant que faire cuire les aliments apporte d'autres éléments nécessaires au bon fonctionnement de notre organisme. Ils peuvent même être dangereux en prônant une alimentation uniquement crue pour des personnes malades, atteintes d'un cancer par exemple, car ils suscitent l'espoir de guérir grâce à ce régime, ce qui est impossible en l'absence d'un autre traitement…

a. 1, 2 et 4 *(0,5 point par bonne réponse)*
b. Le crudivorisme ou la raw food ou la nourriture crue. *(1 point)* – De Californie. *(1 point)* – Manger des aliments crus uniquement. *(1 point)*
– Vivre en meilleure santé et rester jeune plus longtemps. *(1 point)*
– Des célébrités et des sportifs. *(1 point)*
c. Opposant : 1, 3 – Défenseur : 2, 4, 5 *(0,5 point par bonne réponse)*
d. Le jeu de mots porte sur l'expression « dernier cru ». Normalement, le journaliste aurait dû dire « dernier cri » qui signifie « à la mode ». Mais l'adjectif « cru » rappelle le crudivorisme. *(1 point)*

3. Participes présents : soulignant, gommant, révélant, faisant, s'exprimant – **Adjectifs verbaux :** encombrante, éclatant, séduisante – **Gérondif :** en affichant

4. 1. étant passée – 2. S'étant offert – 3. Étant devenue – 4. ayant adopté – 5. ayant consommé – 6. Ayant porté – 7. ayant inscrit

5 🎧▶4 Pourquoi êtes-vous devenu végétarien/végétarienne ?
1. Comme je respecte la vie animale, je suis devenu végétarien.
2. Parce que je veux protéger l'environnement, bien sûr !
3. Moi, c'est surtout une question d'argent parce que la viande de qualité est trop chère.
4. Parce que j'ai lu des articles sur les bienfaits du végétarisme alors je n'ai pas hésité.
5. Parce que j'ai vu un reportage sur l'élevage intensif. C'était horrible. Ça a été un véritable électrochoc.
6. Parce que j'ai eu des problèmes de santé à cause d'une surconsommation de viande.

1. Respectant la vie animale 2. voulant protéger l'environnement 3. la viande de qualité étant trop chère 4. ayant lu des articles sur les bienfaits du végétarisme 5. ayant vu un reportage sur l'élevage intensif 6. ayant eu des problèmes de santé à cause d'une surconsommation de viande

6. a. 1. avoir ton salaire – 2. devenir vegan – 3. trouver un bon tatoueur – 4. adopter un régime alimentaire plus sain – 5. trouver un supermarché bio abordable – 6. décrocher un poste de cadre
b. 1. Quand tu auras eu ton salaire, tu achèteras de nouveaux vêtements. 2. Nous n'achèterons plus de vêtements et de chaussures en cuir quand nous serons devenus vegans. 3. Quand elle aura trouvé un bon tatoueur, elle se fera tatouer. 4. Vous serez en meilleure santé quand vous aurez adopté un régime alimentaire plus sain. 5. J'achèterai des produits sains quand j'aurai trouvé un supermarché bio abordable. 6. Quand il aura décroché un poste de cadre, il devra porter des tenues formelles.

7. a. 1. réduirons – aurons pris 2. consommera – auront installé 3. aura fortement augmenté – envahiront 4. vendront – aura interdit 5. ne se déplaceront plus – auront aménagé 6. remplacera – aura équipé
b. Production libre

8. Je me lèverai – j'avalerai – je prendrai – j'aurai enfilé – j'aurai mis – je serai

9. a. 1. BCBG – 2. hippie chic – 3. rock
b. 1. classique – apprêtée – vernis – un sac à main Longchamp 2. sexy – le confort – un panier – une jupe longue – à fleurs – plates 3. sombres – déchiré – neufs – accessoire – cuir

10. 🎧▶5 1. Depuis quelque temps, j'essaie de manger moins de viande. Par contre, quand j'en achète, je la choisis de bonne qualité et évidemment, j'y mets le prix !
2. Je suis devenue vegane pour deux raisons : la protection de la planète et le respect de la vie animale.

Corrigés et transcriptions

3. La consommation du gluten chez certains patients peut leur provoquer des maux de ventre très violents.
4. Certains de mes amis pensent que je mange quand même du poisson et des fruits de mer… Mais non, ni viande, ni poisson, ni fruits de mer !
5. Depuis la naissance de ma fille, je fais bien plus attention à l'alimentation de notre famille. Aujourd'hui, nous avons une alimentation essentiellement bio.
6. Le bio est important, c'est vrai, mais pour moi, le local l'est tout autant. Je cultive mes propres légumes et pour le reste, je vais me servir directement chez les producteurs du coin.

1. flexitarien 2. mode de vie – végétal 3. intolérants – allergiques 4. végétarienne 5. agriculture – chimiques 6. potager – circuits – région

11. 1. mode de vie – 2. soja – 3. flexitarien – 4. produire – 5. résistant – 6. coton

12. a. Adapter son discours : procédé n° 3 – Donner du relief à sa présentation : procédé n° 5 – Accrocher son public : procédé n° 1 – Interpeller son public : procédé n° 4 – Être compréhensible de tous : procédé n° 2
b. *Exemple de production :*
Vous avez remarqué qu'une quantité d'aliments sans protéines animales a conquis nos assiettes.
Savez-vous qu'à Paris et Vincennes viennent d'ouvrir trois magasins Naturalia qui s'affichent comme « vegan » ? Aucun produit n'est issu d'animaux. Imaginez donc que les rayons regorgent de soja sous toutes ses formes, de préparations pour omelettes sans œuf ou de graines germées. En septembre, une offre sera aussi disponible sur le site e-commerce de la fameuse enseigne bio.
Ces ouvertures sont emblématiques de la nouvelle mode du végétal qui règne en France. Pour vous, être vegan, c'est juste une tendance ? Vous en pensez quoi ?

13. *Exemple d'accroche :*
Un Français sur dix en porte un aujourd'hui et une personne sur cinq chez les 25-35 ans alors qu'avant il était réservé aux mauvais garçons. Savez-vous de quoi je parle ? Du tatouage, bien sûr ! L'engouement pour cette pratique est tel qu'on ne peut plus parler de phénomène de mode mais de phénomène de société. Mais alors, quelle en est sa véritable signification ?

14. 🎧 6 Histoire de mode… Cet été, sur France Culture, retrouvez tous les jeudis notre chronique spéciale mode animée par la directrice du musée de la Mode et des Arts décoratifs.
Démocratisée par Coco Chanel dans les années 1920, elle quitte le deuil pour devenir peu à peu le symbole d'une féminité sans contrainte. La petite robe noire, grand classique du vêtement féminin, est présente dans toutes les collections des créateurs de mode. Elle est indémodable et elle est aujourd'hui synonyme de chic passe-partout.

a. La petite robe noire représentait le deuil puis dans les années 1920, Coco Chanel l'a mise au goût du jour et en a fait un objet d'émancipation de la femme et de chic intemporel.
b. et **c.** *Production libre.*

LEÇONS 3 ET 4

1. 🎧 7 **Journaliste :** Partir en décalé, c'est le rêve de tout le monde. N'est-ce pas Yvan Bollet ? Bonjour !
Yvan Bollet : Bonjour !
Journaliste : Le voyage de dernière minute, chez *On part demain*, agence de voyages en ligne, vous en avez fait une spécialité. Avec vous, je me connecte aujourd'hui et je peux vraiment trouver un voyage demain ?
Yvan Bollet : Oui, absolument, demain et jusqu'à huit jours du départ.
Journaliste : On parle de plus de 20 % en moyenne aujourd'hui de septembristes. C'est quelque chose que vous, vous avez constaté ? Cette tendance se confirme ?
Yvan Bollet : Oui, alors ça se confirme et avec une grosse progression du moyen-courrier, oui, surtout le bassin méditerranéen.
Journaliste : Donc une forte augmentation l'année dernière, encore une forte augmentation cette année, ça veut dire qu'on est sur une vraie tendance, un vrai marché qui se développe à vitesse grand V.
Yvan Bollet : Oui, je pense. Les couples sans enfants, en anglais, on les appelle les *double income no kids*, les DINKs, donc deux salaires et pas d'enfant, et bien, ces gens-là voyagent volontiers au mois de septembre et ils ont bien raison puisque les prix sont divisés par deux par rapport aux prix de quinze jours ou trois semaines auparavant. Et puis c'est beaucoup plus calme, les gens sont plus tranquilles. Et ça se développe. Par exemple, des marchés qui sont plus matures que le nôtre en matière de tourisme, les Allemands, les Scandinaves… Eux, ils voyagent énormément au mois de septembre depuis assez longtemps et d'ailleurs nous, tours opérateurs, on était très étonnés parfois au mois de septembre de trouver des hôtels dans les îles grecques qui étaient pleins, parce que pour nous, ce n'était plus la haute saison. En revanche, ça restait la haute saison grâce à ces gens du Nord qui eux avaient déjà pris l'habitude de voyager au mois de septembre.

a. Partir en ~~novembre~~ **septembre**, c'est la promesse de faire des économies et d'avoir beaucoup ~~d'animations~~ **de tranquillité** sur son lieu de vacances, tout en bénéficiant d'une météo toujours clémente. Les couples ~~qui ne travaillent pas~~ **sans enfant et qui ont deux salaires** sont de plus en plus nombreux à partir à ce moment-là. Cette tendance n'est pourtant pas si nouvelle. En effet, cela fait longtemps que ~~les Italiens et les Espagnols~~ **les Allemands et les Scandinaves** la pratiquent. Notre journaliste explique ce phénomène avec son invité Yvan Bollet, ~~sociologue~~ **spécialiste des voyages de dernière minute**. *(1 point par bonne réponse)*

b. a. 2 expressions parmi : ça se confirme/une forte augmentation/on est sur une vraie tendance/un vrai marché qui se développe à vitesse grand V *(0,5 point par bonne réponse)* **b.** une grosse progression *(0,5 point)*
c. Ils sont très étonnés au mois de septembre de trouver des hôtels dans les îles grecques qui sont pleins parce que pour les Français, ce n'est plus la haute saison. En revanche, ça reste la haute saison pour ces îles grecques grâce aux gens du Nord qui ont l'habitude de voyager au mois de septembre. *(1,5 point)*
d. 2 *(0,5 point)*
e. *Exemple de production :*
Les juillettistes sont des vacanciers qui préfèrent partir en vacances en juillet. Les estivants sont la plupart du temps des familles avec des enfants. Ils partent le plus souvent dans des stations balnéaires pour profiter des animations et de la plage, se baigner et bronzer. *(1,5 point)*

2. a. 2 *(1 point)*
b. Paragraphe 1 : Illustration du sujet par une scène de la vie quotidienne – Paragraphe 2 : Présentation de la problématique – Paragraphe 3 : Premiers éléments de réponse à la problématique *(1 point par bonne association)*
c. 2 *(1 point)*
d. Ses contradictions : 1. Malgré son âge, il continue à habiter chez papa maman ou en colocation. *(1 point)* 2. Bien que l'adolescent soit un jeune adulte, il refuse de s'assumer comme tel. *(1 point)*
Son rapport à l'argent : Par contre, pour lui, gagner un salaire, c'est surtout avoir plus d'argent de poche pour partir en voyage, où il veut, quand il veut ou sortir avec ses amis. *(1 point)*
La différence avec ses parents : Contrairement à ses parents, il ne sera peut-être jamais propriétaire à cause de la situation économique et ne fera probablement pas carrière au sein de la même entreprise. *(1 point)*
Sens du mot adulescent : le mot est fabriqué à partir des mots « adulte » et « adolescent » pour exprimer la confusion entre l'âge adulte et l'adolescence. *(1 point)*

Corrigés et transcriptions

3. 1. Bien que certaines villes du bord de mer souffrent du tourisme, des bateaux de croisière envahissent leurs ports chaque été. 2. Malgré un certain confort financier, Karina refuse de partir en vacances. 3. Louise aime partir en vacances en été alors que Victor préfère la basse saison. 4. La mode passe, en revanche le style ne se démode jamais. 5. Elle se dit écolo pourtant, elle prend des long-courriers à chaque période de vacances ! 6. Contrairement au CD, le vinyle a une très bonne qualité de son.

4. 1. Bien que – 2. tandis que – 3. pourtant – 4. Malgré – 5. contrairement – 6. cependant – 7. alors que

5. *Exemple de production :*
1. Le baby-boomer a entre 54 et 72 ans **alors que** le millennial a entre 18 et 30 ans. 2. Le baby-boomer a bénéficié de la croissance économique **contrairement au** millennial. 3. Le baby-boomer a trouvé un emploi facilement **même s'**il n'était pas forcément qualifié. 4. **Par contre**, le millennial doit se former plus longtemps pour espérer trouver un emploi. Le baby-boomer n'a pas connu le chômage. 5. **En revanche**, le millennial l'a connu ou le connaîtra **bien qu'**il soit souvent très qualifié. 6. Le baby-boomer est propriétaire de son logement **tandis que** le millenial le loue ou vit en colocation.

6. 🎧 8 1. Jusqu'à ce que je prenne conscience des dangers pour la planète et pour l'homme, je ne faisais pas du tout attention à ce que je consommais.
2. Après que la musique sous format numérique a connu ses heures de gloire, c'est au vinyle de faire son grand retour.
3. Au moment où la jeunesse s'est révoltée, la chemise à fleurs a fait son entrée sur scène.
4. Elle part toujours en vacances à l'autre bout du monde, en même temps qu'elle prône un mode de vie plus responsable !
5. Dès que j'en ai l'occasion, je m'achète une nouvelle paire de chaussures.
6. Elle ne consommait aucun produit d'origine animale avant que la mode vegane fasse son apparition.

Antériorité : 1, 6 – Simultanéité : 3, 4 – Postériorité : 2, 5

7. 1. Au moment où les juillettistes rentrent de vacances, les aoûtiens partent : c'est le fameux chassé-croisé des vacances d'été ! 2. Je choisis des tenues originales lorsque je fête le réveillon du jour de l'an avec mes amis. 3. En même temps qu'il affiche une élégance extérieure et intérieure, le sapeur cherche à produire un effet sur son public. 4. Je ne faisais pas beaucoup attention à mon style vestimentaire jusqu'à ce que je devienne cadre dans une entreprise française. 5. Dès que c'est l'ouverture des soldes, des files gigantesques se forment devant les grands magasins. 6. Après que le début des années 1960 a marqué l'émancipation des femmes, elles ont porté des mini-jupes et revendiqué leur liberté.

8. 1. Après que les gens auront pris conscience des conséquences négatives sur l'environnement, ils limiteront les déplacements en avion. 2. Dès que j'aurai trouvé un vol low-cost, je viendrai te rendre visite. 3. Je ne partais jamais en vacances au ski, jusqu'à ce que j'aie des enfants. 4. Avant que nous voyagions dans des régions tropicales, notre médecin s'assure toujours de la mise à jour de nos vaccins. 5. Au moment où l'avion a décollé, Nicolas était très stressé.

9. a. estivant – croisière – balnéaire – plage – bronzer – séjour – villégiature – sable – destination – hôtelier – détente – baigner

b. balnéaire, plage, sable, baigner, bronzer, détente, croisière, séjour, hôtelier, destination

10. 1. villégiature – 2. bronzer – 3. vol – 4. migrant – 5. détente – 6. séjour – 7. baignade – 8. plaisance – 9. croisière – 10. touriste – 11. estivant

11. 🎧 9 *Exemple 1 :* Partir en vacances au bord de la mer, c'est une destination tellement classique.
Exemple 2 : La mode du vintage s'est répandue en quelques années.
1. Le vintage est une toute nouvelle tendance qui plaît vraiment beaucoup aux jeunes !
2. De nos jours, les jeunes sont réellement de plus en plus attirés par les objets anciens.
3. Les comportements des Français en vacances ont beaucoup changé ces dernières années.
4. L'apparence extérieure est un élément tellement important quand on est jeune qu'on ne peut vraiment pas l'ignorer !
5. Pourquoi partir très loin en vacances, alors qu'on peut tout simplement rester chez soi ?
6. Le retour des vinyles sur le marché est un exemple absolument emblématique de l'attirance des jeunes pour tout ce qui vient du passé.

a. Phrase très expressive : 1, 2, 4, 6 – Phrase peu expressive : 3, 5
b. 1. Le vintage est une **toute** nouvelle tendance qui plaît **vraiment beaucoup** aux jeunes ! 2. De nos jours, les jeunes sont **réellement de plus en plus** attirés par les objets anciens. 3. L'apparence extérieure est un élément **tellement** important quand on est jeune qu'on ne peut **vraiment** pas l'ignorer ! 4. Le retour des vinyles sur le marché est un exemple **absolument** emblématique de l'attirance des jeunes pour **tout** ce qui vient du passé.

12. a. 1. Il y a/Il existe – 2. Les gens/Les touristes – 3. Je suis contre/Je m'oppose – 4. Aimant bien/Passionnée de ; Lucie a/Lucie possède – 5. Les personnes pour/Les défenseurs ; disent/affirment ; cela/cette manière de voyager

b. des verbes, des expressions, des adverbes, des noms, des pronoms

c. *Exemple de production :*
De nombreux estivants viennent passer leurs vacances dans la petite station balnéaire populaire de Porticcio. La population passe de 3 000 habitants l'hiver à 50 000 en été. La commune fait alors face à un problème : l'augmentation des déchets à traiter.

13. *Exemple de production :*
Un enthousiasme tout neuf pour des vieilleries ? On n'arrête pas de regarder dans le rétro : années 1990, années 1960, parfois, on remonte beaucoup plus loin dans le temps. De plus en plus de jeunes recyclent le mobilier des grands-parents, l'armoire des parents. Les penderies et les lampadaires se vendent comme des petits pains ! Certains jeunes plongent même dans les profondeurs de l'histoire ; d'autres y vivent carrément. Non, rien de passéiste là-dedans ! Au contraire, voilà une tendance cool !

14. *Production libre.*

BILAN 1

1. 1. Pour se sentir mieux/pour écarter de notre organisme des aliments toxiques.
2. Faux : *Des choix souvent difficiles parce que les conseils, les prescriptions et autres avertissements sur l'alimentation sont nombreux.*
3. b
4. Le retrait du gluten dans l'alimentation n'a généralement pas de conséquence d'un point de vue médical.
5. Elle aura permis aux personnes réellement intolérantes au gluten d'avoir accès à davantage de produits adaptés.

2. 🎧 10 **Journaliste :** Aujourd'hui, nous allons parler de l'« upcycling », ou « surcyclage » en français, une démarche éthique qui gagne du terrain, en particulier dans le domaine de la mode. L'upcycling permet de donner une seconde vie aux vêtements et aux tissus usagés en les transformant en pièces neuves. Il peut s'agir de la récupération de vieux tissus, qui seront ensuite transformés en vêtements, ou alors de vêtements trouvés dans des dépôts-ventes ou des vide-greniers, à qui on donne une seconde vie en les transformant. Jean-François Nicolaï, responsable de projet dans un salon de créateurs, nous en dit plus sur ce concept.

Corrigés et transcriptions

Jean-François Nicolaï : Alors, l'upcycling est le fait de transformer une pièce de tissu pour faire évoluer son style ou sa fonctionnalité. Aujourd'hui, les créateurs de mode ont de moins en moins d'argent pour acheter des matières premières. Avec l'upcycling, ils deviennent super-inventifs. En plus, les délais de fabrication sont réduits. On consomme moins, on jette moins et on gagne du temps.

Journaliste : Au-delà du vintage, l'upcycling séduit de plus en plus de créateurs indépendants, qui se tournent vers ce mode de fonctionnement à la fois respectueux de l'environnement et moins coûteux. Anaïs Dautais Warmel, vous êtes directrice artistique et fondatrice de la marque *Les Récupérables*, comment êtes-vous venue à l'upcycling ?

Anaïs Dautais Warmel : J'ai grandi avec les valeurs de l'écologie, le détournement des objets, le réemploi de matières. Pendant un voyage au Brésil, à la fin de mes études, j'ai découvert toute une économie centrée autour de la récupération, une nécessité mais aussi du bon sens. De retour à Paris, j'ai eu l'opportunité d'ouvrir une boutique vintage solidaire. Il y a vraiment trop de gâchis dans l'industrie du textile. Des tonnes de vêtements sont jetées chaque année. Je devais agir à mon échelle et surtout démontrer que la mode est récupérable.

Journaliste : À partir de matières premières trouvées auprès d'associations de récupération de textiles, vous imaginez des collections qui mettent à l'honneur des tissus vintage.

Anaïs Dautais Warmel : Oui, et ce sont de véritables trésors car nous ressuscitons des matières de grande qualité, beaucoup de *made in France* aux imprimés graphiques et fleuris. Dans mon atelier, à Montreuil, l'équipe essaie de diffuser au mieux les principes de la mode circulaire, c'est-à-dire partir de l'existant pour créer, au lieu de produire de nouvelles matières.

Journaliste : Reste la question du prix. Si des économies sont faites sur l'achat de matières premières, le coût de la main-d'œuvre et des locaux reste élevé. Beaucoup de marques d'upcycling, souvent de petites entreprises, proposent des pièces à partir de 100 euros. Ce n'est malheureusement donc pas accessible à tout le monde.

Anaïs Dautais Warmel : Oui, alors ce prix correspond à chaque étape de l'élaboration d'un vêtement. Effectivement, cela n'a rien à voir avec les prix mini de la *fast fashion*, mais la mode responsable permet de garantir les droits des travailleurs, de respecter l'environnement et d'avoir un impact positif sur la société.

Journaliste : Oui, vous faites bien de le dire. L'upcycling est une manière astucieuse de tirer le meilleur des vêtements et des tissus usagés. Et ce travail a incontestablement un coût. Si vous aussi, chers auditeurs, vous avez envie de participer à cette démarche éthique et écologique, vous pouvez vous lancer dans l'upcycling ou le surcyclage à la maison ! Plusieurs tutoriels sur Internet montrent comment donner une seconde vie à des vêtements usagés. À Paris et dans d'autres villes, il existe même des cours d'initiation au surcyclage qui apprennent à coudre en groupe.

1. Donner une seconde vie à des tissus ou vêtements déjà existants en les transformant en un nouveau vêtement OU faire évoluer le style ou la fonctionnalité d'une pièce de tissu.
2. Ils sont obligés d'être inventifs (puisqu'ils recyclent un tissu déjà utilisé) OU on consomme moins, on jette moins et les délais de fabrication sont réduits OU on gagne du temps.
3. c
4. Trop de vêtements sont jetés OU elle voulait montrer qu'on pouvait aussi faire du recyclage dans le domaine de la mode.
5. b
6. Acheter des vêtements upcyclés n'est malheureusement pas accessible à tout le monde (car ils coûtent cher).
7. Le prix d'un vêtement doit prendre en compte le coût de toutes les étapes d'élaboration d'un vêtement./Cette mode responsable garantit les droits des travailleurs, est écologique et a un impact positif sur la société.

3. *Exemple de production orale :*
– Salut, j'aimerais trouver un beau cadeau pour ma cousine. Est-ce que tu veux bien venir faire les magasins avec moi ?
– Euh, tu sais, moi je n'aime pas trop faire les magasins. Et je préfère acheter des objets d'occasion plutôt que des objets neufs.
– Ah bon ? Mais pourquoi ?
– Et bien, tout d'abord, consommer des objets ou vêtements de seconde main est plus écologique. L'impact sur l'environnement pour la fabrication d'un simple vêtement en coton, par exemple, est considérable. Sais-tu que pour faire un T-shirt, il faut plus de 2 500 litres d'eau ? Et que par ailleurs, le coton qui a servi à réaliser le vêtement a été traité avec des pesticides nocifs pour la santé et l'environnement ? Sans compter les transports entre les étapes de fabrication et de revente du vêtement qui produisent beaucoup de gaz à effet de serre ! Mais ce qui me semble encore plus scandaleux, c'est qu'un grand nombre de vêtements neufs invendus sont finalement jetés ou brûlés ! C'est vraiment du gâchis. Tout cela au nom de la mode et d'une société de consommation qui nous pousse à acheter toujours plus, et souvent des objets dont nous n'avons pas réellement besoin. Je pense qu'il devient urgent de changer notre manière de consommer, pour le bien de la planète et pour notre propre bien.
– Je comprends un peu mieux ton point de vue. Mais je ne vais pas offrir à ma cousine un vêtement qui a déjà servi ou un objet abîmé ?
– On trouve des vêtements quasiment neufs ou jamais portés dans des friperies, ces boutiques consacrées aux vêtements de seconde main, mais aussi de plus en plus sur Internet. Des vêtements de tous les styles sont proposés, indépendamment de la mode du moment ! Et puis, les objets d'occasion ne sont pas forcément tous abîmés. Par ailleurs, l'intérêt de consommer d'occasion est aussi économique. Il coûte en effet beaucoup moins cher d'acheter des objets de seconde main, parfois même de grandes marques, que des objets neufs qui peuvent être d'une qualité inférieure !

4. *Exemple de production écrite :*
Madame, Monsieur,
Je me permets de vous contacter afin de répondre à l'annonce publiée sur un site Internet qui propose d'exprimer des idées de vacances innovantes.
Premièrement, je pense qu'il faudrait proposer différents types de vacances originales, en fonction des intérêts des clients : des séjours plutôt centrés sur la nature, par exemple dormir dans des arbres en pleine forêt, ou sur la plage, ou des vacances solidaires « actives », qui permettent de rencontrer des personnes, de participer à un projet, comme la construction d'écoles, ou d'aider des agriculteurs à la ferme. On pourrait aussi envisager des vacances où des personnes emmèneraient avec elles une personne âgée.
Par ailleurs, connaissez-vous les « staycations », ces vacances à la maison, qui permettent de se reposer mais également de profiter de sa ville et des alentours plutôt que de partir au bout du monde ? Vous pourriez proposer des activités combinées pour ces personnes, comme des tickets pour des spectacles ou des musées, et des restaurants avec des prix attractifs.
Enfin, les vacances qui me sembleraient les plus originales seraient un voyage « surprise » : le client indiquerait ses goûts (son intérêt pour la ville ou la nature, ses activités culturelles préférées, son mode alimentaire, etc.) et vous lui proposeriez un séjour tout compris avec le lieu et les activités. Je suis convaincu que ces vacances remporteraient un franc succès, en particulier pour les personnes un peu aventurières !
Je vous remercie de l'opportunité de participer à ce sondage et j'espère que mes propositions retiendront votre attention.
Cordialement. *(258 mots)*

Dossier 8	À l'oral ☺ 😐 ☹	À l'écrit ☺ 😐 ☹
Je comprends…		
quand quelqu'un présente des objectifs à atteindre dans le domaine de l'éducation		
la présentation d'expériences éducatives novatrices et d'initiatives éducatives		
des explications sur l'apprentissage des langues		
les nuances d'une opinion		
Je peux…		
présenter le modèle éducatif de mon pays		
parler du système éducatif		
parler de l'apprentissage des langues		
présenter une initiative éducative		
exprimer un souhait et un but		
synthétiser et mettre en valeur des informations		
exprimer une probabilité		

DELF

I. Compréhension de l'oral   25 points

Exercice 1   18 points

Vous allez entendre **deux fois** un enregistrement de 5 minutes environ. Vous avez tout d'abord 1 minute pour lire les questions. Puis vous écoutez une première fois l'enregistrement. Vous avez ensuite 3 minutes pour répondre aux questions. Vous écoutez une seconde fois l'enregistrement.
Vous avez encore 5 minutes pour compléter vos réponses.

Pour répondre aux questions, cochez (☒) la bonne réponse ou écrivez l'information demandée.

🎧 071 **Lisez les questions, écoutez le document puis répondez.**

1. L'initiative décrite dans l'émission concerne un logement…   *1 point*
    - A. ☐ associatif.
    - B. ☐ collaboratif.
    - C. ☐ en colocation.

2. Qu'est-ce qui permet de contrôler cette initiative ?   *1 point*

   ....

3. Quels sont les deux prérequis pour pouvoir profiter de cette initiative ?   *2 points*

   ....

4. Le projet est à la fois immobilier et…   *1 point*
    - A. ☐ social.
    - B. ☐ éducatif.
    - C. ☐ écologique.

5. Quelle est la tendance en France concernant cette initiative ?   *1 point*

   ....

6. Que propose l'entreprise « Ô Fil des voisins » ?   *2 points*

   ....

7. Dans le cadre de son travail, Siham Laux doit convaincre…   *1 point*
    - A. ☐ les services de la ville.
    - B. ☐ les organismes bancaires.
    - C. ☐ les syndicats de copropriété.

8. Quelles sont les trois motivations données par Siham Laux pour intégrer ce type de logement ?   *1,5 point*

   ....

9. Donnez deux exemples de ce qui peut être mutualisé, d'après l'émission.   *2 points*

   ....

10. Quelles sont les valeurs prônées par « Ô Fil des voisins » ?
    (Plusieurs réponses possibles, deux attendues.)   *2 points*

    ....

122 cent vingt-deux

11. D'après Siham Laux, dans le cadre de ce projet, des services de…   *1 point*
   A. ☐ ménage
   B. ☐ jardinage   peuvent être échangés.
   C. ☐ garde d'enfants

12. Selon Siham Laux, quels éléments doivent être discutés en amont du projet ?   *1 point*
   A. ☐ Le montant du loyer.
   B. ☐ Les démarches administratives.
   C. ☐ Le partage des moments de vie.

13. En quoi l'exemple de projet décrit par Siham Laux est-il particulièrement intéressant ?   *1,5 point*

....

Exercice 2   *7 points*

Vous allez entendre **une seule fois** un enregistrement de 1 minute 30 à 2 minutes.
Vous avez tout d'abord 1 minute pour lire les questions.
Après l'enregistrement, vous avez 3 minutes pour répondre aux questions.

Pour répondre aux questions, cochez (☒) la bonne réponse ou écrivez l'information demandée.

🎧 072 Lisez les questions, écoutez le document puis répondez.

1. Quelle est la thématique de l'émission ?   *1 point*
   A. ☐ La formation professionnelle.
   B. ☐ Les entretiens professionnels.
   C. ☐ La reconversion professionnelle.

2. Selon Philippe, qu'est-ce qui prouve que cette thématique intéresse les auditeurs ?   *1 point*

....

3. Quelle est la particularité de l'application « testunmetier.com » ?   *1 point*

....

4. Quel paradoxe souligne Carine Celnik ?   *1 point*

....

5. Les questions à se poser lorsque l'on recherche un métier concernent…   *1 point*
   A. ☐ le salaire.
   B. ☐ la formation.
   C. ☐ les compétences.

6. L'initiative présentée par Carine Celnik concerne par exemple le secteur de…   *1 point*
   A. ☐ l'hôtellerie.
   B. ☐ l'immobilier.
   C. ☐ la construction.

7. Qui prend en charge ce projet financièrement ?   *1 point*
   A. ☐ L'individu.
   B. ☐ L'entreprise.
   C. ☐ Le site testunmetier.

II. Compréhension des écrits

25 points

Pour répondre aux questions, cochez la bonne réponse ou écrivez l'information demandée.

Exercice 1

13 points

Le bio, victime de son succès

Malgré l'appétit croissant des consommateurs pour les produits naturels sans pesticides ni engrais, les menaces qui pèsent sur le marché de l'agriculture biologique n'ont jamais été si nombreuses. Entre la grande distribution qui a décidé de se mettre massivement au bio au risque de faire chuter les prix, la remise en question de certaines aides publiques ou encore la crainte d'une perte de valeur du bio en tant que philosophie de production et de consommation, les sujets d'inquiétude se multiplient.

Parmi les principaux risques mis en avant: l'incapacité de la production française à répondre à la croissance de la demande et le risque de voir les importations de produits bio augmenter, contrairement aux valeurs d'une production locale et socialement responsable... À la tête du réseau spécialisé Biocoop, Claude Gruffat estime par exemple qu'il faudrait 60 000 producteurs de proximité supplémentaires dans les cinq prochaines années pour répondre à l'appétit croissant des consommateurs. « En dehors de quelques produits spécifiques, on ne peut pas parler d'un réel problème de pénurie en France. Ce qui est sûr, en revanche, c'est que le marché, qui progresse de 15 % par an, pourrait afficher une croissance bien plus importante », nuance Florent Guhl, de l'agence Bio. À l'évocation de ces chiffres, en tout cas, on ne peut s'empêcher de s'interroger. Pourquoi la France n'a-t-elle pas plus développé son agriculture biologique ? Aujourd'hui, seuls 37 000 agriculteurs ont sauté le pas, ce qui correspond à 6,5 % seulement de la surface agricole utile. Or toutes les études le confirment : l'agriculture bio a beau être moins productive, elle est plus rémunératrice que l'agriculture conventionnelle. Exemple avec Pierre-Luc Pavageau, producteur de lait bio, qui a augmenté ses revenus de 30 % depuis sa conversion à l'agriculture biologique et a pu créer un emploi supplémentaire.

En réalité, les explications sont multiples. « Contrairement à l'Autriche ou à l'Allemagne, qui ont mis en place une véritable politique en faveur du bio, la France a toujours privilégié l'agriculture conventionnelle par les aides à l'hectare ou au rendement. Résultat, le marché s'est construit uniquement grâce à la demande », explique Harold Levrel, professeur à AgroParisTech.

Et puis, comme le souligne Stéphanie Pageot, présidente de la Fédération nationale d'agriculture biologique, « le temps du marketing n'est pas celui de l'agriculture bio, basé sur le cycle naturel, l'agronomie, la connaissance du vivant ». Pour « convertir » une exploitation, il faut entre deux et trois ans. Un temps long qui rend difficile l'adéquation de l'offre avec la demande. « Malgré la vivacité de la demande, les agriculteurs veulent être sûrs qu'il ne s'agit pas d'un effet de mode », estime Florent Guhl. De fait, même si les mentalités changent peu à peu, le bio est encore souvent considéré par la profession comme une tendance pour les bobos* plutôt que comme un savoir-faire écologiquement responsable. « Cela se traduit aussi du côté de l'enseignement et de la recherche. Alors que le bio existe en France depuis les années 1950, les formations spécialisées dans les lycées agricoles commencent tout juste à se développer », souligne de son côté Harold Levrel.

Alors comment démocratiser le bio sans le rabaisser ? « Soyons au moins vigilants à ne pas reproduire les erreurs du passé : le bio a un prix, le consommateur doit accepter de le payer », conclut Pierre-Luc Pavageau.

D'après www.lexpress.fr

*bobos : « bourgeois bohèmes », personnes généralement éduquées, avec un salaire confortable, qui profitent des opportunités culturelles.

Répondez aux questions.

1. Quel paradoxe concernant le marché du bio est présenté dans l'article ? *(1,5 point)*

....

2. Selon l'article, quels sont les risques majeurs liés au marché du bio ? *(2 points)*

....

3. Vrai ou faux ? Cochez la bonne réponse et recopiez la phrase ou la partie du texte qui justifie votre réponse. *(1,5 point)*

Selon Florent Guhl, il faudrait augmenter le nombre de producteurs locaux pour faire face à la demande du consommateur. ☐ Vrai ☐ Faux

....

4. La journaliste constate que l'agriculture biologique en France… *(1 point)*
   A. ☐ est en plein essor.
   B. ☐ est peu développée.
   C. ☐ connaît une croissance modérée.

Vrai ou faux ? Pour chacune des affirmations suivantes, cochez la bonne réponse et recopiez la phrase ou la partie du texte qui justifie votre réponse.

5. L'agriculture traditionnelle est la méthode la plus rentable. ☐ Vrai ☐ Faux *(1,5 point)*

....

6. La politique française a su s'adapter à l'agriculture biologique. ☐ Vrai ☐ Faux *(1,5 point)*

....

7. D'après Stéphanie Pageot, en quoi le marketing et l'agriculture biologique sont-ils peu compatibles ? *(1 point)*

....

8. Les agriculteurs qui hésitent à se lancer dans le marché du bio ont peur… *(1 point)*
   A. ☐ de disposer d'un budget restreint.
   B. ☐ de cesser d'utiliser des pesticides.
   C. ☐ de s'investir pour une tendance passagère.

9. Selon Harold Levrel, les parcours éducatifs concernant l'agriculture biologique… *(1 point)*
   A. ☐ sont inexistants.
   B. ☐ restent à développer.
   C. ☐ sont diffusés depuis longtemps.

10. Comment expliquez-vous la conclusion de Pierre-Luc Pavageau : « le bio a un prix, le consommateur doit accepter de le payer » ? *(1 point)*

....

Exercice 2

12 points

Pour son bien, il faut laisser son enfant s'ennuyer

On est souvent à court d'idées pour occuper son enfant pendant notre temps libre ou les vacances. Tant mieux. Profitons-en pour le laisser s'ennuyer, une « activité » essentielle à son bon développement, selon la professeure émérite de psychologie de l'éducation Claire Leconte. « Nous vivons dans une société où il faut toujours être occupé pour prouver que l'on est "au top". Nous ne pouvons plus nous permettre de "perdre du temps", et c'est une idée que l'on inculque – parfois inconsciemment – à nos enfants. Par crainte qu'ils s'ennuient, on va les inscrire à une multitude d'activités et les occuper en permanence, y compris avec des écrans qui font office de nounou. Des parents s'achètent ainsi une certaine paix. C'est un constat que je fais tous les jours. La dernière fois que je me suis rendue dans une école maternelle, j'ai demandé aux enfants présents combien parmi eux avaient une télévision dans leur chambre. Les trois quarts ont répondu favorablement, et je parle d'enfants d'à peine cinq ans ! Les parents ne sont pas les seuls à blâmer. Dès l'école, les petits sont gavés d'activités et n'ont plus l'habitude d'avoir des distractions simples, comme jouer à la marelle[1] ou rêvasser[2]. Or, ils ont besoin de ces temps pour se poser et souffler. J'observe de plus en plus d'enfants énervés et fatigués. Une hyperactivité liée sans aucun doute à la sollicitation permanente dans laquelle ils vivent. » Les risques d'une telle sollicitation sont multiples. D'une part, l'enfant ne saura pas s'occuper par lui-même ni prendre une décision, il aura toujours besoin d'être entouré. D'autre part, un enfant qui n'apprend pas à réfléchir par lui-même ne se posera jamais la question de savoir ce qu'il aime vraiment faire.

Selon la spécialiste, « on a trop souvent tendance à penser que l'ennui est un sentiment péjoratif, lié à la lassitude, à l'inaction. Pourtant, ne rien faire est une activité à part entière ! » L'ennui est ainsi indispensable, notamment pour le bon développement des enfants. Dans un premier temps, les enfants se construisent par imitation. Ils reproduisent les gestes qu'ils voient, répètent des mots qu'ils entendent ou des attitudes qu'ils perçoivent. Puis peu à peu, le cerveau va se développer en prêtant attention à l'environnement extérieur. Il ne faut donc surtout pas empêcher les enfants de prendre des moments pour eux afin qu'ils aient le temps d'observer ce monde qui les entoure. « C'est la preuve d'une vie interne, car c'est l'occasion pour l'enfant de faire travailler son imaginaire, et surtout que l'enfant peut s'intéresser à des choses par lui-même, ce qui est absolument fondamental. Plus il sera attentif à son environnement et aux autres, plus il sera respectueux à leur égard », insiste Claire Leconte.

Ainsi, un enfant qui aura pris l'habitude de rester seul trouvera toujours le moyen de s'occuper, ce qui est bénéfique pour lui mais aussi pour ses parents. Selon la spécialiste, il ne faut pas oublier qu'un enfant ne s'ennuie pas, ce sont ses parents qui ont peur qu'il s'ennuie. Et si l'enfant l'exprime, c'est parce qu'il sait que ses parents vont lui donner un écran pour combler ce « vide ». Si ces derniers lui font comprendre que ce moment est pour lui et qu'il peut le prendre pour réfléchir et rêvasser, alors il cessera de se plaindre.

D'après www.madame.lefigaro.fr

1. Marelle : jeu d'enfant consistant à sauter dans les cases numérotées d'une figure tracée sur le sol.
2. Rêvasser : laisser aller sa pensée, son imagination.

Répondez aux questions.

1. Quel est le constat de Claire Leconte concernant le rythme de la société contemporaine ? *(1,5 point)*

....

2. Selon Claire Leconte, quel rôle les écrans jouent-ils souvent ? *(1 point)*

....

3. Vrai ou faux ? Cochez la bonne réponse et recopiez la phrase ou la partie du texte qui justifie votre réponse.

Claire Leconte a été surprise de l'exposition des enfants aux postes de télévision. ☐ Vrai ☐ Faux *(1,5 point)*

....

4. Vrai ou faux ? Cochez la bonne réponse et recopiez la phrase ou la partie du texte qui justifie votre réponse.

D'après Claire Leconte, les parents sont responsables de la situation actuelle. ☐ Vrai ☐ Faux *(1,5 point)*

....

5. Selon la spécialiste, les enfants trop sollicités… *(1 point)*
   A. ☐ manquent d'autonomie.
   B. ☐ se renferment sur eux-mêmes.
   C. ☐ refusent d'effectuer certaines activités.

6. Vrai ou faux ? Cochez la bonne réponse et recopiez la partie du texte qui justifie votre réponse. *(1,5 point)*

Claire Leconte considère que s'ennuyer signifie être inactif. ☐ Vrai ☐ Faux

....

7. D'après la journaliste, il est important de laisser les enfants s'ennuyer pour… *(1 point)*
   A. ☐ imiter les adultes.
   B. ☐ savoir ce qu'ils veulent.
   C. ☐ découvrir leur environnement.

8. Selon l'article, quel peut être l'intérêt pour les parents de laisser leurs enfants s'ennuyer ? *(1 point)*
   A. ☐ Les parents peuvent se reposer.
   B. ☐ Les enfants arrivent à s'occuper seuls.
   C. ☐ Le budget pour les activités est réduit.

9. D'après la spécialiste, en quoi le terme « ennui » est-il peu adapté pour les enfants ? *(1 point)*

....

10. Comment les parents peuvent-ils faire comprendre aux enfants qu'il est important d'avoir des moments à ne rien faire ? *(1 point)*

....

III Production écrite   25 points

Vous entendez parler d'un projet de construction d'un grand centre commercial dans votre ville. Vous écrivez une lettre au maire dans laquelle vous exprimez votre opinion argumentée sur le sujet et décrivez les conséquences que cette construction peut avoir sur l'environnement et sur l'activité de la ville. (250 mots au minimum)

IV Production orale   25 points

Exercice 1 : Monologue suivi : défense d'un point de vue argumenté   5 à 7 minutes

Vous dégagerez le problème soulevé par le document que vous avez choisi puis vous présenterez votre opinion sur le sujet de manière claire et argumentée.

Exercice 2 : Exercice en interaction : débat   10 à 15 minutes

Vous défendrez votre point de vue au cours du débat avec l'examinateur.

SUJET 1

> « Déshumanisé » ou « pratique » ?
> **Un nouveau bar robotisé divise les internautes**
>
> Un bar dans la ville de Strasbourg, en France, propose au public de se faire préparer et servir ses cocktails par des robots. « Comptez en moyenne 60 secondes pour la boisson la plus simple », explique Lucas Marson, représentant du Bionic bar. L'idée fait polémique. Sur les réseaux sociaux, l'opération suscite un certain scepticisme. Certains craignent en effet de perdre le contact avec leur barman. « Le contact humain est essentiel surtout à une époque où la technologie nous sépare », témoigne Franny, en réponse à notre appel à témoignages. À l'inverse, un autre internaute y voit « une alternative intéressante dans le cadre d'un concert ou d'un festival, quand c'est la cohue ».
> « Le robot ne peut pas se suffire à lui-même », avance Lucas Marson. Il assure que des hôtes et des hôtesses seront de la partie pour accueillir la clientèle. Et invite le public à se faire son avis par lui-même. Et vous, qu'en pensez-vous ?
>
> D'après *20 Minutes*

SUJET 2

> **Un apiculteur envoie 60 000 lettres remplies de graines de trèfles pour sauver les abeilles**
>
> Face à l'hécatombe[1] des abeilles en raison, notamment, du réchauffement climatique, Nicolas Puech, un apiculteur[2] de la région française de Haute-Garonne, s'est lancé un défi : pour aider les abeilles, envoyer des graines de trèfles à tous ceux qui lui en feraient la demande. Trois mois après, l'opération est une réussite. L'apiculteur a reçu 60 000 demandes ! Il a donc dû poster 60 000 lettres dans toute la France, mais aussi en Europe, en Afrique et en Amérique du Nord. 40 000 courriers ont été triés en un seul week-end, grâce à des bénévoles. « Des bénévoles m'ont dit qu'ils avaient hésité entre faire une manifestation pour le climat et venir mettre sous pli les lettres pour les abeilles, raconte l'apiculteur. Ils ont choisi de venir ici parce que pour eux c'était plus concret. Ça fait plaisir de voir que les gens se sentent concernés. »
> Nicolas Puech affirme vouloir aller encore plus loin. L'apiculteur compte lancer un concours dans les écoles pour sensibiliser les plus jeunes à l'écologie.
>
> D'après www.nouvelobs.com
>
> 1. hécatombe : mort massive.
> 2. apiculteur : éleveur d'abeilles.

# Corrigés et transcriptions

DOSSIER 2 Nous parlons d'histoire et de mémoire

LEÇONS 1 et 2

1. 🎧 11 **Journaliste :** Golshifteh Farahani, vous êtes actrice et chanteuse, vous avez la double nationalité française et iranienne. Vous êtes née à Téhéran en 1983, vos parents étaient des artistes. Votre mère voulait que vous deveniez pianiste mais vous, vous vouliez devenir actrice. Votre vie a basculé après avoir tourné un film à Hollywood, en 2008. Racontez-nous.
Golshifteh Farahani : C'est vrai que la musique était très importante pour moi. Pourtant, mes parents évoluaient dans un milieu de metteurs en scène, de comédiens, de spectacle, et c'est cela qui me captivait le plus je dirais. Il y avait toujours des amis et des artistes à la maison et j'aimais ce sens de la fête, de la discussion, de l'animation. Bref, j'avais déjà tourné dans pas mal de films avant de donner la réplique à Leonardo DiCaprio dans le film *Mensonge d'État*, et j'étais déterminée. Mais avant de faire ce film à Hollywood, je ne pensais pas que je quitterais mon pays.
Journaliste : Vous êtes donc partie vivre à l'étranger, en France pendant un temps, avant de vous installer entre le Portugal et Ibiza… Cela a dû être un sacré choc, tous ces changements…
Golshifteh Farahani : Oui, mais je n'aurais pas pu faire ça si on n'avait pas été exposés à une culture cosmopolite. Si je n'avais pas appris trois langues, je n'aurais pas pu communiquer. Et surtout : je n'aurais pas supporté d'être loin de mon pays si je n'avais pas eu l'espoir du retour. En fait, j'avais eu l'occasion de voyager, par exemple, même si j'ai refusé cette proposition, j'avais été sélectionnée pour me présenter au Conservatoire de musique de Vienne. Vous savez, pour moi, le cinéma, ce sont mille langues alors que la musique, ce n'en est qu'une…
Journaliste : Car il faut préciser que vous êtes une actrice polyglotte ! Vous avez tourné dans sept langues différentes, c'est bien ça ?
Golshifteh Farahani : Oui, mais attention hein… je n'ai parlé que phonétiquement certaines de ces langues ! Je pense notamment à l'allemand ou à l'hindi, que je ne parle pas vraiment !

a. 1. La musique (le piano et le chant) et le cinéma (elle est actrice). *(1 point)* **2.** La France : un pays où elle a habité. *(0,5 point)* – L'Iran : son pays natal. *(0,5 point)* – Les États-Unis : un pays où elle a travaillé comme actrice. *(0,5 point)* **3.** Elle vit entre le Portugal et Ibiza. *(1 point)*
b. 1. Vrai : *Votre vie a basculé après avoir tourné un film à Hollywood.* (0,5 point)
2. Faux : *Il y avait toujours des amis et des artistes à la maison.* (0,5 point)
3. Faux : *J'avais eu l'occasion de voyager.* (0,5 point)
4. Vrai : *Vous êtes donc partie vivre à l'étranger, en France pendant un temps.* (0,5 point)
c. 1. 1 : Partir pour la France – 2 : S'installer au Portugal *(0,5 point)* *Vous êtes donc partie vivre à l'étranger, en France pendant un temps, avant de vous installer entre le Portugal et Ibiza. (1 point)*
2. 1 : Être sélectionnée dans une école à Vienne – 2 : Quitter son pays *(0,5 point)*
J'avais été sélectionnée pour me présenter au Conservatoire de musique de Vienne. (1 point)
d. Après avoir tourné dans de nombreux films *(0,5 point)* et avant de jouer avec Leonardo DiCaprio *(0,5 point)* – qu'elle avait apprises *(0,5 point)*

2. a. 2. est le titre le plus adapté. D'une part, la taxe n'est qu'une proposition faite par diverses personnes et non pas une réalité. D'autre part, la question de la compétitivité ne constitue pas le cœur de l'article ; en effet, elle n'est évoquée qu'en tant que conséquence de la taxe sur les robots. *(2 points)*

b. 1. Trieuse de pommes de terre *(1 point)* **2.** Il s'agissait de femmes chargées de trier les pommes de terre et de les classer selon leur taille. *(2 points)*
c. 1 : Le métier est difficile physiquement. **2 :** Les employées ne restent pas longtemps sur le poste de travail. **3 :** Les employées sont remplacées par des machines. **4 :** De nouveaux postes de travail plus qualifiés sont créés. **5 :** On cherche à modifier le produit pour supprimer cette tâche. *(1 point par bonne réponse)*

3. 1. j'imaginais : l'imparfait exprime ici la situation de Huan quand il était en Chine. **2.** j'ai commencé : le passé composé exprime la succession de ses actions dans le passé (« puis »). **3.** j'ai compris : cet événement au passé composé se passe au moment précis de son arrivée. **4.** j'ai suivi : au passé composé, c'est un fait qui a une durée limitée (« pendant une année »). **5.** m'apportait : l'imparfait donne les circonstances de ses études. **6.** je faisais : l'imparfait exprime ici l'explication de ce qu'il a expliqué juste avant.

4. 1. Beaucoup d'artistes que l'on croit français ne sont pas *nés* en France mais **ils** y sont *arrivés* plus tard. **2.** Chopin, polonais de naissance, a *obtenu* un passeport français. **3. Certaines de ses œuvres** ont été *écrites* en France. **4.** Un autre exemple : Pablo Picasso. Il existe de nombreux musées en France où sont *exposées* **ses œuvres**. **5. Les erreurs** de nationalité du passé doivent être *corrigées* : il est bien *resté* espagnol, jusqu'à sa mort. **6.** Le premier prix Nobel de physique que la France a reçu, c'est à **Marie Curie**, *née* en Pologne, qu'on le doit.

5. « vécues » accordé avec **étapes** – « connus » accordé avec **faits historiques** – « présentées » accordé avec **qui** (qui représente **différentes lois**) – « expliqués » accordé avec **ils** (qui représente **ces changements**) – « modifiées » accordé avec **les lois** – « nés » accordé avec **qui** (qui représente **tous les enfants**) – « effectuées » accordé avec **qui** (qui représente **les démarches**) – « imposées » accordé avec **qui** (qui représente **les adaptations**)

6. *Exemple de production :*
Milan Kundera est né à Brno, en Moravie, en 1929. Il a obtenu la nationalité française en 1981 après avoir perdu sa nationalité tchèque en 1979. En 1975, sa femme Vera et lui ont émigré en France, en Bretagne. Il était Professeur de littérature à l'Université de Rennes 2 quand il a été nommé à l'École des hautes études en sciences sociales, à Paris. Ils se sont installés à Paris en 1978. Il a commencé à participer à la traduction de ses romans en français en 1980. En 1993, il a publié son premier livre en français, *La Lenteur*. Il a obtenu en 2001 le Grand prix de littérature de l'Académie française pour l'ensemble des œuvres qu'il avait écrites.

7. 🎧 12 *Exemple :* Je n'étais pas intéressée par les Grandes écoles. J'ai donc refusé la classe préparatoire que mes parents me proposaient.
1. À cette époque, Barbara ne parlait pas français, c'est pourquoi elle n'a pas participé au programme d'échange du lycée.
2. Il voulait changer de cadre de vie, alors il a continué ses études à Marseille.
3. Comme ils n'ont pas obtenu le meilleur classement, ils n'ont pas pu choisir la spécialisation qu'ils voulaient.
4. En 1960, l'économie était encore très fragile chez nous, c'est pour cela qu'on a décidé de partir trouver un travail ailleurs.
5. C'est fou : j'ai suivi ma famille à Paris et aujourd'hui, je suis humoriste !
6. Mais Anna, tu es juste allée faire un stage à Montréal et déjà, tu as l'accent québécois !

a. Conséquences sur le passé : 1, 2, 3, 4 – Conséquences sur le présent : 5, 6
b. 1. Si Barbara avait parlé français, elle aurait participé au programme d'échange du lycée. **2.** S'il n'avait pas voulu changer de cadre de vie, il n'aurait pas continué ses études à Marseille. **3.** S'ils avaient obtenu un meilleur classement, ils auraient pu choisir la spécialisation qu'ils voulaient. **4.** Si l'économie n'avait pas été si fragile chez nous, on n'aurait pas décidé de partir trouver un travail ailleurs. **5.** Si je n'avais pas suivi ma famille à Paris, je ne serais pas humoriste aujourd'hui. **6.** Si tu n'étais pas allée faire un stage à Montréal, tu n'aurais pas l'accent québécois.

Corrigés et transcriptions

8. 🎧 13 *Exemple :* Ce travail consiste à ramasser le sable dans les rivières pour l'utiliser dans la construction.
1. Quand on cherche à diminuer le prix des produits agricoles en ville, on découvre ce métier qui permet de faire baisser les coûts de transport.
2. C'est une profession solitaire mais extrêmement stratégique puisqu'elle permet de contrôler le passage des bateaux et d'éviter les accidents en mer.
3. C'est un emploi souvent financé par les ouvriers qui permet de les divertir pendant qu'ils travaillent et de les informer des dernières nouvelles syndicales.
4. Vous obtenez grâce à cette profession des robots parfaitement adaptés à vos besoins.
5. Au bord des rivières, hiver comme été, c'est un poste que des femmes occupent. Elles passent plusieurs heures les mains plongées dans l'eau.
6. Pour obtenir le juste climat et s'adapter aux changements, faites appel à ce professionnel.
7. Par téléphone, cet(te) employé(e) vous permet de transmettre un message n'importe où dans le monde.

Métier disparu : 3. Lecteur public, 5. Laveuse, 7. Télégraphiste, 2. Gardien de phare – Métier du futur : 4. Programmateur de personnalités, 1. Cultivateur urbain, 6. Coordinateur météo

9. 🎧 14 *Exemple :* Je me souviens quand j'étais à l'école primaire, on ne faisait pas de recherches sur Internet, parce que ça n'existait pas encore./Je m'souviens quand j'étais à l'école primaire, on n'faisait pas d'recherches sur Internet, parce que ça existait pas encore.
1. Je suis toujours étonné quand je compare la vie de mes grands-parents et la mienne./Chuis toujours étonné quand ch'compare la vie d'mes grands-parents et la mienne.
2. Tu imagines qu'à une époque, il n'y avait que les chevaux pour se déplacer d'une ville à l'autre !/T'imagines qu'à une époque, y'avait que ch'faux pour s'déplacer d'une ville à l'autre !
3. Ce serait bien que les générations à venir aient les mêmes opportunités d'emploi que leurs aînés./Ce s'rait bien qu'les générations à v'nir aient les mêmes opportunités d'emploi qu'leurs aînés.
4. Si j'avais rencontré les bonnes personnes dans ma vie, je serais peut-être devenue célèbre !/Si j'avais rencontré les bonnes personnes dans ma vie, ch'rais p'tête dev'nue célèbre !
5. Tu as entendu la dernière nouvelle ? Il paraît que notre espérance de vie n'augmente plus !/T'as entendu la dernière nouvelle ? l'paraît que n'espérance de vie n'augmente plus !
6. C'est fou ce que les jeunes sont impatients maintenant ; ils veulent tout tout de suite !/C'est fou c'que les jeunes sont impatients maint'nant ; ils veulent tout tout'suite !

10. a. un récit autobiographique
b. indique le temps d'écriture – est un récit à la première personne – raconte des événements vécus – exprime des émotions personnelles – retrace les pensées de son auteur(e)
c. 1. Entourés en bleu : *je* et *j'*
2. Souligné en bleu : *j'ai fait quelques signes de la main*. Temps du verbe : passé composé.
3. Soulignés en noir : *Il faisait beau […] ; les premiers rayons de soleil de la saison ne brûlaient pas encore, quelques légers nuages apportaient juste assez d'ombre pour être bien. […] Mes cousins et mes cousines m'attendaient devant la maison de mes grands-parents.* Temps du verbe : imparfait.
4. Soulignés en rouge : *je sentais que le grand voyage commençait […] ; je n'avais aucune idée préconçue, je n'étais qu'attente.* Temps du verbe : imparfait.
5. Entouré en vert : *lorsque je les ai vus, quand j'ai entendu leur voix, j'ai tout de suite revisité les étés heureux de mon enfance.* Temps du verbe : passé composé.
d. *Exemple de production :*

Vendredi matin. Je me suis réveillée, reposée et heureuse car les cousins m'avaient proposé de dormir dans ma chambre d'enfant : la chambre bleue. Quelle émotion de retrouver la vue des fleurs bleues et un peu effacées sur les murs, le petit bureau sur lequel j'avais écrit toutes mes cartes postales ! Je me sentais revenue à la période douce et calme de l'enfance, je pouvais entendre la voix de ma mère parlant avec ma grand-mère, l'odeur chaude et rassurante de la brioche qui montait jusqu'à la chambre.

11. *Exemple de production :*

Samedi midi. Nous sommes arrivés dans la grande maison de Bourgogne. Je n'y étais pas revenu depuis 20 ans, j'étais encore un enfant la dernière fois que j'avais passé cette porte. Cette fois-ci, j'étais en famille, avec ma femme et mes enfants. J'arrivais pour un week-end de retrouvailles avec tous les amis de la famille de mon père. J'étais ému de me trouver là, et en même temps, j'avais l'impression que la maison n'était plus la même : elle était si grande dans mon souvenir de petit garçon !

Dimanche matin. Les enfants nous ont réveillés trop tôt. La veille, nous avions dîné tous ensemble dans le restaurant du village, les enfants devenus grands et leurs propres enfants, quel bonheur ! Presque tout le monde était là et nous avons retrouvé tellement de souvenirs de notre enfance : les journées de cache-cache dans la grande maison, les soirées dans le jardin, à la lumière des bougies, les heures d'exploration dans le grenier où tant de vieux jouets avaient été amassés, ou dans la cave où nous regardions avec curiosité ces bouteilles dont l'étiquette était tellement vieille que nous ne pouvions plus la lire !

12. 🎧 15 En France, l'écriture est pratiquée de l'école à l'université selon des codes très stricts. L'habitude d'écrire un journal intime n'est pas encouragée. Les exercices d'écriture imaginative ont aussi fortement diminué à l'école, au collège et au lycée. Enfin, les écrits universitaires ne permettent pas d'apporter un témoignage personnel. L'utilisation de « je » est par exemple interdit. On préfère utiliser un ton neutre prétendu plus objectif.

Production libre.

LEÇONS 3 et 4

1. a. un groupe de jeunes gens – une soirée – l'été – se connaissent déjà – rapide – d'Adrienne *(0,5 point par bonne réponse)*
b. L'ouïe : « elle chantait » ; « le silence » *(1 point)* – La vue : « l'ombre » ; « le clair de lune » ; « faibles vapeurs condensées », etc. *(1 point)*
c. *l'ombre descendait des grands arbres, le clair de lune naissant tombait sur elle seule, La pelouse était couverte de faibles vapeurs condensées, qui déroulaient leurs blancs flocons sur les pointes des herbes, au parterre du château, où se trouvaient des lauriers, plantés dans de grands vases de faïence peints en camaïeu, les feuilles lustrées éclataient sur ses cheveux blonds aux rayons pâles de la lune.*
→ On remarque que tous les verbes sont à l'imparfait, le temps de la description. Ici sont décrits le décor et l'atmosphère. *(1 point)*
d. Verbes indiquant une action principale, entourés : revins, m'aperçus, offris, dit, voulus, dit *(1 point)*
Verbes indiquant une action secondaire ou inachevée dans le passé, encadrés : pleurait, était, tenait, reconduisais *(1 point)*
e. Dans un premier temps, il garde d'Adrienne un souvenir douloureux car elle incarne « un amour impossible et vague » et il en souffre. Puis ce souvenir devient l'image « de la gloire et de la beauté », image qui vient rendre plus douces ses études difficiles. *(2 points)*

2. 🎧 16 **Journaliste :** Lucien, vous étiez enfant pendant la guerre. Quel est le souvenir le plus vif que le garçon que vous étiez alors a conservé ?
Lucien : Curieusement, dans mon souvenir la guerre représente un ensemble de sensations et de souvenirs très contrastés, même contradictoires. La fête de l'arrivée des soldats américains, c'est indéniablement l'image la plus vive que j'ai gardée en mémoire : le jazz qu'on ne connaissait pas encore à l'époque, cette musique

qui remplissait les rues… Le goût jusqu'alors oublié du chocolat, son parfum qui monte aux narines quand on le mâche… Et la fête, oui, ce bonheur incroyable que tous les adultes autour de moi avaient finalement dans les yeux !

Journaliste : Vous commencez par la fin, heureuse et tant attendue. Mais avant que les soldats allemands n'arrêtent de se battre, comment viviez-vous avec votre famille ?

Lucien : Nous étions près de la Belgique, alors bien sûr tous les jours la présence de soldats allemands nous rappelait que nous avions signé en 1940… Mais la chance de notre famille, c'est d'avoir vécu à ce moment-là à la campagne. Avec mes frères, nous partions presque tous les jours à l'aventure, dans le but de ramener des choses à maman pour le dîner. Et on trouvait ! Quelques pommes de terre données par un jeune soldat allemand près du village, un lapin attrapé par mon frère aîné, un ou deux poissons patiemment pêchés. Bah, c'était dur, oui, mais pour l'enfant que j'étais les souvenirs d'expéditions avec les grands frères l'ont finalement emporté sur les événements.

Journaliste : Pour vos parents, je suppose que c'était différent ?

Lucien : Je me souviens de la main de ma pauvre maman qui me caressait le front avant de dormir, dure comme un caillou, abîmée par tous les travaux qu'elle faisait dans les fermes des environs pour un peu de beurre ou un peu de lait. J'entends encore les bombardements sur Valenciennes qui résonnent, la terreur des enfants de la maison. Et surtout, je me rappelle l'angoisse terrible de mes parents de voir la guerre continuer et de devoir laisser leurs fils rejoindre les troupes…

a. Son âge : Lucien est enfant pendant la guerre, on ne connaît pas son âge. – Sa famille : elle se compose de ses parents et de ses grands frères. – Son lieu d'habitation : il vit à la campagne, près de Valenciennes, dans le nord de la France. *(0,5 point par bonne réponse)*
b. Il parle de la Seconde Guerre mondiale. En effet, il parle de la présence autour de chez lui des Allemands, de la signature de 1940 et de l'arrivée des soldats américains. *(1,5 point)*
c. Un armistice – Une capitulation – La Libération – L'Occupation *(0,5 point par bonne réponse)*
d. L'odorat : monter aux narines (verbe) – le chocolat (nom) – retrouver une sensation oubliée (émotion) *(1 point)*
Le goût : mâcher (verbe) – le chocolat (nom) – retrouver une sensation oubliée (émotion) *(1 point)*
Le toucher : caresser (verbe) – la main abîmée (nom) – tristesse pour sa mère (émotion) *(1 point)*
L'ouïe : remplir les rues, résonner (verbes) – les bombardements (nom) – la terreur (émotion) *(1 point)*
e. Lucien était enfant, ses souvenirs sont donc plus nets à la fin de la guerre quand la Libération est célébrée partout autour de lui et que le bonheur des « adultes » gagne sur les moments de « terreur » et d'« angoisse » des années de guerre qui ont précédé. *(1 point)*

3. Verbes au passé simple (et infinitif) : s'ouvrit (s'ouvrir) – s'arrêta (s'arrêter) – fut (être) – répondit (répondre) – hésita (hésiter) – se désaccorda (se désaccorder) – reprit (reprendre) – fit (faire) – s'avança (s'avancer) – dit (dire) – devint (devenir)

4. 🎧 17 Au mois d'octobre 1941, le général de Gaulle apprit la présence à Lisbonne de Jean Moulin, arrivé de France et qui cherchait à venir à Londres. Il savait qui il était. Il savait qu'il voulait servir. Il demanda donc aux services britanniques que cet homme de qualité soit dirigé sur l'Angleterre. Il lui fallut attendre deux mois. Dans le courant de décembre, il eut avec lui de longs entretiens. Jean Moulin, avant d'aller à Londres, avait pris de nombreux contacts avec chacun des mouvements de résistance et, d'autre part, sondé divers milieux politiques, économiques et administratifs. La résistance dans la Métropole où ne se dessinait encore qu'une unité symbolique, il allait l'amener à l'unité pratique. Jean Moulin fut parachuté dans le Midi, au cours de la nuit du 1ᵉʳ janvier. Il emportait l'ordre de mission de Charles de Gaulle l'instituant comme délégué pour la zone non occupée de la France métropolitaine.

Plus-que-parfait : prendre – **Imparfait :** chercher, savoir, être, vouloir, se dessiner, aller, emporter – **Passé simple :** apprendre, demander, falloir, avoir, être parachuté

5. nous **sommes entrés** – je **n'ai pas eu** – j'avais passé mon enfance – Nous **avons** d'abord **salué** – qui venait – il ne connaissait pas – Il **a hésité** – **s'est arrêté** – il **s'est avancé** – mon cheval **l'a suivi** – les premières images de mon enfance me **sont revenues** – je me suis souvenu – Cette maison avait été

6. près de – au milieu de – sur – au-dessus de – en direction du (peintre) – dans – devant – aux pieds de – le long de – à la surface de

7. La vue : apercevoir, feuilleter, contempler – L'ouïe : hurler, prêter l'oreille à – Le goût : déguster, goûter, savourer – L'odorat : flairer, humer – Le toucher : tâter, palper, saisir, toucher, tenir

8. Propositions de réponses :
1. j'ai humé/flairé ce parfum 2. contempler 3. saisir – il tient 4. déguster 5. prêter l'oreille à – son 6. feuillettent – illustrations

9. un armistice ≠ une déclaration de guerre – la débâcle ≠ la victoire – le débarquement ≠ une invasion – la Libération ≠ l'Occupation – la Résistance ≠ la collaboration

10. b. 1. la Libération **2.** des habitants – les Alliés **3.** en juin 1944 **4.** dans un quartier populaire
c. la joie – le soulagement
d. le manque alimentaire – l'aide militaire – le débarquement
e. *Exemple de production :*
Cette photographie en noir et blanc représente un moment de fête pendant la période de la Libération, en 1944, à Paris. Elle se déroule dans un quartier populaire. On y voit des habitants de Paris, regroupés autour d'un camion de marchandises. Sur ce camion, des soldats américains, membres des troupes alliées, distribuent de la farine aux personnes qui les entourent. Les visages et les bras levés montrent la grande joie de tous. On peut aussi deviner le soulagement des habitants. Tout ceci s'explique par les événements difficiles qui ont précédé la Libération : pendant quatre années, les Français de la moitié nord du pays ont vécu sous l'Occupation. Ils ont connu le manque alimentaire et la peur jusqu'en juin 1944, date du débarquement des forces alliées et début de l'aide militaire aux habitants des pays occupés.

11. *Exemple de production :*
Cette photographie en noir et blanc représente un moment de commémoration de la Seconde Guerre mondiale pour les nations allemande et française en 1984. Elle se situe sur une place, en plein jour. On y voit le Président français François Mitterrand et le Chancelier allemand Helmut Kohl qui se tiennent par la main devant le cercueil des soldats allemands et français. Ils semblent plongés dans le recueillement, tout comme la foule silencieuse qui se tient derrière eux, sous la pluie. Cette commémoration s'explique par la volonté de réconcilier les deux peuples après la guerre qui a fait des millions de victimes dans les deux pays et le reste du monde, afin que de tels événements ne se produisent plus jamais. Le symbole qu'ils offrent à voir en se tenant ainsi par la main est très fort et unificateur.

12. *Production libre.*

BILAN 2

1. 1. a
2. Pour ses romans, il s'est inspiré d'histoires entendues dans le village où il a grandi.
3. Vrai. *C'est d'abord en traduction arabe que j'ai découvert Dumas et Dickens et les Voyages de Gulliver.*
4. Étant donné qu'il vit en France depuis 22 ans, est immergé dans la culture française et écrit en français, il ne considère pas ce pays comme une terre étrangère.
5. c

Corrigés et transcriptions

2. 🎧▶18 **Journaliste :** Chers auditeurs, après la politique, nous allons maintenant parler de l'emploi. Ministre, secrétaire d'État, voilà des activités qui ne semblent pas en danger. Il en va autrement pour les caissiers, manutentionnaires, comptables, secrétaires de direction et employés de banque ou d'assurance : cinq métiers particulièrement menacés selon une étude de l'institut Sapiens, un centre de réflexion libéral. En cause, la robotisation, l'intelligence artificielle qui transforment certains secteurs. Un exemple, celui d'un homme, Didier-Yves Racapé. Au cours de sa carrière, cet expert-comptable a vu son métier évoluer. Terminé le papier, aujourd'hui des logiciels trient pour lui des pièces comptables.
Didier-Yves Racapé : J'ai une note de restaurant, je vais la placer dans le compte restaurant. Avant, il fallait effectuer des opérations manuelles et le risque d'erreur était plus grand. Là, ça va tout seul avec le logiciel sur l'ordinateur. C'est sur ce genre de tâches que l'intervention humaine est en train de disparaître de plus en plus.
Journaliste : Si cet expert-comptable en a profité pour se spécialiser dans le conseil, d'autres ont dû arrêter leur activité. Depuis 2004, les effectifs dans ce secteur ont diminué de près de 23 % en France selon une étude de l'institut Sapiens menée par Erwann Tison, qui nous présente ses conclusions.
Erwann Tison : On continue encore en France à former à des métiers qui demain n'existeront plus, si ce n'est dans des musées. Le vrai système éducatif, qui serait le plus efficace, serait d'apporter des compétences qui sont amenées à être utilisables dans plusieurs métiers.
Journaliste : Selon l'institut Sapiens, d'ici cinquante ans, plus de deux millions d'actifs devraient voir leur métier disparaître.

1. Deux réponses parmi : caissier, manutentionnaire, comptable, secrétaire de direction, employé de banque ou d'assurance.
2. Le développement de la robotisation et de l'intelligence artificielle.
3. Il s'est spécialisé dans le conseil.
4. Les études en France ne sont pas adaptées au marché du travail car elles forment à des métiers qui vont disparaître.
5. Un système éducatif qui permettrait d'acquérir des compétences transversales à plusieurs métiers.
6. c

3. *Exemple de production orale :*
Dans ma famille, on peut remarquer un certain attrait pour différentes cultures et différentes langues : un arrière-grand-père marin qui a parcouru le monde en bateau, un grand-père italien, une tante professeur d'allemand… Mon père a vécu dans différents pays pour des raisons professionnelles, ma mère a vécu aux États-Unis et parle bien anglais… Je pense qu'inconsciemment, c'est ce bagage familial qui a éveillé mon attrait pour les langues et l'envie de découvrir d'autres cultures. Tout d'abord, j'ai commencé par apprendre l'allemand à l'école et j'ai pris beaucoup de plaisir à découvrir cette langue structurée et à rencontrer des correspondants allemands grâce à un programme d'échange avec mon école. J'ai ensuite décidé d'apprendre le français car c'est une langue qui m'a toujours fascinée et que je trouve très belle. Quand j'ai voyagé en France, j'ai ressenti le besoin de savoir m'exprimer couramment en français. Quand je suis rentré dans mon pays, je me suis immédiatement inscrit à des cours du soir pour continuer à apprendre la langue de manière intensive. Un an après, j'ai décidé de venir passer quelques mois en France pour perfectionner la maîtrise de cette belle langue et la pratiquer au quotidien. On peut dire que je suis tombé amoureux de la langue française ! De la langue, mais aussi de la culture, de la nourriture, de la littérature… Il m'est toutefois arrivé de douter de mes capacités, quand par exemple, quelqu'un me faisait une remarque si je faisais une faute. Mais heureusement, ceux qui parlent d'autres langues et connaissent d'autres cultures étaient compréhensifs et m'ont encouragé à poursuivre mon apprentissage. Aujourd'hui, je continue à étudier le français, je lis aussi beaucoup de romans en français, et j'envisage de partir m'installer au Canada, pour travailler mais aussi pour découvrir une autre culture francophone.

4. *Exemple de production écrite :*
Marie,
Je suis d'accord avec toi, cette série n'est pas fidèle à l'Histoire. D'ailleurs, la plupart des films et des séries historiques prennent des libertés par rapport à ce qui est vraiment arrivé. Cependant, ce problème ne concerne pas que l'Histoire : c'est également le cas de beaucoup d'adaptations de livres au cinéma ou à la télévision. Les films ou séries sont rarement fidèles à 100 % aux livres d'origine. Prenons l'exemple du *Trône de Fer – Games of Thrones*, la série met en avant certains personnages qui sont pourtant secondaires dans le livre.
Par ailleurs, il me semble que les séries historiques sont plus faites pour divertir que pour apprendre l'Histoire. Les documentaires sont plus adaptés pour apprendre la vraie « Histoire » à la télévision. Dans les films et les séries, les téléspectateurs veulent avant tout suivre des intrigues, s'attacher aux personnages… Par exemple, dans le film *Titanic*, il s'agit de retracer la destinée terrible de ce navire qui a réellement sombré, mais le public retiendra aussi et surtout l'histoire d'amour entre les deux personnages principaux.
Effectivement, il y a peut-être une confusion entre le fait de raconter une « histoire » et de retransmettre « l'Histoire »… Peut-être que ces séries ne devraient pas porter le nom de séries « historiques » puisqu'elles sont largement romancées ? Il faut donc que nous, téléspectateurs et cinéphiles, fassions attention à bien séparer le divertissement de l'apprentissage. Les films et les séries ne peuvent pas remplacer les « vrais » livres d'Histoire ou des documentaires plus sérieux quand on souhaite en apprendre plus sur des faits historiques.
(268 mots)

DOSSIER 3 Nous nous construisons une culture commune

LEÇONS 1 et 2

1. a. Genre : polar/roman policier *(0,5 point)* – **Informations sur les personnages principaux :** Leyli Maal : jolie migrante malienne, mère de trois enfants, femme de ménage, cache un secret *(0,5 point)*. Bamby Maal : l'aînée des enfants de Leyli, elle est soupçonnée de meurtre *(0,5 point)*. Julo Flores : jeune lieutenant de police qui doute que Bamby soit coupable *(0,5 point)*. – **Lieux de l'histoire :** désert sahélien, Port-de-Bouc, Marseille *(0,5 point)* – **Événement décisif :** le meurtre de François Valioni qui travaille pour une importante association d'aide aux migrants à Port-de-Bouc *(0,5 point)* – **Conséquence :** Bamby est soupçonnée du meurtre. *(0,5 point)*
b. Critique positive :
Le rythme : *Michel Bussi nous offre un formidable suspense* – Le style : *l'écriture de l'auteur est toujours aussi fluide et agréable* – Les thèmes favoris : *comme toujours, priment l'humain, l'émotion, l'universel* – Le dénouement : *Jusqu'au retournement de situation final stupéfiant* – L'avis général : *Le meilleur ouvrage de Bussi*. *(0,5 point par bonne réponse)*
Critique négative :
Le rythme : *que de longueurs, c'est vraiment lassant* – Le message délivré par l'auteur : *J'ai trouvé ce livre bien trop « donneur de leçon ». Certaines pages ressemblent davantage à de véritables leçons de morale* – Le dénouement : *dès le départ, on sait qui a fait quoi, on est bien loin du coup de théâtre magistral auquel nous avait habitué Michel Bussi dans ses précédents romans* – L'avis général : *c'est un mauvais cru* *(0,5 point par bonne réponse)*
c. *Exemple de production :*
Bonjour à tous,
J'ai entendu parler des romans de Bussi mais je n'en ai jamais lu. Je lis davantage de polars que de romans d'amour. J'aime les histoires dans lesquelles évoluent des personnages rocambolesques et dont l'intrigue est un peu loufoque. Pensez-vous que ce livre me plaira ? Me le recommandez-vous ? Merci.
Nancy *(2 points)*

Corrigés et transcriptions

2. 🎧19 **Partie 1**
Ce samedi soir, la montée des marches du festival de Cannes sera 100 % féminine. Une initiative qui vise à valoriser la place des femmes dans le cinéma, un milieu dans lequel les hommes sont largement majoritaires.
Après les Oscars, après les César, c'est au tour du festival de Cannes de célébrer les femmes. Ce samedi 12 mai, la traditionnelle montée des marches sera exclusivement féminine : 82 femmes marcheront sur le tapis rouge, 82 réalisatrices, actrices et productrices. 82 comme les 82 films réalisés par des femmes à avoir été projetés en compétition depuis la création du festival en 1946. 82 seulement.

🎧20 **Partie 2**
Au-delà du symbole, de nombreuses femmes réclament des actions, et notamment l'établissement de quotas dans le secteur. Un moyen radical pour lutter contre la sous-représentation des réalisatrices. Cette année encore, seuls trois films en compétition sont l'œuvre de femmes.
Une réalisatrice nous a expliqué que les budgets alloués pour les films de réalisatrices étaient aussi plus faibles : en 2015, le budget moyen d'un film d'une réalisatrice est de 3 millions et demi d'euros, contre plus de 4 millions et demi pour un homme. Elle a ajouté que les rémunérations étaient elles aussi inférieures : une réalisatrice touche 42 % de moins que son homologue masculin.
Pour venir à bout de ces inégalités, des dizaines de stars féminines et masculines ont réclamé en mars dernier l'instauration de quotas en pointant du doigt la contradiction suivante : 60 % des étudiants diplômés d'écoles de cinéma sont des femmes alors que seuls 22 % des films produits en France sont réalisés par des femmes.
Mais malgré cette mobilisation, le milieu ne semble pas prêt. « Les femmes se sont mises plus tardivement à la réalisation, assure ainsi Bruno Barde, directeur du festival de cinéma de Deauville. Il y a un retard qu'il faut rattraper mais qu'il faut aussi accepter. Il n'y a pas de discrimination là-dedans. » Pour le réalisateur et scénariste Éric Toledano, le côté bien-pensant serait de dire, les quotas, c'est formidable, il faudrait une égalité, mais si demain, on se met à financer des films moins intéressants pour une raison qui serait simplement que ces films vont être réalisés par des femmes, ça n'aurait absolument aucun intérêt.

a. Événement : montée des marches 100 % féminine *(0,5 point)* – Lieu : festival de Cannes *(0,5 point)* – Personnalités : des actrices, des réalisatrices, des productrices *(0,5 point)* – Nombre : 82 *(0,5 point)* – Symbole : seuls 82 films de femmes ont été montrés au festival de Cannes depuis ses débuts en 1946 *(0,5 point)* – Objectif : valoriser la place des femmes dans ce milieu largement masculin *(1 point)*
b. Faut-il instaurer des quotas dans le monde du cinéma pour arriver à une parité hommes-femmes concernant le nombre de films produits ? *(1 point)*
c. des réalisatrices : 2. le budget 4. la rémunération – des réalisateurs : 1. l'arrivée des femmes au travail de réalisation 3. la qualité des films *(4 points)*
d. Nous voulons avoir un budget aussi important que les hommes. – Nous voulons être autant payées que les hommes. – Nous voulons qu'il y ait autant de films de réalisateurs que de films de réalisatrices. *(0,5 point par bonne réponse)*

3. *Exemples de comparaisons :*
1. Les Français lisent davantage de romans que de livres pratiques.
2. Il y a moins de grands lecteurs sur format numérique que sur format papier.
3. Les Français lisent moins de livres pratiques que de romans.
4. On lit davantage sur format papier que sur format numérique.
5. Les Français lisent bien moins souvent pour le travail que dans des moments de loisirs.
6. Les Français lisent beaucoup plus souvent dans des moments de loisirs que pour leur travail.

4. 1. les moindres 2. autant 3. Le moindre 4. Le meilleur, le moins d' 5. pire 6. plus, aussi

5. a. 1. des meilleures 2. des pires/des plus mauvais 3. le plus de tournages 4. les plus effrayantes 5. le mieux 6. le plus
b. *Exemples de production :*
Superlatifs d'infériorité : Top 3 des œuvres littéraires les moins bien adaptées au cinéma – Top 5 des ouvrages les moins difficiles à lire en français
Superlatifs de supériorité : Top 10 des romans les mieux notés sur critiqueslibres.com – Top 5 des livres les plus traduits au monde

6. 1. C'est le film dont j'ai vu la bande-annonce la semaine dernière. 2. C'est le théâtre dans lequel j'ai joué ma première pièce. 3. C'est la date à laquelle sortira le dernier film de François Ozon. 4. C'est l'actrice qui incarne le premier rôle. 5. C'est un rôle auquel il tient beaucoup. 6. C'est le jour où elle a rencontré la réalisatrice. 7. C'est le problème à cause duquel il n'a pas obtenu le rôle.

7. 1. à côté desquels 2. dont 3. qui 4. à laquelle 5. que 6. dans laquelle 7. où

8. 1. où 2. qui 3. dont 4. à cause de laquelle 5. que 6. quoi 7. avec lequel 8. dont

9. *Exemple de production :*
1. J'apprécie les séries dont la fin est insoupçonnée.
2. J'aime les personnages auxquels on peut s'identifier facilement.
3. Les scènes dans lesquelles on voit des images violentes me dérangent.

10. a. 1. foisonnant 2. écriture 3. loufoque 4. humour 5. divertissant 6. héros 7. chef-d'œuvre 8. touchant 9. originalité 10. rocambolesques
b. 1. originalité 2. héros 3. touchante 4. écriture 5. chef-d'œuvre 6. foisonnant 7. loufoque 8. humour 9. rocambolesques 10. divertissant

11. 🎧21 1. Mon coup de cœur littérature jeunesse, c'est l'album *Vol au vent*. L'histoire d'un pingouin, d'un cerf-volant et du vent. Et voilà, c'est parti pour un voyage insolite et drôle. Où vont-ils atterrir ? Ah ah !
2. Plongez au cœur du siècle des Lumières et de l'histoire d'une révolution qui gronde déjà avec *L'Enfant des Lumières*, un roman riche et fort où se croisent une multitude de personnages très bien dépeints.
3. Thomas Sandoz raconte dans *La Balade des perdus* l'incroyable virée de quatre handicapés et leur éducatrice. Le sujet est sérieux mais on rit beaucoup.
4. Bien que journaliste littéraire, je n'ai pas pu terminer le roman *Les Onze* de Pierre Michon. Je l'ai trouvé pénible, lourd et extrêmement complexe.

1. d 2. f 3. a 4. e

12. b. 7. Quel est votre avis sur la question ? 1. J'ai l'impression que… 6. Vous voulez dire que… 5. Arrêtez de me couper la parole. 6. Si je vous ai bien compris, vous pensez que… 5. Mais attendez, laissez-moi terminer ! 1. Qu'est-ce que vous voulez dire par là ? 1. En ce qui me concerne, je suis persuadé(e) que… 4. Je respecte votre point de vue mais… 7. Comment est-ce que vous voyez les choses ? 5. Je voudrais continuer jusqu'au bout si vous voulez bien. 3. Je partage votre avis. 4. Je ne suis pas d'accord avec vous sur ce point. 2. Vous pourriez préciser votre pensée ?

13. *Exemple d'arguments :*

Pour : l'adaptation cinématographique permet de sublimer l'œuvre littéraire en l'illustrant par l'image ; l'adaptation cinématographique a un impact commercial positif sur le livre, le livre bénéficie de toute la promotion qui est faite autour du film.

Contre : on est souvent déçus par les adaptations de livres au cinéma ; c'est très réducteur, on perd l'intériorité des personnages ; l'adaptation cinématographique n'est pas toujours fidèle.

14. *Production libre.*

LEÇONS 3 et 4

1. a. d'opinion *(0,5 point)* – Exemples : **1.** Il faut faire payer l'entrée des édifices religieux. *(0,5 point)* **2.** Si je fais cette proposition… *(0,5 point)*
b. Patrimoine des églises en péril *(1 point)*
c. 1. L'entretien et la maintenance : Ils dépendent des pouvoirs publics. Le budget alloué est faible parce qu'il y a beaucoup d'édifices à entretenir alors les bâtiments s'abîment. *(1 point)* **2.** Le tourisme : Il y a trop de touristes. *(1 point)* **3.** La qualité de la visite : Elle est faite trop rapidement et dans le bruit. *(1 point)* – **Solution proposée :** Faire payer l'entrée des églises et cathédrales aux visiteurs *(1 point)*
d. 1. Si je fais cette proposition, c'est pour… *(1 point)* **2.** C'est à un rythme à peine moins rapide que celui des usagers du métro… *(1 point)*
e. édifice – péril/danger – 6 et 7 millions – financement – travaux de restauration *(2,5 points)*

2. 🎧 22 **Journaliste :** En octobre, *Invisibles*, la série événement, arrive sur Canal +, une série ivoirienne de dix épisodes de 52 minutes réalisée par Alex Ogou et coécrite avec Aka Assié.
Alex Ogou : C'est l'histoire de Chaka, un gamin de douze ans, qui est issu d'une famille qui se déchire parce que les deux parents sont au chômage… Chaka et sa grande sœur décident de quitter leurs parents qui sont trop endettés. Pour vivre, la sœur trouve un travail. Chaka lui, il est trop jeune pour travailler. Alors, il se laisse initier au vandalisme et à la violence… Cette série, c'est vraiment un gros morceau, c'est six mois de tournage, une cinquantaine de techniciens, une soixantaine de comédiens, parmi lesquels tous ces enfants, que j'ai recrutés dans les quartiers d'Abidjan et qui n'avaient aucune idée de comment on tournait un film. J'ai chargé Prudence Maidou, actrice dans la série, de les coacher.
Prudence Maidou : Ben… tous les enfants que vous voyez dans la série, je les ai formés. Quand ils sont arrivés, il a fallu leur apprendre beaucoup de choses : qu'est-ce que c'est un scénario, comment se tenir devant une caméra, comment donner vie à son personnage, ils n'en avaient aucune idée. C'était un univers complètement nouveau pour eux ! Et Alex Ogou m'a donné cette chance de pouvoir les coacher pendant deux mois ! Et ils y sont arrivés ! Le défi est relevé. Ils incarnent à la perfection leur personnage. C'est un sujet où je me suis vraiment donnée corps et âme parce que ça me parle énormément.
Journaliste : *Invisibles*, meilleure série francophone étrangère primée au festival de La Rochelle. En octobre sur Canal +.

a. Réalisateur – Scénaristes – Nombre d'épisodes – Durée du tournage – Diffuseur/Chaîne – Date de diffusion *(0,5 point par bonne réponse)*
b. Elle a été chargée de former les enfants au travail de comédien. *(1 point)*
c. 1. Vrai : *une série ivoirienne*
2. Faux : *tous ces enfants que j'ai recrutés dans les quartiers d'Abidjan*
3. Vrai : *Ils incarnent à la perfection leur personnage.*
4. Faux : *C'est un sujet où je me suis vraiment donnée corps et âme parce que ça me parle énormément.*
5. Vrai : *Meilleure série francophone étrangère primée au festival de La Rochelle. (0,5 point par bonne réponse)*
d. 1. de ce qu'est un scénario/de comment se tenir devant une caméra/de comment donner vie à leur personnage **2.** à relever le défi **3.** de la série *(0,5 point par bonne réponse)*
e. *Exemple de production :*
Chaka, 12 ans, et sa sœur décident de partir de chez leurs parents qui n'ont plus de travail et sont dans la misère. Tandis que sa sœur trouve du travail, Chaka, lui, sombre dans la délinquance. *(2 points)*

3. 1. Si la maison de Pierre Loti est rénovée, c'est grâce au financement du loto du patrimoine. **2.** Si l'association « Vive le Marais » fait signer une pétition, c'est pour sauver les kiosques à journaux Art Nouveau. **3.** Si la population locale est inquiète, c'est à cause de la détérioration du vieux théâtre. **4.** Si on organise les journées du patrimoine, c'est pour permettre de découvrir des édifices souvent fermés au public. **5.** Si les Suisses sont fiers, c'est parce que le carnaval de Bâle a été inscrit sur la liste du patrimoine culturel immatériel de l'Unesco.

4. C'est la plupart des gares ~~où~~ **qui** ont été détruites sur la ligne Valenciennes-Cambrai sauf la gare de Bouchain. **C'est** un patrimoine historique ~~qui~~ **que** représente la gare de Bouchain. **C'est** donc de l'histoire ferroviaire et du travail des cheminots **qu'**il est le symbole. **C'est** la gare **où** des millions de voyageurs sont passés. **C'est** l'architecte de la Compagnie des Chemins de Fer du Nord, Étienne Lejeune, ~~que~~ **qui** l'a conçue. **Ce sont** la brique rouge, la pierre blanche, le fer et la fonte **qui** ont été associés pour créer cette architecture exceptionnelle. Elle illustre parfaitement l'architecture industrielle de la deuxième moitié du 19e siècle. **C'est** grâce à sa situation géographique ~~où~~ **qu'**elle a échappé aux bombardements et aux destructions durant les deux guerres. **Ce n'est pas** l'enfermement de la gare dans son passé ~~qu'~~ **dont** il s'agit, mais c'est la valorisation, lui donner une nouvelle vie, un nouvel avenir, répondant aux besoins d'aujourd'hui.

5. 🎧 23 *Exemple :* Je m'y rends chaque année. C'est une bonne manière de découvrir des édifices qui sont d'habitude fermés au public.
1. J'en suis très heureux ! C'est mon premier. C'est une reconnaissance de mon travail de réalisateur. Merci !
2. Je trouve que c'est bien d'y participer parce que c'est une bonne manière de s'engager pour la sauvegarde du patrimoine. Et puis, qui sait, je peux peut-être gagner le gros lot !
3. J'en reviens à l'instant. Ce dernier film de Gilles Lellouche est une excellente comédie.
4. Je n'y suis pas favorable car je n'aime pas les voix choisies pour les acteurs et je trouve que ça enlève la possibilité d'apprécier le jeu des acteurs et le son de leur voix.
5. J'y suis complètement accro, je suis une fan de la première heure. Je n'ai pas loupé un seul épisode !
6. C'est une possibilité. Je suis en train d'y réfléchir avec mon équipe. On pensait qu'il n'y aurait que trois saisons mais peut-être pas finalement…
7. Je m'en charge parce que le bâtiment est en train de se dégrader et je ne veux pas qu'il se retrouve en piteux état.
8. J'y ai vu une exposition sur le travail de l'architecte Le Corbusier. C'était passionnant.

a. 1. un prix **2.** le loto du patrimoine **3.** le cinéma **4.** le doublage **5.** la série **6.** faire une quatrième saison **7.** la rénovation/la restauration **8.** le musée
b. Y Complément d'un verbe introduit par *à* : **2.** c'est bien d'y participer → participer à – **6.** Je suis en train d'y réfléchir → réfléchir à
Complément d'un adjectif introduit par *à* : **4.** Je n'y suis pas favorable → être favorable à – **5.** J'y suis complètement accro → être accro à
Nom de lieu introduit par *à* : **8.** J'y ai vu une exposition → voir une exposition au musée
EN Complément d'un verbe introduit par *de* : **7.** Je m'en charge → se charger de
Complément d'un adjectif introduit par *de* : **1.** J'en suis très heureux → être heureux de
Nom de lieu introduit par *de* : **3.** J'en reviens → revenir du cinéma

6. 1. Quand tu as vu une exposition qui t'a plu, tu aimes **y** retourner ? **2.** Qui est l'artiste que tu admires le plus ? Pourquoi tu t'intéresses à **lui/elle** en particulier ? **3.** Quand tu viens de voir un film, tu aimes **en** discuter immédiatement ou tu préfères **y** réfléchir tranquillement ? **4.** Florence Foresti a interdit l'utilisation des téléphones portables pendant son spectacle. Tu **y** es favorable ou tu **y** es opposé(e) ? **5.** Une personne sur deux dit qu'elle aimerait jouer dans un film. Et toi, tu **en** aurais envie ? **6.** Si tu apprécies un(e) artiste, tu parles souvent de **lui/d'elle** ?

7. a. 2 – b. 3 – c. 1 – d. 9 – e. 10 – f. 6 – g. 7 – h. 4 – i. 8 – j. 5

Corrigés et transcriptions

8. a. c – f – d – a – e – h – g – i – b
b. 1. mettre la pression à quelqu'un **2.** se farcir **3.** un truc **4.** se bouffer **5.** on s'en fout **6.** un polar **7.** sortir par les yeux

9. 🎧 24 **1.** Pour ma part, j'écris des séries à dimension historique principalement pour Arte mais aussi pour d'autres diffuseurs.
2. Je me compare souvent à un chef d'orchestre. Je suis à la fois patron, chef d'équipe, gestionnaire, technicien et créateur… Diriger les acteurs, c'est ce qui m'a toujours plu.
3. Je travaille sur des films, des documentaires ou des séries… parfois sur les plateaux télé aussi. J'étais photographe avant et cela m'aide beaucoup dans mon métier actuel. Sauf que maintenant, c'est en mouvement.
4. Je suis là pour créer un univers visuel. Une lumière douce ou brutale ne traduit pas les mêmes intentions.
5. J'accentue, je corrige, je vieillis les traits d'un comédien. Il m'est aussi arrivé de transformer radicalement un personnage. Dommage qu'il n'existe pas de César dans mon domaine.
6. Voilà mes indispensables : là c'est mon siège pliant, ici mon casque pour le son et là, le plus important, mon stylo quatre couleurs… Je note tout dans les moindres détails. Je suis la mémoire du film en quelque sorte.

1. un scénariste **2.** une réalisatrice **3.** un caméraman **4.** une éclairagiste **5.** un maquilleur **6.** une scripte

10. saison – série – diffuse – épisodes – acteur – incarne – production – personnage

11. 🎧 25 *Exemple :* nous l'impressionnons – en l'impressionnant – ils l'impressionnent
1. nous le fondons – en le fondant – ils le fondent
2. en le sélectionnant – nous le sélectionnons – ils le sélectionnent
3. ils l'attendent – nous l'attendons – en l'attendant
4. elles le maintiennent – en le maintenant – nous le maintenons
5. nous l'imaginons – ils l'imaginent – en l'imaginant
6. ils le surprennent – en le surprenant – nous le surprenons

1. ils le fondent **2.** ils le sélectionnent **3.** ils l'attendent **4.** elles le maintiennent **5.** ils l'imaginent **6.** ils le surprennent

12. b. Exprimer son point de vue : c'est évident, c'est tant mieux, je suis en faveur de, à mon sens – **Argumenter son point de vue :** D'abord, parce que… Ensuite, parce que… – **Anticiper les contre arguments :** certes… Mais, Pourquoi… me direz-vous – **Justifier son point de vue avec un exemple :** Prenons l'exemple de

13. *Exemple de production :*
Passer mes week-ends devant la télé à enchaîner des séries sans sortir du lit, certes c'est une idée qui pourrait me séduire mais je ne le ferai pas. D'abord, parce que je déteste ne voir personne le week-end. Ensuite, parce que je me méfie de toutes les pratiques excessives. En quoi regarder une série télévisée peut être néfaste alors qu'on se divertit, me direz-vous. Binge watcher ressemble beaucoup à une addiction. Et qui dit addiction, dit danger pour la santé. Prenons l'exemple de ces jeunes qui ne sortent plus de leur chambre, complètement coupés de la société, vivant au travers des séries télévisées qu'ils regardent et des jeux vidéo auxquels ils jouent. Ils vivent dans un monde parallèle. C'est un phénomène inquiétant, à mon sens. Personnellement, j'adore les séries. Mais je suis en faveur d'une consommation modérée. Comme pour tout.

14. *Production libre.*

BILAN 3

1. 1. Dans les années 1930. *La crise de 1929 avance à grands pas, le nazisme commence à ronger l'Europe.*
2. a. Faux : *ce roman qui comporte étonnamment beaucoup d'humour.*
b. Faux : *Le premier tome, Au revoir là-haut, qui avait obtenu le prix Goncourt en 2013.*
3. Un rythme très affirmé et une construction bien définie.
4. c

2. 🎧 26 **Présentateur :** Aujourd'hui, dans notre reportage, nous allons parler de la série africaine *C'est la vie*, qui connait de plus en plus de succès en Afrique subsaharienne. Elle raconte la vie d'un centre de santé situé à Ratanga, un quartier imaginaire d'une grande ville d'Afrique de l'Ouest. Les personnages principaux sont des sages-femmes et leurs patientes, des femmes aux parcours tourmentés. Ce sont des témoignages réels de soignants venus du Mali, de Côte d'Ivoire ou du Bénin qui ont inspiré les scénaristes. À l'origine de ce projet panafricain, il y a un homme, Alexandre Rideau, directeur de la société de production sénégalaise Keewu. Après la radio, il utilise désormais la télévision pour parler de santé publique et pour moderniser la prévention à destination du grand public.
Alexandre Rideau : Les informations sur des thématiques telles que la santé, le développement, l'éducation sont très peu connues, car on n'entend presque jamais parler des histoires du continent africain. La série utilise ces histoires parce qu'elles illustrent des enjeux contemporains et permet d'ouvrir l'accès à une information qui, pour le moment, est encore difficilement accessible en Afrique.
Présentateur : Au fur et à mesure de la diffusion des épisodes au Sénégal, *C'est la vie* est devenu un rendez-vous populaire auquel les villages tiennent à inviter toute la population. Le point de départ d'un débat et d'une réflexion à l'échelle de tout un pays. *C'est la vie* aborde en effet chaque semaine des tabous de la société africaine, et c'est en parlant régulièrement avec la population, et notamment les chefs de village, que les inventeurs de la série dessinent les limites du scénario et définissent les compromis nécessaires. Cette collaboration permet à la série de faire passer des messages sans jugement, ni encouragement, et d'éviter toute forme de polémique. Et c'est peut-être là le secret du succès de la série. Fatou Jupiter Touré, qui joue dans la série le rôle d'une sage-femme à l'écoute des patientes, témoigne.
Fatou Jupiter Touré : La série, c'est une autre façon de mener un combat qui n'est pas forcément frontal, dans les cris, les femmes d'un côté et les hommes de l'autre, mais avec une vraie énergie positive, une vraie envie de changer les gens et les choses, pour le mieux-être de tous.
Journaliste : Et les actrices vont au-delà de leur rôle dans la série. En dehors des plateaux de tournage, elles poursuivent leur travail de sensibilisation. Awa Djiga Kane, qui joue la sage-femme controversée, n'avait jamais joué la comédie auparavant. Cette horticultrice forme depuis plusieurs années des femmes de Dakar à la microfinance et à l'agriculture urbaine, avec l'espoir d'améliorer leur quotidien.
Awa Djiga Kane : Je me suis faite ambassadrice depuis longtemps. J'ai envie de partager le peu que j'ai avec les femmes et j'ai envie de porter leur voix. Je pense aussi que c'est important de s'adresser aux plus jeunes, car je suis persuadée que ce sont eux qui redéfiniront à leur tour les rapports hommes-femmes en Afrique. Cette série est une série éducative, et les enfants doivent apprendre de cette série. On peut voir les choses de deux manières avec *C'est la vie* : soit tu t'engages à changer la vie pour qu'elle soit meilleure, soit tu te dis que c'est la vie, je n'ai pas le choix, je fais avec. Moi si je suis prête à changer cette vie pour qu'elle soit meilleure.
Présentateur : La série compte aller jusqu'à quatre saisons et sera traduite dans plusieurs langues comme le wolof et le bambara pour toucher une population plus large et transmettre l'idée que les femmes, en Afrique comme ailleurs, ont le droit de disposer de leur corps, de leur santé et de leur vie.

Corrigés et transcriptions

1. De témoignages réels de soignants du Mali, de Côte d'Ivoire ou du Bénin.
2. La santé (publique).
3. Elle constitue le point de départ d'un débat et d'une réflexion sur des thématiques qui ne sont pas souvent abordées en Afrique/qui sont taboues.
4. Pour définir les limites du scénario./Pour faire passer des messages sans juger et éviter la polémique.
5. b
6. Redéfinir les rapports entre les hommes et les femmes.
7. a

3. *Exemple de production orale :*
– Que penses-tu de l'idée d'un loto du patrimoine ? Tu sais, comme celui qui a été organisé en France pour récolter des fonds pour assurer l'entretien de monuments menacés ?
– Je ne sais pas trop, je me dis que ce devrait être à l'État de financer l'entretien ou la rénovation des sites français, et pas aux citoyens qui ont déjà beaucoup de taxes et d'impôts à payer !
– Personnellement, je trouve que c'est une bonne idée, ce loto. On sait que les finances de l'État sont au plus bas, donc pourquoi ne pas trouver d'autres moyens de financement ? Et puis, cette initiative permet à tout le monde de pouvoir s'investir dans la conservation de notre patrimoine. On a très peu d'occasions de le faire en dehors du loto !
– Oui, effectivement, et je crois d'ailleurs que l'État français a pu récupérer 22 millions d'euros grâce à cette initiative ! Mais j'ai également entendu dire que ce n'était pas suffisant, car la somme récoltée grâce au loto a été divisée entre les 270 monuments répertoriés, et la somme finale récoltée pour chaque site n'était pas aussi importante que ce qui était attendu.
– Oui, c'est vrai, même si certains monuments, une vingtaine je crois, ont reçu une plus grosse subvention. Pour les autres, il faudra effectivement compter sur une subvention complémentaire de l'État.
– Il y a un autre point qui m'interpelle : j'imagine que l'organisation d'un tel événement, ça doit avoir un coût, non ? Pour créer les supports de jeu, la communication… Cela signifie donc moins d'argent pour le patrimoine…
– Tu as tout à fait raison, mais un minimum d'investissement me semble nécessaire pour faire connaître l'opération et faire en sorte que ça fonctionne !
– En tout cas, je reconnais que c'était une idée innovante !

4. *Exemple de production écrite :*
Je souhaiterais parler d'un acteur que j'admire réellement. Il s'agit de Matt Damon, un acteur américain très célèbre. Il a joué dans de nombreux films à succès tels que *Will Hunting, Le talentueux M. Ripley, Il faut sauver le soldat Ryan*, les films d'aventures *Jason Bourne*, la série de films *Ocean's* avec d'autres superstars, *Ma vie avec Liberace* etc.
Premièrement, dans chaque film, sa performance en tant qu'acteur est excellente. Il s'approprie pleinement les différents personnages qu'il doit incarner. Il est capable de jouer des rôles variés tels qu'un agent de la CIA, un soldat, un personnage ambigu psychopathe, un voleur et beaucoup d'autres, dans des films tragiques, comiques, policiers, d'aventures et engagés.
Par ailleurs, et c'est sans doute pour cette raison que j'apprécie tout particulièrement cet acteur, cet homme est dévoué à la cause humanitaire et n'hésite pas à utiliser son nom pour défendre des causes nobles telles que la protection de l'environnement et en particulier l'accès à l'eau. Il a d'ailleurs créé une ONG (organisation non gouvernementale) en 2009 qui s'appelle water.org dont l'objectif est de fournir de l'eau potable et des solutions d'assainissement pour des pays en voie de développement tels que le Bangladesh, l'Éthiopie, le Ghana, Haïti et le Honduras.
Enfin, Matt Damon est un homme qui mène une vie très simple, avec sa femme et ses trois enfants, loin des paparazzis. Malgré l'argent qu'il gagne et sa notoriété, il a su garder les pieds sur terre et conserver les valeurs avec lesquelles il avait été éduqué, ce que je trouve admirable. Sa personnalité et son investissement humanitaire en font un modèle très inspirant. *(268 mots)*

DOSSIER 4 Nous vivons avec les nouvelles technologies

LEÇONS 1 et 2

1. a. Ce qu'il faut savoir sur le nuage informatique *(1 point)*
b. Paragraphe 1 : La définition du cloud – Paragraphe 2 : La protection des données *(1 point par bonne réponse)*
c. *Exemple de questions :*
1. Comment peut-on définir le cloud ? 2. Nos données sont-elles bien protégées ? *(1 point par bonne réponse)*
Attention : Les points sont attribués uniquement si les questions sont formulées avec une inversion.
d. empêcher le piratage des données *(1 point)*
e. 1. Vrai : *Techniquement, nos données sont mieux protégées dans le nuage où elles sont sauvegardées sur plusieurs serveurs que sur un ordinateur personnel qui n'est pas infaillible.* (1 point) **2.** Vrai : *les prestataires du cloud doivent s'engager par contrat à respecter la confidentialité des données et sont tenus depuis mai 2018, à se conformer au Règlement général sur la protection des données (RGPD).* (1 point) **3.** Faux : *Le cloud n'est pas épargné par le piratage.* (1 point) **4.** Faux : *en utilisant une application de sécurité qui empêchera le trafic internet malintentionné* (1 point)

2. 🎧 27 **Partie 1**
Journaliste : Bonjour à tous et bienvenue dans *L'Instant Médias*. L'influence d'Instagram, c'est le thème de notre rendez-vous hebdomadaire. 95 millions de photos et vidéos postées chaque jour ! Chaque moment du quotidien est devenu un prétexte pour poster une photo ou une vidéo ! Une question se pose alors : Instagram change-t-il notre rapport au réel ? Nous avons enquêté au cœur de quelques lieux symboliques de la génération « millenials » à Paris et rencontré Cathy Closier, la patronne du restaurant *Season* qui témoigne de l'influence d'Instagram sur son activité.
Cathy Closier : Avant l'ouverture de *Season*, je ne connaissais rien à Instagram. Pendant une dizaine d'années, j'ai ouvert des bistrots classiques. Puis il y a trois ans, j'ai décidé de tout changer et de créer un lieu plus moderne : un grand espace lumineux, des lampes jaune et rose… Dès le premier jour, tous les clients prenaient des photos et on m'envoyait des messages pour me dire que telle ou telle célébrité était venue dans mon restau, que j'avais 20 000 likes… Et j'ai découvert les influenceurs !

🎧 28 **Partie 2**
Journaliste : Depuis son ouverture, le restaurant a vu exploser le nombre d'abonnés à son compte Instagram : il en compte 68 000 et aujourd'hui, c'est l'un des restaurants les plus « instagramés » de la capitale ! Très vite, Cathy a embauché un community manager, un attaché de presse et a adapté la carte à sa clientèle. Un jour, une cliente blogueuse a posté une photo de son plat préféré, une tartine à l'avocat, et la tartine est vite devenue un succès. Sur sa carte, Cathy l'a nommée du nom de la blogueuse, *la Tartine de Lili*.
Cathy Closier : Il y a de plus en plus de clients qui ne regardent pas la carte et commandent en montrant des photos sur leur téléphone ! Ça leur semble tout à fait normal…
Journaliste : La nourriture serait le premier sujet dont on parle sur Instagram : un quart des utilisateurs de la plateforme l'utiliserait pour partager leurs repas. Notre rapport au réel, et donc à la nourriture, en est bouleversé. La nourriture est devenue une forme d'expression de soi qu'il faut partager sur les réseaux sociaux, comme les vêtements que l'on porte ou la musique que l'on écoute. Terminons justement cette émission avec une petite plage musicale. Merci d'être toujours aussi fidèles à notre émission et à la semaine prochaine dans *L'Instant Médias*.

a. 1. l'influence d'Instagram sur le réel **2.** dans quelques lieux parisiens emblématiques de la génération « millenials » **3.** restaurant

Corrigés et transcriptions

Season 4. la patronne du restaurant *Season* (0,5 point par bonne réponse)

b. 1. Vrai : *Dès le premier jour, tous les clients prenaient des photos et on m'envoyait des messages pour me dire que telle ou telle célébrité était venue dans mon restau, que j'avais 20 000 likes…* (1 point) 2. Faux : *Pendant une dizaine d'années, j'ai ouvert des bistrots classiques.* (1 point) 3. Vrai : *Puis il y a trois ans, j'ai décidé de tout changer et de créer un lieu plus moderne* (1 point) 4. Faux : *Avant l'ouverture de Season, je ne connaissais rien à Instagram.* (1 point)

c. Le nombre d'abonnés au compte Instagram de *Season* – L'adaptation de la carte du restaurant à la clientèle – L'embauche de personnel (0,5 point par bonne réponse)

d. *Exemple de production :* Avec les smartphones et des applications comme Instagram, chaque expérience de la vie (comme celle de manger au restaurant) peut être partagée. Pour attirer les clients, les lieux, les menus/les plats sont adaptés au goût de la clientèle. Et le regard des clients est influencé par les millions de photos qu'ils peuvent voir sur des réseaux sociaux comme Instagram. *(2,5 points)*

3. a. 1. Un mot de passe doit-il être compliqué pour être sûr ? 2. N'est-il pas risqué de se connecter sur un réseau public Internet ? 3. Comment la publicité ciblée fonctionne-t-elle ? 4. Quel intérêt trouve-t-on à publier des photos de soi sur les réseaux sociaux ? 5. Les réseaux sociaux ont-ils des conséquences positives sur notre société ? 6. Existe-t-il un système informatique qui soit totalement infaillible ?

b. *Production libre.*

4. 🎧29 1. Est-ce que vous pouvez nous expliquer le succès d'Instagram ?
2. Si je m'inscris sur Facebook, j'aurai la possibilité de fermer facilement mon compte ?
3. Comment est-ce que je peux être sûr que mes données personnelles sont bien protégées ?
4. Notre relation aux autres, elle a évolué comment avec les réseaux sociaux ?
5. Pourquoi le nuage informatique va révolutionner notre quotidien ?
6. Tu n'as pas trouvé désagréable de te faire pirater ta boîte mél ?

1. Pouvez-vous nous expliquer le succès d'Instagram ? 2. Si je m'inscris sur Facebook, aurais-je la possibilité de fermer facilement mon compte ? 3. Comment puis-je être sûr que mes données personnelles sont bien protégées ? 4. Comment notre relation aux autres a-t-elle évolué avec les réseaux sociaux ? 5. Pourquoi le nuage informatique va-t-il révolutionner notre quotidien ? 6. N'as-tu pas trouvé désagréable de te faire pirater ta boîte mél ?

5. 1. Quand aura-t-on la garantie que nos informations personnelles sont entièrement protégées sur Internet ? 2. Où publieront-ils leur publicité ? 3. Pourquoi a-t-il posté une photo des enfants sans l'autorisation des parents ? 4. Pensait-il vraiment que ce réseau était sécurisé ? 5. N'existe-t-il pas des risques d'usurpation d'identité avec la reconnaissance faciale ? 6. Comment ont-ils eu accès à ces informations confidentielles ?

6. 1. depuis 2. il y a 3. Depuis 4. Cela fait/Il y a 5. Dans 6. Il y a – depuis

7. 🎧30 1. Les réseaux sociaux sont nés aux États-Unis dans les années 1990.
2. 1997, c'est la création du premier réseau social.
3. À partir de la création de Sivdegress, on n'a pas arrêté de créer de nouveaux réseaux sociaux.
4. Le premier réseau professionnel a été créé en 2001.
5. De 2002 à 2004, Linkedin était le réseau social qui comptait le plus grand nombre d'utilisateurs.
6. À partir de 2004, Facebook a fait partie des réseaux sociaux les plus utilisés au monde.

1. **Cela fait** une trentaine d'années **que** les réseaux sociaux sont nés aux États-Unis. 2. Le premier réseau social a été créé **en** 1997. 3. **Depuis** la création de Sivdegress, on n'a pas arrêté de créer de nouveaux réseaux sociaux. 4. Le premier réseau professionnel a été créé **il y a** environ vingt ans. 5. **Pendant** deux ans, Linkedin a été le réseau social qui comptait le plus grand nombre d'utilisateurs. 6. **Depuis** sa création, Facebook fait partie des réseaux sociaux les plus utilisés au monde.

8. 1. actif : contraire inactif (autres préfixes en im- : impénétrable, impossible) – 2. légal : contraire illégal (autres préfixes en in- : infaillible, insubmersible) – 3. favorable : contraire défavorable (autres préfixes en mal- : malhonnête, malintentionné) – 4. légitime : contraire illégitime (autres préfixes en ir- : irrégulier, irréel) – 5. prévu : contraire imprévu (autres préfixes en dés- : désactivé, désagréable) – 6. remédiable : contraire irrémédiable (autres préfixes en il- : illogique, illimité)

9. a. 1. irréaliste 2. inintéressant 3. illogiques 4. désactivé 5. inefficace 6. irrespectueux

b. *Production libre.*

10. 1. Aucun système informatique n'est infaillible. 2. Mon serveur a été piraté… C'est illégitime. 3. Une personne malintentionnée pourrait se connecter à ton compte ! 4. Ce projet de reconnaissance faciale dans les aéroports me semble vraiment inadmissible. 5. La connexion Internet est vraiment trop mauvaise ici : impossible de travailler ! 6. C'est insupportable que tu sois sans arrêt sur Facebook ! 7. La fonction géolocalisation est désactivée sur mon smartphone. 8. Imaginer une connexion sécurisée pour tout le monde est irréaliste.

11. 1. numérique 2. mots de passe 3. application 4. comptes 5. application 6. sauvegarder 7. la protection/la sécurité 8. la sécurité/la protection 9. des fonctionnalités 10. utilisateurs 11. des bases de données 12. un réseau

12. b. Expressions pour parler de quelque chose qui inquiète : suscite de vives inquiétudes/ne comporte-t-elle pas des risques liés à/accueillent avec méfiance cet outil

Expression pour justifier une inquiétude : Cette interrogation est plus que légitime

Questions envisageant les risques potentiels : Cette fonctionnalité ne comporte-t-elle pas des risques liés à la confidentialité des opinions politiques ?/La vie privée des utilisateurs pourrait-elle être menacée ?/Quelle exploitation pourrait être faite des données si elles tombaient entre les mains de personnes malintentionnées ?

Conditionnel pour parler d'une situation hypothétique : cet outil qui pourrait permettre à Facebook d'en savoir encore plus sur les opinions politiques de ses utilisateurs./Quelle exploitation pourrait être faite des données si elles tombaient entre les mains de personnes malintentionnées ?

13. *Exemple de production :*
Je m'interroge sur les puces RFID. Elles sont censées améliorer la traçabilité des produits ou le contrôle d'accès des individus. En même temps, je trouve qu'elles suscitent de vives inquiétudes. Peut-on vraiment faire confiance à ces puces ? Que va-t-il se passer si un être malintentionné arrive à cloner la puce qu'on s'est fait implanter dans le bras ? N'y a-t-il pas des risques pour la santé ? Qu'en est-il de la protection des données ? Ces interrogations sont plus que légitimes, je pense. On pourrait en effet voir apparaître des dérives comme l'utilisation de la carte pour surveiller les employés ou encore le piratage de données concernant notre identité. Pourtant cela ne semble pas freiner le développement de cette puce…

14. 🎧31 On le dit « intelligent » car il permet à chacun de connaître sa consommation électrique par demi-heure, afin de mieux l'estimer et la gérer. Il facilite la facturation, notamment lors des changements de tarifs. Le compteur Linky connecté, présenté comme un outil favorable à l'environnement et au porte-monnaie des Français, équipe déjà dix millions de foyers. Plusieurs associations craignent pourtant qu'une telle collecte de données, qui laissent transparaître les habitudes de vie, soit détournée à des fins commerciales ou puisse être piratée.

Production libre.

Corrigés et transcriptions

LEÇONS 3 et 4

1. a. De nouvelles études viennent ~~confirmer~~ **contredire** la thèse selon laquelle les jeux vidéos présentent de nombreux méfaits, notamment sur ~~la socialisation~~ **le cerveau**. À ce sujet, un psychologue nous livre son point de vue en se basant sur ~~une étude du~~ **sa collaboration au** jeu vidéo Fortnite. *(0,5 point par bonne réponse)*
b. 1. Le psychologue s'appuie sur ses connaissances de l'intelligence humaine. Il connaît donc le but d'un jeu vidéo. Il apporte au concepteur des outils pour créer un jeu vidéo qui plaira au joueur. **2.** Ce ne serait pas un bon jeu vidéo car si le joueur joue à un jeu vidéo d'horreur c'est qu'il veut avoir peur. Le joueur veut trouver l'expérience qu'il recherche. *(1,5 point par bonne réponse)*
c. 2. réutiliser les compétences apprises au jeu dans la vie réelle. **3.** développer votre mémoire et votre logique **4.** stimuler la prise de décision **5.** apprendre à vous organiser **6.** faire travailler les réflexes *(0,5 point par bonne réponse)*
d. Exemples de production :
2. Je passe tant de temps sur Fortnite que j'arrive à me servir de stratégies apprises dans le jeu au quotidien !
3. Mon frère a tellement joué aux jeux vidéo pendant sa jeunesse qu'il a réussi à développer un esprit logique essentiel pour sa profession.
4. J'arrive à prendre des décisions si rapidement que cela étonne tout le monde. En fait, c'est une compétence que je dois aux jeux vidéo !
(1 point par bonne réponse)

2. 🎧 32 **Journaliste :** Bonjour à tous. Aujourd'hui nous allons parler de la digital detox, se déconnecter des outils numériques pendant une durée déterminée. Pierre, vous avez testé ?
Chroniqueur : Bien sûr que non ! Le problème de la diète numérique, c'est qu'il est difficile de la faire par soi-même ! Alors il faut s'imposer des règles, avoir des outils et même s'aider de la loi.
Journaliste : Comment faire… ?
Chroniqueur : Sur le plan professionnel, la loi sur le travail nous donne un cadre : il y a un droit à la déconnexion. Dans certaines grandes entreprises, les smartphones des cadres sont éteints après les heures de travail. Sur le plan personnel, on le sait tous, c'est encore plus complexe et paradoxal : nous sommes partagés entre le désir de nous déconnecter et l'envie d'être sans cesse connectés. Du coup, il y a de plus en plus d'offres pour se déconnecter. Des hôtels proposent de mettre votre téléphone dans un coffre pendant la durée de votre séjour, des centres de thalasso proposent même des massages et des cures de désintoxication numérique ! C'est très tendance en fait…
Journaliste : Très intéressant. Elle concerne qui cette addiction ?
Chroniqueur : Tout le monde. Et, comme toute addiction, elle a des effets négatifs. Des études montrent que nous avons de plus en plus de mal à nous concentrer par exemple. Figurez-vous qu'il existe des applis qui permettent de désactiver des applis de réseaux sociaux pendant une durée définie !
Journaliste : Une autre initiative originale, pour se déconnecter… les soirées « nomo » : vous laissez votre portable à l'entrée et vous le récupérez en sortant ! Il paraît que les gens sont très troublés ?
Chroniqueur : Je comprends, c'est facile à dire mais pas à faire ! En plus, on est tentés sans cesse. On trouve du Wi-Fi partout !
Journaliste : Oui ! Et puis le problème, c'est qu'après la diète numérique, il faut continuer la déconnexion ! Et là, c'est très compliqué ! Des spécialistes se sont rendu compte qu'il est très difficile de se désintoxiquer d'Internet, pour la simple raison qu'Internet, c'est gratuit et c'est légal !

a. 1. se déconnecter des outils numériques pendant une durée déterminée **2.** la diète numérique *(1 point par bonne réponse)*
b. Sur le plan professionnel
Loi : droit à la déconnexion au travail – Initiative de certaines entreprises : éteindre les smartphones des cadres après une certaine heure *(1 point par bonne réponse)*
Sur le plan personnel
Offre des hôtels : mettre les smartphones dans un coffre pendant la durée du séjour – Offre des centres de bien-être : proposer des massages et des cures de désintoxication numérique – Offre des applications : désactiver des applis de réseaux sociaux – Offre des soirées « Nomo » : laisser son portable à l'entrée et le récupérer en sortant *(0,5 point par bonne réponse)*
c. Il est compliqué de faire seul une digital detox. **C'est pour cela qu'**il faut avoir des outils. Nous désirons nous déconnecter. **Or** l'envie d'être sans cesse connectés est bien présente. **Puisque** la déconnexion est difficile sur le plan personnel, il existe beaucoup d'offres pour se déconnecter. C'est facile à dire mais pas à faire. **D'autant qu'**on est tentés sans cesse. **Certes**, faire une digital detox, c'est bien **mais**, le plus difficile, c'est de continuer après. *(0,5 point par bonne réponse)*
d. La conclusion fait référence aux autres types d'addiction tels que la drogue (illégale et chère) ou l'alcool (usage réglementé, payant, taxé). L'interdiction, la réglementation de l'usage et le prix peuvent aider à se désintoxiquer ou à ne pas s'intoxiquer. On prend plus facilement conscience des risques. *(1,5 point)*

3. 🎧 33 *Exemple :* C'est une alerte du ministère de la Santé. À force de regarder les écrans, les 16-24 ans ont une vue de plus en plus mauvaise.
1. Une étude récente montre que grâce aux réseaux sociaux, les jeunes boivent moins. En effet, ils arrivent à vaincre leur timidité et à aller vers les autres !
2. Internet et les réseaux sociaux ont modifié notre façon de voyager. Tout le monde le sait ! Puisque le voyageur 2.0 peut suivre les conseils de voyageurs qui lui ressemblent, il n'est plus obligé de s'adresser à des professionnels du tourisme.
3. Les destinations de voyage que l'on pensait insolites ne le sont plus avec les réseaux sociaux : à force de voir des photos de destinations « insolites » sur Instagram, Facebook ou Snapchat, ces destinations sont désormais au centre de circuits touristiques.
4. L'application Strava diffuse sur les réseaux sociaux vos performances de courses à pied ou à vélo. Mais de nombreux sportifs ayant installé cette application sur leur smartphone voient leur vie privée devenir publique en raison du fait qu'ils n'ont pas décoché l'option « partager les données sur les réseaux sociaux ».
5. La conversation, dont l'importance a diminué pendant deux siècles, a fait un formidable retour avec les réseaux sociaux. Grâce à eux, de plus en plus d'intellectuels débattent sur le web et la conversation est revenue au centre de la vie intellectuelle française.
6. Selon quelques experts, à cause de la mise en concurrence des individus, les réseaux sociaux ne favorisent pas le débat citoyen. Intellectuels, politiques et anonymes discutent ensemble mais souvent, ne s'écoutent pas.

a. 1. Cause positive **2.** Cause présentée comme connue de l'interlocuteur **3.** Cause qui se répète **4.** Cause neutre **5.** Cause positive **6.** Cause négative

b. 1. Les réseaux sociaux permettent aux jeunes de vaincre leur timidité et d'aller vers les autres. C'est la raison pour laquelle ils boivent moins. **2.** Le voyageur 2.0 peut suivre les conseils de voyageurs qui lui ressemblent donc il n'est plus obligé de s'adresser à des professionnels du tourisme. **3.** On voit tant de photos de destinations insolites sur Instagram, Facebook ou Snapchat qu'elles sont désormais au centre des circuits touristiques. **4.** De nombreux sportifs n'ont pas décoché l'option « partager les données sur les réseaux sociaux » sur Strava, c'est pour cela qu'ils voient leur vie privée devenir publique. **5.** De plus en plus d'intellectuels débattent sur le web alors la conversation est revenue au centre de la vie intellectuelle française. **6.** Les individus sont mis en concurrence, c'est pourquoi les réseaux sociaux ne favorisent pas le débat citoyen.

4. 1. C'est la raison pour laquelle/C'est pourquoi **2.** Alors/Donc **3.** c'est pourquoi/c'est la raison pour laquelle **4.** C'est pour cela **5.** donc/alors

5. 1. Les smombies : des piétons qui ont les yeux tellement rivés à leur écran de smartphone qu'ils en oublient leur propre sécurité et celle des autres. **2.** Le FOMO : quelqu'un qui a tellement peur de manquer un événement dont on parle sur les réseaux sociaux qu'il est incapable de se déconnecter. **3.** Le bovarysme digital : tant de choses sont postées sur les réseaux sociaux que certaines personnes ont l'impression de vivre une vie banale à côté de celle des autres. **4.** La textonite : certains écrivent tant de textos ou chattent tellement que cela crée une douleur dans les doigts, les mains ou les bras. **5.** La vibration fantôme : on est si habitué à sentir vibrer son téléphone qu'on a l'impression de le sentir vibrer tout le temps. **6.** Les autres signes d'addiction : certaines personnes consultent tant leur smartphone qu'elles ne sont plus capables d'accomplir une tâche au travail.

6. *Exemple : le casque de réalité virtuelle*

Cette technologie est tellement variée et perfectionnée qu'elle permet par exemple de voler comme un oiseau au-dessus de la ville de Paris. Cette technologie peut provoquer des chutes, c'est pourquoi elle est en général interdite eux enfants.

7. *Exemple de production :*

2. Ils referaient leurs réservations de train à la gare. **3.** Ils réapprendraient les numéros de téléphone par cœur. **4.** Ils se réhabitueraient à se repérer sur des plans papier. **5.** Ils réutiliseraient leur téléphone fixe.

8. a. Tout commence avec un tweet écrit à partir d'un compte comptant un abonné. Un seul ! Quelle audience Twitter accordera-t-il à ce premier tweet ? La réponse est probablement aussi complexe que l'algorithme qui dirige le destin de ce post. Ce premier tweet décroche un RT (retweet) de la @cinemathequech et 5 mentions « j'aime ». C'est l'envol !
b. L'expérience client devient un réel atout commercial, car il n'y a pas meilleurs (ou pires) ambassadeurs que les clients : ce sont bel et bien eux qui publient fièrement une belle photo de leur fondue dans un restaurant typique sur les médias sociaux.

9. 1. Or **2.** certes **3.** mais **4.** En effet **5.** ainsi **6.** De ce point de vue **7.** En fait **8.** d'autant qu' **9.** Même si

10. 🎧 34 *Exemple :* [y] – [u] : autonome – justement – booster – gracieusement – suffisamment – réapparu
1. [ø] – [œ] : dangereux – judicieuse – par cœur – embauche – utilisateur – curiosité
2. [o] – [ɔ] : nombreux – obsolescence – reconnu – maximum – beaucoup – adoucir
3. [y] – [ø] : furieux – désolation – heureusement – adolescence – murmurer – sérieuse
4. [o] – [u] : égocentrique – discussion – susciter – animosité – boomerang – internaute

a. 1. [ø] – [œ] : embauche – curiosité **2.** [o] – [ɔ] : nombreux – adoucir **3.** [y] – [ø] : désolation – adolescence **4.** [o] – [u] : discussion – susciter

11. a. 1. donne des informations : 67 % des Français/d'après de récentes études – **2.** argumente : selon moi/je trouve – **3.** interpelle le lecteur : Il ne faut pas/Faites/N'écoutez pas – **4.** argumente : D'abord/Ensuite/Et puis – **5.** donne des informations : On parle d'hyperconnexion numérique quand – **6.** argumente : En effet, il est beaucoup plus compliqué de s'offrir ce luxe quand on n'est pas sûr d'avoir un travail à la rentrée/quand on a peur qu'on vous bloque votre compte en banque – **7.** interpelle le lecteur : impératif 2ᵉ personne du pluriel – **8.** argumente : il y a un problème/je trouve que/il est beaucoup plus compliqué que/il faut avouer que – **9.** interpelle le lecteur : points d'interrogation, d'exclamation et de suspension
b. Texte injonctif : n° 3 – Texte argumentatif : n° 2 – Texte explicatif : n° 1

12. *Exemple de production :*

Des études le prouvent, le cyber harcèlement, les insultes et les photomontages dégradants sont de plus en plus nombreux à circuler sur les réseaux sociaux. On a découvert récemment « la ligue du lol », un groupe constitué de journalistes qui s'appliquait à harceler des hommes et des femmes, identifiés comme féministes.
À mon sens, cette explosion de haine qui se déverse sur Internet, ce flot d'insultes révèlent une société en manque de repères. Évidemment, l'anonymat favorise ces phénomènes de violence verbale : la parole se libère et déborde… Certes, les réseaux sociaux ont un rôle positif, mais je trouve surtout qu'il y a une forme de dilution des responsabilités et de dimension régressive. Ainsi, ces plateformes deviennent de véritables fléaux.

Mon conseil ? Quittez-les au plus vite ! Si vous n'en avez pas le courage, montrez-vous responsable sur la Toile : les insultes ne sont qu'une marque de démesure et d'irréflexion. Prenez-les avec du recul et refusez de vous laisser intimider par les fous furieux de la Toile…

13. 🎧 35 L'humoriste Florence Foresti ne supporte plus qu'un spectateur filme son one-woman-show avec son smartphone et poste la vidéo sur les réseaux sociaux avant la fin de son spectacle. Elle va donc innover en interdisant les portables lors de son prochain spectacle. Le spectateur devra donc accepter les règles au moment de l'achat du billet. Chaque spectateur gardera son téléphone pendant le spectacle mais devra l'enfermer dans une pochette, qui se fermera automatiquement à l'entrée de la salle grâce au dispositif Yondr. Les spectateurs resteront néanmoins joignables en cas d'urgence. À la fin du spectacle, toutes les pochettes seront ouvertes. Florence Foresti espère ainsi éviter que des extraits de son spectacle soient diffusés sur les réseaux sociaux. Elle sera la première humoriste française à expérimenter un spectacle sans téléphone. Le guitariste américain Jack White avait interdit l'usage des téléphones portables lors de son dernier concert à l'Olympia à Paris. Aux États-Unis, l'humoriste Dave Chappelle, les chanteurs Ariana Grande et Alicia Keys, le groupe Guns N'Roses ont également testé le dispositif, et le système commence à être utilisé dans des tribunaux et des écoles.

a. L'interdiction des téléphones portables pendant un spectacle.
b. Le but est d'éviter que des extraits du spectacle soient diffusés sur les réseaux sociaux sans l'accord de l'humoriste. Le téléphone est enfermé dans une pochette qui se ferme en entrant dans la salle et s'ouvre à la fin du spectacle.
c. *Production libre.*

BILAN 4

1. 1. Elle nécessite de gros investissements.
2. Faux : *De quoi permettre d'éviter le décrochage scolaire, tout en faisant encore progresser les plus performants.*
3. Les sciences cognitives.
4. La métacognition stimule les processus d'acquisition.
5. a

2. 🎧 36 **Journaliste :** Notre reportage du jour concerne la cantine et une initiative intéressante. Les élèves du lycée Saint-Joseph, dans le Pas-de-Calais, en France, peuvent décider le matin même, s'ils restent ou non pour le déjeuner à la cantine du lycée. Ils choisissent leur menu deux heures à l'avance via leur smartphone, ce qui permet de réduire le gaspillage, d'améliorer le service et d'augmenter la fréquentation du restaurant scolaire. Avec nous, Thibaut et Alexandra, deux élèves du lycée. Thibaut, vous pouvez nous expliquer comment ça marche ?
Thibaut : Alors, je commande mon repas le matin sur mon téléphone. On peut choisir ce qu'on veut, des sandwichs, des paninis, des pâtes, des salades, des fruits, des yaourts… Il y a beaucoup de choix. Après, quand on appuie sur « commander », c'est retiré directement de notre compte. C'est plus simple.
Journaliste : Alexandra, qu'en pensez-vous, c'est bon, ça va ?
Alexandra : Ben on sait exactement ce qu'on mange, c'est assez équilibré parce que parfois, à la cantine, on n'a plus trop de choix.
Journaliste : Un vrai gain de temps, d'autant plus que cela évite d'attendre trop longtemps à la cantine. Et le sandwich revient à deux euros. Cette application offre un service plus souple, plus adapté, n'est-ce pas Philippe Descamps ? Vous êtes le proviseur du lycée Saint-Joseph.

Philippe Descamps : Je crois qu'il faut effectivement proposer de la liberté, à un prix qui tourne autour de 3,20 euros le repas. On vivait une situation où 250 élèves déjeunaient de manière contrainte dans l'établissement, et aujourd'hui, en ayant offert beaucoup de liberté, et bien ils sont plus de 700.
Journaliste : Sébastien Bach, vous préparez les repas. Le gaspillage a-t-il vraiment été réduit ?
Sébastien Bach : On a pratiquement zéro déchet sur la cafétéria. Tout est vendu. Avant, on ne pouvait pas précommander, donc on produisait un peu de tout, et il y avait beaucoup de gaspillage. Aujourd'hui, ce n'est plus le cas, la production est adaptée à la demande.
Journaliste : Et le système n'a pas encore atteint tout son potentiel dans ce restaurant scolaire.

1. On peut commander son repas sur son smartphone le jour même.
2. réduire le gaspillage, améliorer le service, augmenter la fréquentation de la cantine 3. c 4. une augmentation du nombre d'élèves à la cantine/la cantine est passée de 250 à 700 élèves 5. c

3. *Exemple de production orale :*
– Tu es encore sur ton téléphone ?
– Désolée, je viens de recevoir un message.
– C'est moi qui suis désolé, je suis un peu à cran, mais je me rends compte que nous vivons dans un monde hyperconnecté et nous sommes devenus complètement dépendants de nos téléphones, tablettes, etc. Sans parler de la télévision, qui nous hypnotise et nous isole des autres. Je crois que je deviens allergique aux écrans. Mais ce n'est pas près de s'arranger, les entreprises développent sans cesse de nouvelles fonctionnalités qui nous rendent de plus en plus accros et nous prennent une grande partie de notre temps libre.
– Certes, c'est tout à fait vrai. Moi-même je ne peux me passer de mon téléphone, que je consulte des dizaines de fois par jour au gré de mes envies et besoins. Mais il faut avouer que c'est quand même très utile pour beaucoup d'actions du quotidien, et pas seulement… Les entreprises et le secteur éducatif utilisent de plus en plus ces nouveaux outils technologiques. Par exemple des élèves ont reçu des tablettes dans certaines écoles, ce qui permet de dynamiser l'apprentissage. Il existe également des outils de formation numériques comme les « MOOC », ces « cours en ligne ouverts à tous », accessibles facilement sur différents écrans, qui sont très performants, et qui sont une nouvelle manière, reconnue, de se former à son rythme tout en continuant à travailler. Je suis néanmoins d'accord avec toi, on utilise parfois les écrans à tort et à travers, et on perd parfois du temps précieux en famille, par exemple, quand on regarde la télévision à table, ou qu'on est sur son téléphone à discuter avec d'autres personnes sur les réseaux sociaux. On profite également moins du moment présent si on filme un concert ou si on passe son temps à se prendre en photo. Il faut avoir la volonté de réguler sa consommation des écrans pour notre bien-être et celui de nos proches, mais une chose est sûre : nous ne pouvons plus vraiment nous en passer, car ils font désormais partie de nos vies et de la société.

4. *Exemple de production écrite :*
Bonjour,
Je réponds à cet appel à témoignages car je viens de réaliser que j'étais nomophobe ! Je ne connaissais pas ce concept de nomophobie avant de lire cette annonce mais je me suis tout à fait retrouvé dans le profil que vous décrivez.
En effet, je crois que je suis complètement dépendant de mon smartphone. Par exemple, si je l'oublie à la maison le matin, il m'est impossible de passer la journée complète sans mon téléphone… Il faut absolument que je fasse demi-tour et retourne le chercher ! Je me surprends également à vérifier de nombreuses fois par jour si mon précieux téléphone se trouve toujours dans ma poche…
Ces constats m'amènent à réfléchir à la raison d'une telle dépendance, qui peut sembler ridicule pour certains. En réalité, les smartphones sont devenus presque indispensables de nos jours. La vie quotidienne est nettement facilitée par les applications développées pour les smartphones : on peut ainsi vérifier la météo ou le trafic avant de partir au travail. En cas d'attente dans les transports en commun ou chez le médecin, ou pendant notre temps libre, on peut consulter la presse, ses messages, les réseaux sociaux, écouter de la musique ou visionner des films etc. On est toutefois très souvent dépendants du réseau Internet pour ces applications (ou de la batterie !), et je ressens une réelle frustration lorsque je ne suis pas en mesure de consulter ces applications.
Il reste cependant des personnes qui résistent à l'appel des smartphones et utilisent des téléphones plus anciens sans toutes ces fonctionnalités (on pourrait parler cette fois d'une peur inverse, la « smartphobie » !), mais une fois qu'elles essaient un smartphone, il doit être difficile de revenir en arrière ! *(283 mots)*

DOSSIER 5 Nous débattons de questions de société

LEÇONS 1 et 2

1. 🎧 37 **Journaliste :** Agnès Buzyn, bonjour.
Agnès Buzyn : Bonjour.
Journaliste : *Le Parisien* nous apprenait hier que le prix de certains médicaments courants pourrait augmenter en janvier 2019 et 2020. Cette augmentation est liée aux honoraires des pharmaciens qui augmentent du fait d'un accord signé en 2017. Les assurances complémentaires de santé pourraient ne pas compenser cette augmentation qui resterait donc à la charge du patient. Alors, deux choses d'abord : est-ce que vous confirmez que ce sera bien le cas ? Et si oui, combien de médicaments verraient leur prix augmenter ?
Agnès Buzyn : Aujourd'hui, la politique que nous menons est une politique en faveur des génériques. Je rappelle que les Français prennent beaucoup de médicaments, probablement trop par rapport à la moyenne des pays européens et qu'ils ne prennent pas suffisamment de médicaments génériques qui coûtent beaucoup moins cher à la Sécurité sociale pour le même service rendu. Toute la politique que nous menons vise en fait à inciter les Français à prendre des génériques plutôt que des médicaments de noms de marque et à inciter les pharmaciens et les médecins à les prescrire. Il est possible que les médicaments de marque augmentent mais les Français seront remboursés sur la base du générique quand un générique existe, sauf s'il y a une contre-indication médicale et à ce moment-là, le médicament de marque sera remboursé comme il se doit.
Journaliste : Donc, rien ne change ? Je n'ai pas bien compris… il y a seulement une augmentation pour les médicaments de marque ?
Agnès Buzyn : Je ne peux pas vous dire pour tous les médicaments, je ne suis pas dans les négociations de prix pour tous les médicaments évidemment. Cela se fait au cas par cas. Par contre, ce que nous faisons, c'est de faciliter l'accès aux génériques pour tous les Français parce que nous devons absolument rejoindre les pays européens sur la consommation de génériques qui coûtent beaucoup moins cher à la collectivité. Les économies réalisées permettent de payer des médicaments très innovants qui arrivent sur le marché, contre le cancer par exemple. Les médicaments génériques sont aussi efficaces que ceux de marque. Donc j'ai envie de dire aux Français : arrêtons d'acheter des marques, nous payons des boîtes, des marques, et nous n'en avons pas besoin.

a. 1. Agnès Buzyn est invitée car une hausse du prix de certains médicaments courants a été annoncée pour janvier 2019 et 2020. *(1 point)*
2. Selon elle, les Français consomment beaucoup, même trop de médicaments par rapport à la moyenne européenne. *(1 point)*
3. La politique menée par le gouvernement vise à inciter les Français, les pharmaciens et les médecins à privilégier les médicaments génériques plutôt que les médicaments de marque afin de réaliser des économies. *(1 point)*

Corrigés et transcriptions

b. 1. un pharmacien, un médecin, un patient *(1 point)* 2. la Sécurité sociale, une assurance complémentaire de santé, rembourser *(1 point)* 3. un médicament, une contre-indication, un générique *(1 point)*
c. 1. Trop de médicaments ont été consommés en France dans le passé. *(1 point)* 2. Le remboursement des génériques sera favorisé dès 2019. *(1 point)* 3. D'importantes économies sont visées par la Sécurité sociale. *(1 point)*
d. *Exemple de production :*
Le journaliste ne comprend pas quels sont les médicaments qui augmenteront. La ministre explique que cela ne concerne que certains médicaments de marque et que cela ne posera aucun problème puisque des génériques moins chers et remboursés existent pour presque tous ces médicaments de marque. Elle explique également que chaque fois que le générique n'existe pas ou ne sera pas adapté, le médicament de marque sera remboursé. *(1 point)*

2. a. 3 *(0,5 point)*
b. L'article traite **des changements apportés à la langue française** dans le monde francophone. Il semble que **le conservatisme** soit un aspect plus fort en France que dans les autres pays. Ainsi, les autorités **canadiennes** ont souhaité les premières que les professions soient féminisées, même si rien n'est définitivement fixé, les autres ont ensuite plus ou moins adopté les mêmes modernisations. En ce qui concerne l'écriture inclusive, **aucun pays** n'a pris la décision officielle de l'appliquer. *(1 point par bonne réponse)*
c. 1. b – 2. d – 3. a/c – 4. e – 5. a/b/d *(0,5 point par bonne réponse)*
L'Académie française : 1. b – Les militant(e)s féministes : 4. e – La France : 3. c ou 5. a – La Belgique : 2. d ou 5. d – La Suisse : 2. d ou 5. d – Le Canada francophone : 2. d ou 5. d *(0,5 point par bonne réponse)*

3. 🎧38 1. La surprise du jour, c'est le dernier classement international qui place le régime social français comme le plus généreux du monde. Nous en discuterons avec notre spécialiste santé.
2. À l'international. Depuis hier, les représentants des pays producteurs de pétrole sont réunis à Riyad. Au menu : les dernières fluctuations de prix au niveau mondial.
3. En France ce matin : les premières gelées sont arrivées dans la moitié nord du pays, attention sur les routes !
4. Aujourd'hui, le verdict du tribunal administratif sera rendu dans l'affaire de la gestion des centres médicaux de la région des Hauts-de-France.
5. Le taux de chômage alors qu'on entre dans le dernier trimestre de l'année : les chiffres devraient être annoncés dans la journée.
6. Enfin, mercredi, c'est le jour des sorties en salle : les belles séances à ne pas rater nous seront révélées par notre chroniqueuse.

Voix active : 3. d 1. f
Voix passive : 2. a 6. b 4. c 5. e

4. 1. Le droit de vérifier les comptes de la Sécurité sociale a été donné au Parlement par la loi de 1996. 2. On discutera prochainement en Commission parlementaire le remboursement des activités sportives permettant de lutter contre les maux de dos. 3. Ceux qui décident du remboursement des prescriptions sont-ils trop influencés par les fabricants de médicaments ? 4. La mise sur le marché d'un implant électronique et connecté est en ce moment examinée pour simplifier la vie des personnes atteintes de diabète. 5. Un nouveau type de carte vitale contenant l'ensemble des données médicales d'un patient pourrait être imaginé. 6. Il est possible que les tarifs soient remontés par les assurances privées en fonction des remboursements du système public.

5. 1. Ces vingt dernières années, on a régulièrement modifié les lois de financement de la Sécurité sociale. 2. L'efficacité des médicaments remboursés par la Sécurité sociale est régulièrement examinée par une commission de spécialistes. 3. Depuis quelques années, des recommandations pour limiter la consommation d'antibiotiques peuvent être entendues. 4. Les autorités auraient également invité les médecins à prescrire une pharmacopée plus légère. 5. Dans le futur, de moins en moins de médecins devraient être consultés par soi-même du fait du parcours de santé contrôlé par le médecin traitant. 6. Au cours des prochaines années, les consultations à distance seront probablement généralisées par les centres de santé.

6. 🎧39 1. Je trouve étonnant que les Français consultent le médecin pour toutes les maladies d'hiver, même celles qui sont courantes.
2. J'ai entendu des publicités à la radio, je pense que les autorités doivent expliquer clairement pourquoi les antibiotiques ne sont pas automatiques plutôt que faire dire ce slogan à un enfant !
3. Souhaiteriez-vous qu'on ajoute à notre code de bonnes pratiques l'utilisation de l'écriture inclusive pour toutes les communications internes à l'entreprise ?
4. Travaillons à présent sur la transparence des revenus, pour que les employeurs ne puissent plus cacher les différences de rémunération entre les hommes et les femmes.
5. L'année prochaine, il faut absolument que l'assurance santé reçoive un montant dédié à la campagne d'information sanitaire sur les vaccins, les citoyens sont mal informés.
6. Il me semble que les administrations ont le devoir de montrer l'exemple en matière d'écriture inclusive.
7. Dans certains pays, c'est vraiment triste que des femmes soient obligées de choisir entre leur carrière et la maternité, quelle inégalité !
8. En ce qui concerne l'épidémie de grippe, il semble que la situation soit à présent en voie d'amélioration, notamment chez les personnes fragiles.

1. Jugement – Subjonctif 2. Opinion – Indicatif 3. Volonté – Subjonctif 4. But – Subjonctif 5. Obligation – Subjonctif 6. Opinion – Indicatif 7. Sentiment – Subjonctif 8. Doute – Subjonctif

7. 1. Il semble que les linguistes français aient beaucoup plus de débats qu'ailleurs. – Il me semble que les linguistes français ont beaucoup plus de débats qu'ailleurs. 2. J'imagine que la règle de l'accord de proximité peut être plus simple à utiliser que la règle actuelle. – Imaginez-vous que la règle de l'accord de proximité puisse être plus simple à utiliser que la règle actuelle ? 3. Il est possible que la complexité de la grammaire française fasse partie de sa richesse. – Il est probable que la complexité de la grammaire française fait partie de sa richesse. 4. La représentante trouve que les déserts médicaux sont une réalité pour ceux qui vivent loin des villes. – La ministre trouve choquant que les déserts médicaux soient une réalité pour ceux qui vivent loin des villes. 5. Le parcours de santé a été mis en place afin que les Français aillent chez le médecin généraliste avant de consulter un spécialiste. – On limite désormais les visites médicales puisque les Français vont chez le médecin généraliste avant de consulter un spécialiste. 6. Vous espérez que le taux de remboursement des lunettes sera de plus en plus élevé ? – Vous exigez que le taux de remboursement des lunettes soit de plus en plus élevé ?

8. *Exemple de production :*
1. un jugement : C'est bizarre que les linguistes français aient plus de débats qu'ailleurs. 2. un doute : Je doute que la règle de l'accord de proximité puisse être plus simple à utiliser que la règle actuelle. 3. une opinion : Je crois que la complexité de la grammaire française fait partie de sa richesse. 4. un sentiment : Je regrette que les déserts médicaux soient une réalité pour ceux qui vivent loin des villes. 5. une obligation : Il est nécessaire que les Français aillent chez le médecin généraliste avant de consulter un spécialiste. 6. une volonté : Je veux que le taux de remboursement des lunettes soit de plus en plus élevé.

9. 1. les personnes : un service d'urgence 2. les actes médicaux : un transport en ambulance 3. les traitements : une consultation 4. les objets en relation avec la santé : une trousse de toilette 5. les maladies : recevoir une transfusion 6. le système de santé : le diagnostic

10. 1. a été affiliée 2. mutuelle de santé 3. maladie 4. symptômes 5. ambulancier 6. clinique 7. ordonnance 8. hôpital

11. 🎧 40 **Exemple :** Les explications minutieuses du pharmacien sont souvent précieuses pour comprendre les notices d'utilisation.
Selon les dernières études publiées dans un magazine de société, les inégalités entre les salaires des hommes et ceux des femmes sont toujours aussi visibles.

Selon le**s** dernière**s** étude**s** publiée**s** dan**s** un ma**g**a**z**ine de **s**ociété, le**s**
[s]   [z]   [z]   [z]   [s]   [z]
inégalités entre les **s**alaires de**s** hommes et **c**eux des femme**s** **s**ont
              [s]   [z]   [s]   [s]
toujours au**ss**i vi**s**ibles.
          [s]   [z]

12. 🎧 41 **Philippe :** À mon avis, la féminisation des noms, c'est bien ; mais modifier les règles de grammaire me paraît excessif et de nature à perturber la lecture et la fluidité de la langue. Or, quand on lit, on doit être sensible à la beauté de la langue et non pas à des sujets relatifs à l'égalité entre les sexes. Il ne faut pas que l'idéologie prenne le pas sur le sens, ce sont deux choses différentes.
Martine : Je ne pense pas que l'on puisse envisager la question de l'écriture inclusive dans les domaines de la littérature ou de la poésie. Le débat doit se situer du côté de la langue de communication, d'information et surtout, d'apprentissage. On doit apprendre à tous, et surtout aux enfants, que les métiers, les tâches et travaux, toutes ces choses n'appartiennent ni aux hommes, ni aux femmes, mais bel et bien à tous ! Je ne vois absolument pas d'idéologie là-dedans. Et seule l'écriture inclusive peut faire ça : il faut mettre en place une législation forte !
Philippe : Donc il faudrait déjà déterminer ce qui pourrait être soumis à la nouvelle loi… Cela semble extrêmement complexe…
Françoise : Oui, enfin, c'est bien pensé tout ce que vous dites, il n'empêche que ce n'est pas l'ajout de quelques points et de terminaisons féminisées qui changera la nature des choses. En fait, il me semble incroyable qu'on réponde au problème de l'égalité hommes-femmes par la seule proposition formelle de l'écriture inclusive. C'est sur les mentalités que je crois nécessaire qu'on agisse, et sans attendre !
Martine : Bien sûr ! Mais ne pensez-vous pas que c'est par la modification des pratiques et l'habitude que peu à peu les mentalités changeront ? Imaginez-vous sincèrement qu'on puisse faire évoluer toute une société en un rien de temps ?

a. La mise en place de l'écriture inclusive
b. Philippe : 2, 4, 5 – Martine : 1, 3, 4, 6 – Françoise : 3
c. 4, 2, 5, 1, 6, 3
13. *Production libre.*
14. *Production libre.*

LEÇONS 3 et 4

1. a. Il s'agit d'un clivage qui oppose Paris, la capitale, aux régions qui seraient toutes unies contre Paris. *(1,5 point)*
b. 1. Le budget des régions comme leur image se sont beaucoup développés.
2. La droite est entrée dans l'opposition au gouvernement.
3. Elle n'a pas réussi à formuler une critique profonde sur les plans économique ou sécuritaire.
4. Les responsables régionaux ont quitté la table des négociations.
5. L'opposition s'est positionnée sur l'axe « Provinces unies, tous contre Paris ». *(0,5 point par bonne réponse)*
c. Indique une progression :
(+) cette guerre entre la capitale et les « territoires » […] retrouve de plus en plus de vigueur
(+) la réforme de 2015 […] leur a donné […] infiniment plus de « publicité »
Compare des faits avec insistance :
(=) l'opposition se positionne tout aussi clairement du côté de la proximité que du côté du bon sens et de l'action de terrain
(=) elles disposent […] de tout autant de personnel administratif
(−) le thème de la décentralisation occupe objectivement moins de place que dans le passé
Donne un ordre de grandeur :
(+) la réforme 2015 […] leur a donné presque deux fois plus de poids
(0,5 point par bonne réponse)
d. *Exemple de production :*
Le journaliste explique que les responsables régionaux profitent de la bonne image des régions auprès du public, ils les défendent contre la capitale ; cependant, ils cherchent en même temps à obtenir une place ou un rôle à Paris. C'est contradictoire ! Même si le texte est généralement neutre, le journaliste donne à la fin son opinion sur ce paradoxe. *(3 points)*

2. 🎧 42 **Laurence :** Bonjour, Cyril. À travers une étude sur l'optimisme des Français, vous nous parlez aujourd'hui du rapport entre le football, la politique et le sentiment national des Français, c'est bien ça ?
Cyril : Oui, bonjour Laurence. Hier paraissait une étude pour *Le Figaro* et France Info. En bref, une nette majorité de Français se disent « optimistes » concernant leur avenir après la victoire des Bleus en finale de la Coupe du monde de football, dont ils estiment qu'elle aura un « impact positif sur la fierté des Français ». Pourtant, le président Macron ne bénéficie pas de retombées positives.
Laurence : Mais alors, expliquez-nous : c'est quoi exactement, cet « optimisme » dont parle le sondage ?
Cyril : Eh bien, on pourrait dire que cela se situe en quelque sorte au niveau de la représentation que les Français ont d'eux-mêmes. En effet, qu'ils évoquent la fierté d'être Français (à 82 %) ou l'image de la France dans le monde (à 74 %), les Français interrogés voient des retombées positives après cette victoire à la Coupe du monde. Un autre résultat, clairement paradoxal celui-là : seul un tiers des personnes interrogées envisage un impact sur le propre moral des sondés. La confiance en l'avenir de la situation économique française est également en hausse de 5 points, mais demeure minoritaire, à 39 %.
Laurence : C'est quand même étonnant, on réalise que la politique n'est jamais bien loin… Que l'on parle de gastronomie ou que l'on commente une victoire sportive.
Cyril : Oui, vous avez raison. Et plus encore que le fait politique lui-même, on voit qu'une analyse par tendance politique est possible : si, globalement, l'optimisme des Français est en forte hausse à 62 %, gagnant 21 points depuis décembre, il est nécessaire de nuancer. En effet, il est majoritaire chez les sympathisants de toutes les formations politiques, à l'exception de ceux du Rassemblement national (ex-Front national), pessimistes à 55 %.
Laurence : Et où se situe Emmanuel Macron dans cette enquête ?
Cyril : D'une certaine manière, il en est séparé. Les sondés ne sont que 34 % à considérer que l'épopée victorieuse de l'équipe de France de football aura un impact sur la popularité d'Emmanuel Macron. À ce jour, il est jugé « bon président » par seulement 39 % des personnes interrogées, en baisse de deux points depuis fin juin. L'institut de sondage note d'ailleurs que la victoire de 2018 n'aura pas eu du tout le même effet sur la popularité d'Emmanuel Macron que la victoire de 1998 sur celle de Jacques Chirac (+ 7 points à BVA et à l'IFOP en un mois).
Laurence : Donc, si on résume : les Bleus champions du monde, ça flatte l'ego et ça colore la vie en rose ; en d'autres termes, ça rend les Français heureux et enthousiastes. Les effusions de l'unité effacent pour quelque temps les sentiments passionnés et extrêmes, qui ne manquent pas : on adore, on s'agace, on rejette, on pleure… et finalement, on revient à ses émotions initiales, comme si de rien n'était.

a. 1. Faux : « qu'ils évoquent la fierté des Français (à 82 %) ou l'image de la France dans le monde (à 74 %), les Français interrogés voient des retombées positives après cette victoire à la Coupe du monde. »

Corrigés et transcriptions

2. Vrai : « on réalise que la politique n'est jamais bien loin… Que l'on parle de gastronomie ou que l'on commente une victoire sportive… » *(2 points par bonne réponse)*
b. 1. Plus 5 points pour **la confiance en l'avenir de la situation économique**. 2. **L'optimisme des Français** en hausse spectaculaire de 21 points. 3. Un recul de 2 points pour **la popularité du Président de la République, Emmanuel Macron.** *(1 point par bonne réponse)*
c. fierté et optimisme : « ça rend les Français heureux et enthousiastes » – **sentiment d'unité nationale** : « les effusions » – **soutien fort** : « on adore » – **énervement** : « on s'agace » – **rejet** : « on rejette » – **déception** : « on pleure » *(0,5 point par bonne réponse)*

3. 🎧 43 1. Le mot « solidarité » évoque spontanément l'entraide pour les Français mais il évoque également d'autres valeurs tout aussi positives comme le partage, l'union et l'altruisme.
2. Si l'on en croit l'évolution constatée au fil des années, on valorise de plus en plus clairement les actions concrètes : consacrer davantage de temps à un proche, donner des objets, des vêtements ou de la nourriture.
3. Les Français ont de moins en moins d'hésitations quand il s'agit d'identifier les acteurs de la solidarité, qu'ils soient institutionnels, associatifs ou individuels.
4. Les Français attendent deux fois plus d'actions solidaires de la part de l'État que de la part des personnes individuelles.
5. Au niveau de la société, l'égalité des sexes semble être un combat quatre fois moins important que celui contre la pauvreté et le besoin.
6. Les personnes interrogées mettent beaucoup plus l'accent sur l'égalité hommes-femmes quand il s'agit de promouvoir l'égalité des chances en entreprise.

1. Insiste (=) 2. Indique une évolution (+) 3. Indique une évolution (–) 4. Donne un ordre de grandeur (+) 5. Donne un ordre de grandeur (–) 6. Insiste (+)

4. 1. deux fois plus d' – 2. tout autant de – 3. bien moins/beaucoup moins – 4. de plus en plus – 5. bien moins/beaucoup moins

5. 1. Que l'on vive en Belgique ou (que l'on vive) en Allemagne, on est en démocratie. 2. Que l'on fasse du football ou (que l'on fasse) du rugby, on pratique un sport internationalement populaire. 3. Que l'on adore les sports collectifs ou qu'on les déteste, leur popularité reste indéniable. 4. Que l'on soit favorable à l'écriture inclusive ou que l'on préfère la seule féminisation des noms, on ne peut pas refuser la féminisation de la langue. 5. Que l'on achète des médicaments de marque ou que l'on obtienne des médicaments génériques, les effets sont les mêmes. 6. Que l'on prenne des antibiotiques ou que l'on choisisse un traitement naturel, un virus nécessite plusieurs jours de repos.

6. 1. République 2. participer 3. scrutins 4. élections 5. démocratie 6. citoyens 7. Président de la République 8. gouvernement 9. Assemblée nationale 10. Sénat 11. Parlement

7. *Exemple de production :*
1. Lorsqu'une équipe nationale remporte un championnat ou une coupe, les supporters sont euphoriques.
2. Face à une situation gaie comme l'élection d'un candidat qu'on a soutenu, on éprouve de la joie.
3. On peut plus facilement éprouver de l'aversion face à des aliments que face à un sport !
4. Nous haïssons les exclamations nationalistes que l'on peut parfois entendre dans les stades de football !
5. Quand leur candidat préféré perd une élection, certains citoyens se sentent bien malheureux…

8. a. 1. incompréhension 2. énervement 3. frustration 4. désespoir 5. colère 6. surprise 7. euphorie 8. bonheur 9. satisfaction 10. amusement 11. ennui 12. désespoir
b. *Exemple de production :*
Cette bande dessinée de Quino présente un personnage face à une corde emmêlée. Il veut la démêler.
On voit tout d'abord qu'il ressent de l'incompréhension, il se demande pourquoi la vie est si compliquée. Ce sentiment devient ensuite de l'énervement : on voit qu'il s'agite jusqu'à une grande frustration.
Puis il éprouve du désespoir, il pense qu'il ne pourra pas résoudre son problème et se met en colère. Soudain, c'est la surprise qui arrive car il réalise qu'il a réussi.
Il est alors vraiment euphorique, on voit son grand bonheur puis sa satisfaction.
Enfin, il ne ressent plus que de l'amusement, qui devient de l'ennui et finalement du désespoir : il n'a plus de problème à résoudre et ne sait plus quoi faire.

9. a. 1. Le thème général 2. La thèse soutenue 3. La thèse rejetée 4. Le premier argument 5. Le deuxième argument 6. La synthèse de l'opinion
b. 1. Dans le contexte actuel de – 2. Par ailleurs – 3. car – 4. C'est pourquoi – 5. est-on bien sûr que – 6. C'est un fait – 7. Certes – 8. Ainsi

10. *Exemple de production :*
Actuellement, le sport est sans doute le domaine qui rassemble le plus de personnes partageant les mêmes sentiments. Fan ou agacé par ces effusions populaires, on se demande souvent si on doit exclure des compétitions les équipes ayant utilisé des produits dopants.
Pour commencer, il est normal de punir des personnes qui n'ont pas respecté la loi et ont utilisé des produits illégaux. Certes, mais cela justifie-t-il d'exclure toute une équipe pour l'erreur de quelques-uns ? Il faut par ailleurs rappeler que ces sportifs ne sont pas des personnes « normales ». Ils représentent leur équipe mais aussi leur pays. Tous s'identifient à eux. C'est pourquoi les sanctions doivent être exemplaires.
Ainsi, il est nécessaire d'être strict dans le rejet total du dopage sportif. C'est aux équipes de tout faire pour que leurs membres restent « propres » et continuent à mériter l'admiration de tout un pays.

11. *Production libre.*

BILAN 5

1. 1. c 2. Faux : *Cette inégalité n'a que très peu diminué au cours des vingt-cinq dernières années* OU *Selon l'Insee, en 2010, les femmes prenaient en charge 64 % des tâches domestiques et 71 % des tâches parentales au sein des foyers. En 1985, ces taux s'élevaient respectivement à 69 % et 80 %.* 3. *L'homme voit la femme comme la responsable en titre du travail domestique. Les hommes n'assument pas leur part de charge mentale.* 4. b

2. 🎧 44 **Journaliste :** Un rhume, un mal de tête, des maux de ventre ou les yeux qui larmoient… Qui n'a pas soigné lui-même ce type de petit problème de santé ? Ces troubles, ces douleurs, poussent à ne pas faire appel au médecin, faute de temps, parce l'on croit savoir, ou parce qu'on juge inutile de présenter une ordonnance au pharmacien si le médicament n'est pas remboursé par la Sécurité sociale. L'automédication, c'est une réalité partout dans le monde, même si dans certains pays, la population a davantage recours à cette prise de médicaments sans consultation. Pourtant, cette pratique mérite une prudence certaine. D'abord, dans l'évaluation des symptômes, ensuite dans le choix du produit, son dosage, et enfin dans les interactions possibles avec d'autres produits déjà pris par le patient. Car, s'il se passe de l'avis du médecin, il ne doit jamais perdre de vue que s'il s'attend au résultat d'un produit, c'est parce que celui-ci présente un principe actif qui ne peut en aucun cas être sans effet sur sa santé. Nous recevons le professeur Alain Baumelou, professeur de néphrologie à la Pitié-Salpêtrière, Sorbonne Universités, auteur de plusieurs ouvrages consacrés à l'automédication, et Nathalie Richard, directrice adjointe des médicaments en antalgie à l'ANSM, l'Agence de sécurité du médicament et des produits de santé. Alors professeur Alain Baumelou, comment définir une automédication pertinente et responsable ?
Professeur Alain Baumelou : Se soigner, ce n'est pas simplement prendre une gélule. Il s'agit de prendre, pour des symptômes qu'on connaît très bien, le bon médicament à la bonne dose. Et ce n'est pas si facile.

Corrigés et transcriptions

Journaliste : Nathalie Richard ?
Nathalie Richard : Alors, il faut savoir que tous les médicaments ne peuvent pas être délivrés en automédication, heureusement. L'avis d'un médecin est le plus souvent nécessaire. En revanche, pour des maladies bénignes, des médicaments peuvent être pris à la pharmacie sans ordonnance, directement par le patient, mais avec l'avis du pharmacien.
Journaliste : Avec nous, au téléphone, un témoignage. Sophie, soixante ans, mère de deux grands enfants, a toujours eu recours à l'automédication. Bonjour Sophie, on vous écoute.
Sophie : Bonjour, alors, je pratique l'automédication pour tout ce qui est banal : un rhume, un mal de ventre…
Journaliste : Pourquoi préférez-vous faire de l'automédication plutôt que d'aller voir votre médecin ?
Sophie : Eh bien, l'accès à son médecin traitant est devenu difficile. Très souvent, on ne peut pas obtenir de rendez-vous. Et par ailleurs, le coût d'une consultation n'est pas toujours justifié pour un petit rhume.
Journaliste : Alors, quels médicaments prenez-vous ?
Sophie : J'utilise beaucoup les huiles essentielles et l'homéopathie, mais j'ai également toujours dans ma trousse à pharmacie des médicaments comme du paracétamol, de l'aspirine et de l'ibuprofène. En revanche, je n'irais pas jusqu'à prendre un antibiotique. L'automédication a des limites.
Journaliste : Merci Sophie. Nathalie Richard, vous souhaitez réagir à ce témoignage ?
Nathalie Richard : Oui, merci. D'une part, il faut dire que tout médicament peut avoir des effets indésirables voire dangereux pour la santé, même dans le cas des paracétamols, aspirine ou ibuprofène. D'autre part, concernant l'antibiotique, non seulement ce médicament peut être mal utilisé, mais il peut aussi être pris par un membre de la famille à qui il n'a pas été prescrit. Et ça, c'est très dangereux.
Journaliste : Et cela pose la question-clé de l'autodiagnostic. Par exemple, un patient a une angine, il prend des antibiotiques qui lui restaient dans sa trousse à pharmacie, car la dernière fois, il avait été traité pour une angine bactérienne, sauf que cette fois-ci, il a une angine virale, et les antibiotiques, ça ne sert à rien. Professeur Alain Baumelou ?
Professeur Alain Baumelou : Il est certain que dans une maladie virale, les antibiotiques ne servent strictement à rien. Ils présentent des risques individuels d'allergie, mais c'est également un problème de santé publique, car utiliser des antibiotiques de manière non raisonnée, c'est favoriser une résistance aux maladies. C'est l'une des raisons d'ailleurs pour lesquelles en France, il n'y a pas d'antibiotiques vendus en automédication.
Journaliste : Notre émission se termine… Je vous remercie tous les deux d'être venus discuter avec nous, aujourd'hui.

1. b 2. 2 réponses parmi : l'évaluation des symptômes (ou diagnostic), le choix du produit, le dosage du produit, les interactions entre les médicaments. 3. Prendre le bon médicament à la bonne dose (pour des symptômes bien connus). 4. b 5. a 6. Utiliser les antibiotiques de manière non raisonnée / contrôlée / sans l'avis d'un médecin développe une résistance aux antibiotiques.

3. *Exemple de production orale :*
Dépassement de soi, accomplissement de nouveaux records, travail en équipe, représentation d'une nation lors d'événements importants tels que les Jeux Olympiques, la Coupe du monde de différentes disciplines… Le sport a de tout temps passionné les foules. Il est également devenu un vrai marché. Peut-on dire que l'argent modifie les valeurs du sport ? Je parlerai dans un premier temps des valeurs du sport pour ensuite évoquer le rôle et l'impact de l'argent sur le sport et l'esprit sportif.
Quand on prononce le mot « sport », différents mots et idées viennent à l'esprit. On peut penser au fait que le sport aide à se divertir, à se dépenser, à rester en bonne santé, à s'évader du quotidien et oublier le stress de la journée, à socialiser et à respecter l'autre notamment grâce aux sports d'équipe. Le sport véhicule par ailleurs des valeurs telles que « performance », « records », « dépassement de soi », « compétition ». Si ces termes, qui sont principalement appliqués à un niveau professionnel, représentent ce qui plaît au public qui regarde des événements sportifs, ils impliquent également une certaine pression pour les sportifs.
En effet, l'ultra-médiatisation du sport et la place qu'a pris l'argent dans ce secteur ont fait que désormais, seul le résultat compte. Le sport est devenu un véritable marché dans lequel des pays ou de riches entreprises s'échangent des joueurs et de l'argent pour des sommes astronomiques, souvent jugées indécentes, qui posent par ailleurs des problèmes éthiques de vente d'êtres humains. Le terme « mercato » en football, par exemple, illustre bien ce dilemme.
Par ailleurs, la pression du résultat, pour une équipe, pour une multinationale, pour un pays, est tellement importante que les athlètes repoussent sans cesse les limites. Ils ne peuvent ainsi pas échapper au dopage, ce qui met à mal leur santé, mais également toutes les valeurs initiales du sport. La loi du plus fort et la surenchère dans les exploits font de ces athlètes vus comme des humains en mutation.
On est donc bien loin de l'esprit sportif véhiculant des valeurs de solidarité, de partage, de recherche de soi. L'argent n'est cependant pas le seul coupable dans cette évolution. Le rôle des médias est important, dans la mesure où le sport est présent partout, tout le temps dans les médias et répond au besoin de la société d'assister au spectacle sportif.

4. *Exemple de production écrite :*

Bonjour,
Je vous remercie de me donner l'opportunité de m'exprimer sur un sujet aussi important que la politique. La politique permet de gouverner une nation, elle est primordiale pour le bon fonctionnement de la société. Toutefois, la politique engendre des désaccords ainsi que de nombreuses désillusions. Outre le parti au pouvoir, qui ne correspond pas nécessairement à tous les citoyens, certaines actions ou décisions ne répondent pas aux besoins des citoyens, et pire, les scandalisent et les détournent peu à peu de la politique. On peut penser notamment à des scandales d'emplois fictifs ou de détournement d'argent découverts parfois des années plus tard. En réalité, ce qui amène le plus à la désillusion est le fossé qu'il peut y avoir entre le monde « réel » du peuple et le monde des politiciens. Par exemple, quand un journaliste interviewe certains politiciens du gouvernement français et leur demande combien coûte le prix d'une baguette, rares sont ceux qui peuvent répondre correctement ! Cela suggère qu'ils sont très loin de la vie quotidienne et des préoccupations du peuple. À partir de cette constatation, une certaine méfiance peut survenir : en effet, comment les politiciens peuvent-ils prendre les meilleures décisions s'ils ne comprennent pas les attentes du peuple qu'ils gouvernent ?
Mes attentes concernant la politique sont ainsi de rapprocher la gouvernance du peuple et d'apporter ainsi plus de démocratie. Ensuite, il me semblerait important d'expliquer davantage le fonctionnement de la politique dès l'école et de proposer des débats au lycée par exemple, ce qui permettrait de créer une conscience politique égalitaire, quelle que soit l'origine ou le milieu socio-économique d'où l'on vient. *(269 mots)*

DOSSIER 6 Nous faisons évoluer la société

LEÇONS 1 et 2

1. a. 3 *(1,5 point)*
b. Paragraphe 1 : Moins d'inégalités sociales, plus d'équité salariale – Paragraphe 2 : Efficacité et rentabilité – Paragraphe 3 : Une source d'inspiration *(1,5 point)*
c. 1. Vrai : *Dans les grandes, compétitivité oblige, ce ratio peut passer de un à quinze.*
2. Faux : *car les jeunes diplômés sont davantage en quête de sens que d'argent vite et mal gagné.*
3. Vrai : *Contrairement à ce qu'on pourrait penser, les entreprises sociales et solidaires ont elles aussi des ambitions de croissance et de rentabilité.*

4. Faux : *Certaines d'entre elles atteignent ainsi des dimensions dignes des grandes multinationales.*
5. Faux : *C'est pourquoi les entreprises sociales font souvent travailler ensemble coopératives, sociétés anonymes, filiales…* *(1 point par bonne réponse)*
d. 1. Le projet doit avoir une vocation sociale en lien avec le cœur de métier de l'entreprise.
2. Le projet doit pouvoir être transformé en modèle économiquement durable et autonome. *(1 point par bonne réponse)*

2. 🎧 45 **Journaliste :** Pas d'abeilles, pas de fruits. Les scientifiques tirent la sonnette d'alarme. La survie de 80 % des espèces végétales dans le monde dépend directement de la pollinisation par les insectes, essentiellement les abeilles. Or, les populations de ces abeilles sont en déclin et donc de nombreuses espèces végétales menacées. Pour sauver les pollinisateurs, l'Europe a mis en place un programme qui a pour but d'évaluer les risques encourus par la biodiversité : le projet Allard.
Les abeilles interviennent dans la pollinisation de nombreuses cultures. Difficile d'imaginer un repas auquel les abeilles n'auraient pas contribué.
Des chercheurs néerlandais et britanniques étudient le déclin de ces pollinisateurs. Des experts de 26 pays ont envoyé leurs échantillons. Ils étudient les 700 espèces les plus répandues en Europe. L'étude montre un déclin parallèle entre les abeilles sauvages et les plantes à fleurs pollinisées. Il aurait fallu imaginer un plan de développement durable pour l'apiculture il y a plusieurs dizaines d'années. L'élimination de l'habitat des abeilles, la raréfaction des plantes qui leur apportent leur nourriture, l'utilisation de pesticides et le changement climatique sont autant de facteurs qui contribuent à éliminer ces pollinisatrices.
En réponse à ce danger d'extinction, l'homme crée de toutes pièces des parcs aux conditions idéales pour la réintroduction des abeilles. En assurant avec d'autres insectes la pollinisation de 80 % des plantes à fleurs, les abeilles seraient indirectement responsables de 35 % de la production mondiale de nourriture.

a. Problème : Le déclin des abeilles *(0,5 point)* **Causes :** L'élimination de l'habitat des abeilles – La raréfaction des plantes qui apportent leur nourriture – L'utilisation de pesticides – Le changement climatique *(0,5 point par bonne réponse)* **Conséquence principale :** Menace d'extinction des espèces végétales qui dépendent de la pollinisation des abeilles *(0,5 point)* **Solutions mises en place :** Au niveau européen : mise en place du projet Allard pour évaluer les risques – Au niveau local : création de parcs pour la réintroduction des abeilles *(0,5 point par bonne réponse)*
b. 1. 35 % : Pourcentage de la production mondiale de nourriture qui dépend des abeilles – 80 % : Pourcentage d'espèces végétales dans le monde qui survivent essentiellement grâce à la pollinisation des abeilles. *(1,5 point par bonne réponse)*
2. **La première information n'est pas vérifiée.** Utilisation du conditionnel : *les abeilles seraient indirectement responsables de 35 % de la production mondiale de nourriture.* – **La seconde information est vérifiée.** Utilisation du présent de l'indicatif : *La survie de 80 % des espèces végétales dans le monde dépend directement de la pollinisation par les insectes, essentiellement les abeilles.* *(1 point par bonne réponse)*
3. Les mesures prises ont été trop tardives : *Il aurait fallu imaginer un plan de développement durable pour l'apiculture il y a plusieurs dizaines d'années.* *(1 point)*

3. 1. si vous aimez contribuer à la vie collective. 2. si tant est que vous ayez envie de partager avec vos voisins des valeurs communes. 3. à condition que vous disposiez de temps libre pour participer à la vie de la coopérative. 4. pourvu que vous puissiez payer les charges produites par les équipements et services communs. 5. si vous êtes ouvert à la discussion. 6. si tant est que vous sachiez pratiquer le consensus.

4. *Exemple de production :*
1. Je vous propose de faire du covoiturage à condition que vous participiez aux frais d'essence. 2. Une entreprise pratique l'ESS si elle investit dans des projets d'utilité sociale avant tout. 3. Ce jeune diplômé intégrera cette coopérative de travail si tant est qu'il fasse preuve d'une grande motivation et qu'il s'investisse dans le projet collectif. 4. Anna fera carrière dans l'économie sociale et solidaire pourvu qu'elle ait un salaire d'au moins 2 000 euros par mois. 5. Cette année, je ferai du bénévolat si tant est qu'on ait besoin de mes services. 6. L'entreprise devrait connaître un fort développement cette année à condition qu'il n'y ait pas de crise majeure.

5. 🎧 46 1. L'utilisation massive des pesticides aurait causé de nombreuses maladies graves chez les agriculteurs de la région. 2. Le passage au 100 % d'électricité renouvelable pourrait créer jusqu'à 335 000 emplois d'ici 2050. 3. Selon le WWF, il resterait 10 millions d'espèces végétales et animales à découvrir. 4. Il faudrait une rupture nette pour réussir la transition écologique. 5. Les tigres pourraient disparaître d'ici douze ans, prévient le fonds mondial pour la nature. 6. Je pense en effet que l'adoption du Plan vert permettrait de responsabiliser chaque citoyen.

Affirmation atténuée ou suggestion : 4, 6 – **Faits hypothétiques ou probables :** 2, 5 – **Information non confirmée :** 1, 3

6. *Exemple de production :*
Nous le savons, la planète se réchauffe et ceci a un impact sur l'environnement.
La température pourrait augmenter de 4,8 °C d'ici 2100. De nouvelles maladies, des pandémies pourraient apparaître. On pourrait également assister à des déplacements massifs de populations.
Certains disent qu'on ignorerait encore de nombreuses conséquences tandis que d'autres prétendent qu'il existerait des solutions pour inverser le changement climatique.

7. 1. Il aurait fallu supprimer les moteurs diesel dans les grandes villes. 2. On aurait dû limiter l'artificialisation. 3. Tu aurais pu mieux isoler ton logement. 4. Ça aurait été bien de ne pas toucher au portefeuille des Français en matière d'écologie. 5. Il aurait fallu éveiller la conscience écologique bien plus tôt. 6. Vous n'auriez pas dû faire payer une taxe sur la quantité de déchets rejetés par les ménages.

8. *Exemple de production :*
1. J'aurais préféré une voiture électrique. 2. On aurait dû faire voter une loi interdisant de construire des immeubles sur toutes les côtes. 3. Il n'aurait pas dû utiliser autant de pesticides. 4. J'aurais bien voulu que les promesses de campagne soient tenues. 5. Il aurait fallu cesser de contraindre les gens à choisir entre l'écologie et le pouvoir d'achat. 6. Il aurait fallu pratiquer la politique des petits pas il y a 50 ans, car l'écologie est une urgence absolue maintenant. 7. Ils auraient dû s'y mettre comme tout le monde. 8. Elle aurait dû préférer les visioconférences.

9. sociale et solidaire – groupe – salariés – chiffre d'affaires – gouvernance – actionnaires – bénéfices – réinvestis – structures déficitaires – recettes – spéculatives

10. 🎧 47 1. La Réunion compte 1 730 espèces de plantes différentes.
2. Dans le milieu marin, l'urbanisation croissante du littoral et le développement des activités humaines dans les eaux côtières fragilisent des espèces comme la baleine à bosse et la tortue verte.
3. Les rivières, les cascades, le lagon, l'océan Indien : sur l'île de la Réunion, l'eau est une invitation permanente.
4. Oiseaux, lézards, insectes montrent comment la vie peut faire preuve d'imagination quand elle est contrainte de s'adapter à des conditions nouvelles.
5. On y cultive des fruits exotiques comme la mangue, la noix de coco ou l'ananas mais la principale culture est celle de la canne à sucre.

Corrigés et transcriptions

Extrait n° 1 : La flore – Extrait n° 2 : Les dangers et les menaces – Extrait n° 3 : Le monde aquatique – Extrait n° 4 : La faune – Extrait n° 5 : L'agriculture

11. a. surexploitation – boisement – insecte – estuaire – agriculture – abeille – crue – côte – singe – forêt – fleur – pesticide – inondation – sylviculture – déforestation – fleuve – extinction
b. La faune : insecte, abeille, singe – La flore : boisement, forêt, fleur – Le monde aquatique : estuaire, côte, fleuve – L'exploitation de la terre : agriculture, sylviculture – Les dangers et les menaces : surexploitation, crue, pesticide, inondation, déforestation, extinction

12. b. 1. Des images fortes : pillage des océans
2. Des expressions pour parler de l'augmentation : – trois fois plus important – a plus que quadruplé – ont été multipliés par dix
3. Des expressions pour parler de la diminution : le déclin – les mers se vident de leurs poissons
4. Des expressions pour parler de l'évolution rapide : s'accélère – à ce rythme
5. Des expressions pour parler des conséquences : a un impact considérable sur – les effets pourraient être irréversibles – la situation est telle
6. Des expressions pour alerter : l'heure est grave – tirent la sonnette d'alarme – alertent

13. *Exemple de production :*
L'heure est grave. Des espèces invasives prennent le contrôle des mers. C'est le cas de la Taxifolia. Appelée algue tueuse, peste verte, fleur du mal, serpent des mers, Alien des mers, algue fatale, assassine, ravageuse, cancer ou sida des mers… Caulerpa taxifolia ne cesse de progresser et de s'étendre depuis sa découverte en 1984, au pied du rocher de la Principauté de Monaco. Cette prolifération est désastreuse tant au niveau environnemental qu'économique.
Ce qui est grave, c'est que cette espèce a été introduite par l'homme ! La situation est telle que certains clubs de plongée, sur les endroits les plus atteints, sont obligés de changer de site car il y a de moins en moins de biodiversité à observer.
La Côte d'Azur étant un centre mondial pour le tourisme balnéaire, cela a un impact direct sur son économie. Ce sont les pêcheurs professionnels qui sont les plus handicapés. Par mer agitée, les filets se remplissent de Taxifolia, empêchant toute prise de poissons.

14. 🎧 48 Payés à faire de la bicyclette par leur société ! D'abord expérimental, l'« indemnité kilométrique vélo » versée par les entreprises à leurs salariés s'est développée.
Chaque matin, des salariés avalent leurs quelques kilomètres de trajet de leur domicile à leur lieu de travail. Un dispositif avantageux, côté santé et côté finances. Et plus on multiplie les coups de pédale, plus on gagne… Certains ont déjà estimé que cela valait la peine de rentrer chez soi, le midi, pour la pause déjeuner… À vélo, les employés déjouent les embouteillages et arrivent plus tôt. Les employeurs font des hypothèses sur les bénéfices à en tirer : comme ils sont en meilleure forme, il y aura sûrement moins d'arrêts maladie !

Production libre.

LEÇONS 3 et 4

1. a. Irène Frachon – Pneumologue – Pharmaceutique – Toxicité du Mediator – Retrait du marché du médicament, ouverture d'une instruction judiciaire et mise en place d'un processus d'indemnisation des victimes. *(0,5 point par bonne réponse)*
b. 1. Les premiers soupçons **2.** Une investigation longue et minutieuse **3.** La découverte de la tromperie **4.** L'échec de la révélation aux autorités **5.** La révélation au grand public **6.** L'aboutissement de plusieurs années de travail **7.** L'avertissement sur les liaisons dangereuses entre les médecins et les laboratoires *(1,5 point au total)*
c. 1. Vrai : *l'Isoméride, qui n'était rien d'autre que le Mediator !*
2. Faux : *qui m'a procuré plusieurs publications scientifiques*
3. Faux : *Les médecins devraient renoncer à certains avantages et financements des laboratoires (1 point par bonne réponse)*
d. 1. Il faut sensibiliser les médecins aux conflits d'intérêts. **2.** Tous les médecins doivent veiller à prendre des décisions pour les patients sans être influencés par les laboratoires. *(1,5 point par bonne réponse)*

2. 🎧 49 **Journaliste :** C'est un phénomène assez peu connu du grand public : le café suspendu ou café en attente. Venu d'Italie, le *caffè sospeso* est une tradition de solidarité envers les plus démunis née à Naples durant l'entre-deux-guerres. Un café bu, un autre payé pour une personne inconnue dans le besoin… Le concept s'est étendu ces dernières années à d'autres villes en Europe. Ici aux Lilas, petite ville de proche banlieue parisienne, le principe du café suspendu fonctionne à merveille. C'est ce que nous explique le gérant du café Le Syringa.
Gérant du Syringa : Donc j'ai quoi, en exagérant à peine heu… une trentaine de cafés en suspens. J'attends que des personnes dans le besoin viennent les consommer. Le café est avant tout symbolique. Le principe, c'est surtout de sortir ces personnes isolées du milieu où elles sont enfermées. Elles sont souvent dans une situation d'exclusion. On cherche à les pousser à ouvrir une porte, à revenir dans la société, à recréer du lien social. Donc ça marche très bien dans ce sens-là.
Journaliste : À tel point qu'une association a même étendu le principe à d'autres commerces de la ville. On peut désormais trouver des fruits et légumes ou du poisson suspendus. L'avantage, c'est de pouvoir donner ou recevoir sans s'afficher. Alain est donneur. Il nous explique.
Alain : Ce que je n'aime pas, c'est la charité. Justement quelqu'un donne et heu… on voit dans le regard de l'autre une domination. Je n'aime pas ça. Donc avec ce concept, je donne, je ne sais pas à qui… ni homme ni femme, ni jeune ni vieux, ni français ni étranger, ça ne me regarde pas.
Journaliste : Des livres sont aussi suspendus à la librairie de la ville et les bénéficiaires espèrent eux aussi un jour pouvoir contribuer. Comme Joseph, un bénéficiaire.
Joseph : Pour le moment, je ne peux pas être celui qui achète mais effectivement si dans quelque temps, ça va mieux, j'aimerais aussi pouvoir acheter un livre suspendu !
Journaliste : Les commerçants comptent sur le bouche à oreille pour que d'autres commerces et d'autres villes se mobilisent et s'engagent dans cette action.

a. Le café **suspendu** : une action **solidaire** envers les plus **démunis**. *(1 point)*
b. *Exemple de production :*
On achète un café pour une autre personne qui est dans le besoin. Ce café, déjà payé, est mis en attente jusqu'à ce qu'une personne démunie vienne le consommer. *(2 points)*
c. 1. À Naples, en Italie, pendant l'entre-deux-guerres *(0,5 point)* **2.** Aux fruits et légumes, au poisson et aux livres *(1,5 point)* **3.** Recréer du lien social pour les personnes qui sont en situation d'exclusion *(1 point)*
d. 1. Alain : Ce geste permet **de donner tout en restant anonyme**, empêche **de voir une domination dans le regard de l'autre** et **de connaître la personne qui bénéficie du don**. *(3 points)* **2.** Joseph : Dans quelque temps, si ça va mieux, je souhaiterais participer **à cette action de solidarité**. *(1 point)*

3. 1. Certains/D'autres **2.** Chacun **3.** aucune **4.** La plupart **5.** Chaque **6.** Plusieurs **7.** aucun
4. 1. Tous **2.** tout **3.** toutes **4.** Toutes **5.** tous **6.** Toute **7.** tous **8.** tout
5. a. 1. Tous les lanceurs d'alerte ont rencontré des problèmes. **2.** La plupart des entreprises ont un comité d'éthique. **3.** Personne ne connaît parfaitement les risques de dénoncer les dérives d'un système. **4.** Nous sommes un autre type de consommateurs qu'il y a cinquante ans. **5.** Aucune publicité n'a d'impact négatif sur le consommateur. **6.** Rien n'est influencé par la publicité.
b. *Production libre.*

6. a. 1. La campagne de collecte « Don'actions » qu'a lancée le Secours populaire permet de récolter des fonds pour développer une solidarité de proximité en toute indépendance. **2.** L'adresse particulière que l'Agence nationale de sécurité du médicament a mise à la disposition des lanceurs d'alerte permet de leur faciliter la tâche. **3.** Les premiers frigos solidaires que la ville de Lyon a ouverts sont installés dans des restaurants du 9ᵉ arrondissement. **4.** La phrase « Parce que je le vaux bien » qu'a écrite un jeune assistant de publicité dans les années 1970 est encore le slogan officiel de la marque L'Oréal. **5.** Les besoins que la publicité a créés ne seront jamais comblés. **6.** Les notions d'éthique et de transparence que les entreprises ont introduites leur permettent de valoriser leur image.

b. Participes passés dont la prononciation change : mise – écrite – introduites

7. Il y a un an jour pour jour, j'avais réglé mon téléphone pour qu'il sonne une heure plus tôt avec comme unique obsession d'arriver la première chez Zara pour l'ouverture des soldes d'hiver. Cette année, je l'ai ~~réglée~~ **réglé** comme d'habitude. Parce qu'avec le recul je trouve ça ridicule, je n'avais besoin de rien l'année dernière et cette année encore moins. Je me rappelle très bien de mes achats ce jour-là : des bottes marron que j'ai très peu ~~porté~~ **portées**, une robe de soirée que je n'ai ~~mis~~ **mise** qu'une fois et qui a fini au fond de mon placard, une pochette à paillettes dont j'avais oublié l'existence et que j'ai ~~retrouvé~~ **retrouvée** dans la malle à déguisements de ma fille la semaine dernière. Je sais que c'est agaçant de passer à côté d'un manteau ou d'une paire de chaussures que l'on a ~~convoité~~ **convoités** pendant des semaines mais ne vous mettez pas dans un état de stress pour autant, ça n'en vaut pas la peine…

8. a. 1. d 2. c 3. f 4. e 5. a 6. b

b. 🎧 50 **1.** Hier, l'association L214 a offert des crêpes vegan aux passants. Pourquoi ? **2.** Quelles pourraient être les conséquences de la publicité ciblée sur Internet ? **3.** Quel est le but de la nouvelle campagne du Conseil supérieur de l'Audiovisuel qui s'appelle « Maîtrisons les écrans » ? **4.** Le gouvernement organise un grand débat national sur les problèmes de société. Que rend-il possible ? **5.** À quoi les organismes de sondage doivent-ils faire attention ? **6.** La surconsommation ne permet pas tout. Qu'en pensez-vous ?

Exemple de production :
1. L'association L214 a offert des crêpes vegan aux passants pour sensibiliser à la cause animale. **2.** La publicité ciblée sur Internet pourrait aboutir à la disparition complète de toute autre forme de publicité. **3.** La nouvelle campagne du CSA qui s'appelle « Maîtrisons les écrans » vise à informer sur les dangers des écrans pour les jeunes enfants. **4.** Le grand débat national permet d'échanger sur les difficultés que rencontrent les citoyens. **5.** Les instituts de sondage doivent veiller à interroger des personnes d'âge, de sexe et de catégories socio-professionnelles différentes. **6.** La surconsommation empêche d'être satisfait de ce que l'on possède déjà.

9. marques – campagne – annonceur – a ciblé – message – un public

10. L'action **sociale** à la Croix-rouge française
Les plus démunis sont touchés par les problèmes **d'exclusion** et de sans-abrisme. Un bénévole donne de son temps, **s'engage**, se **mobilise**, coordonne des **actions** et se porte **volontaire** pour aider les personnes dans le besoin. Pour venir en aide aux **sans-abri**, la Croix-rouge met en place des **actions** régulières telles que des **maraudes** et des **soupes** populaires.

11. 🎧 51 *Exemple :* Est-ce que les gens ont participé ? Oui, ils ont participé.
1. – Est-ce que quelqu'un a répondu à l'annonce pour faire du bénévolat ?
– Oui, nous avons répondu à l'annonce hier.
2. – C'est très important d'être solidaire de nos jours !
– Je suis d'accord, c'est extrêmement important !
3. – C'est un succès incroyable, vous ne trouvez pas ?
– Oui, c'est incroyable… et inespéré même !
4. – Vos amis et vous êtes bien conscients des difficultés, n'est-ce pas ?
– Oui, nous en sommes bien conscients, ne vous inquiétez pas !

1. – Est-ce que quelqu'u**n a** répondu à l'annonce pour faire du bénévolat ?
– Oui, nou**s a**vons répondu à l'annonce hier.
2. – C'est trè**s i**mportant d'être solidaire de nos jours !
– Je suis d'accord, c'est* extrêmement **i**mportan**t** !
3. – C'est* un succès **i**ncroyable, vous ne trouvez pas ?
– Oui, c'est* incroyable… et **i**nespéré même !
4. – Vo**s a**mis et vous **ê**tes bien conscients des difficultés, n'est-ce pas ?
– Oui, nous en sommes bien conscients, ne vou**s i**nquiétez pas !
Cas de liaison facultative.

12. a. humoristique
b. Image de la maladie : 1, 4, 9 – Critique : 8 – Moquerie : 1, 5, 7 – Exagération : 2, 3 – Phrase choc : 6
c. critiquer – dénoncer – réagir

13. *Exemple de production :*
Difficile de trouver meilleur endroit que Megève pour dire ce que l'on pense ! J'ai moi-même l'immense plaisir d'y passer mes propres vacances d'hiver. Et pourtant ! Bien que j'éprouve un certain plaisir à faire chauffer la carte bancaire chaque jour un peu plus, j'ai du mal à contenir les énervements que les autres vacanciers provoquent sur moi. Si le client est roi et d'autant plus à Megève, ici l'argent semble lui brûler les doigts. Parfois même jusqu'à en oublier les bonnes manières que maman a tenté de lui enseigner, renchérissant dans l'apparence luxueuse et la consommation excessive. Dans ce microclimat de rêve où la notion de crise apparaît dépassée, peu importe la politesse quand il y a un bon pourboire ! Quelle importance si les achats ne sont jamais portés ! Plus qu'un plaisir, le shopping devient parade et supplément de dopamine instantanée !

14. *Production libre.*

BILAN 6

1. 1. La possibilité : de manger de la viande/des produits frais – de tenir le budget jusqu'à la fin du mois – de se faire plaisir/d'améliorer le quotidien **2.** c **3.** Faux : *À l'entrée de l'épicerie, on ne demande rien. Ni inscription, ni justificatifs qui pourraient freiner les étudiants ou faire craindre d'être stigmatisé.* **4.** Lutter contre la précarité étudiante et contre le gaspillage **5.** Près de 20 % des étudiants français vivent sous le seuil de pauvreté **6.** fournir un local et des réfrigérateurs pour l'épicerie **7.** a

2. 🎧 52 **Journaliste :** Un point consacré à l'écologie dans notre bulletin d'information d'aujourd'hui. Montée des eaux, canicules extrêmes, froids polaires, inondations records, tempêtes dévastatrices, extinction des espèces, pénurie d'eau… Le dérèglement climatique est déjà une réalité bien concrète et le phénomène s'accélère chaque jour un peu plus. Quand la situation devient urgente et dramatique, il faut des mesures immédiates et radicales. Démonstration avec les recommandations émises par un cabinet d'analyse pour limiter le réchauffement climatique à 1,5 degré. Ces recommandations sont impressionnantes, cela équivaudrait à changer brutalement nos modes de vie, ça peut même faire peur mais, face au dérèglement climatique, l'heure n'est vraiment plus aux petits pas. Il nous faut agir ! Alors, si l'on veut limiter les dégâts et sauver ce qui peut encore l'être, voici quelques exemples de la série de mesures listées par le cabinet B&L Évolution :
– Interdiction immédiate de vendre des véhicules neufs pour un usage particulier ;
– Mise en place d'un couvre-feu thermique entre 22 heures et 6 heures ;
– Interdiction de construire de nouvelles maisons individuelles ;
– Interdiction de tout vol hors Europe non justifié dès 2020, avec deux vols allers-retours long-courriers autorisés par jeune de 18 à 30 ans ;
– Interdiction de la publicité en ligne intégrée aux sites Internet ;

– Limitation à 1 kilo de vêtements neufs mis sur le marché par an et par personne dès 2022 ;
– Réduction de la consommation de viande, c'est-à-dire passer de 90 kilos à 25 kilos par personne et par an ;
– Multiplication par cinq des parcelles cultivées en agriculture biologique.
Bien entendu, de telles préconisations ont aussitôt suscité un maximum d'indignation, car elles sont jugées trop extrêmes. Des critiques que le cabinet d'analyse avait pourtant anticipées. Un des rédacteurs du rapport d'analyse nous a précisé ce qui figurait dans son introduction.
Le rédacteur du rapport : Il ne s'agit ni de proposer un programme réaliste économiquement, ni de proposer un programme souhaitable socialement, ni de proposer un programme jugé acceptable politiquement. Notre objectif est d'aider à comprendre l'ampleur des efforts à réaliser afin que chacun puisse juger de leur faisabilité ou de leur réalisme dans le contexte actuel.
Journaliste : Nul ne sait en effet si tout cela est réaliste. Mais, au moins, maintenant, on connaît l'ampleur de ce que chacun devrait faire.
Le rédacteur du rapport : Cette grande transition, ce changement de modèle ne se fera pas sans difficultés, sans conséquences sur nos modes de vie. Il se heurtera nécessairement à nos barrières cognitives et entraînera certainement des rejets massifs parce qu'il y a de très gros efforts à faire. Malgré tout, ne rien faire serait pire. Nous avons trop attendu, c'est une évidence et une transition douce est impensable. Nous sommes dans une véritable course contre la montre.

1. Du dérèglement climatique 2. Limiter le réchauffement climatique à 1,5 degré 3. 2 réponses parmi : interdiction de vendre des véhicules neufs (pour un usage particulier), mise en place d'un couvre-feu thermique, interdiction de construire des nouvelles maisons individuelles, interdiction de tout vol hors Europe non justifié dès 2020, interdiction de la publicité en ligne intégrée aux sites Internet, limitation à 1 kilo de vêtements neufs mis sur le marché par an et par personne dès 2022, réduction de la consommation de viande, multiplication par cinq des parcelles cultivées en agriculture biologique 4. a 5. Les efforts à fournir sont considérables (cela implique de changer notre mode de vie, de revoir notre manière de penser), mais il est urgent et nécessaire d'agir rapidement.

3. *Exemple de production orale :*
– Bonjour, comment vas-tu ? Tu prépares ton déménagement ?
– Oui, et ce n'est pas facile ! Je suis en train de faire le tri dans toutes mes affaires. Je ne vais pas pouvoir emporter toutes mes affaires dans mon nouveau logement. Regarde tous ces livres, je pense que je vais devoir les jeter…
– Les jeter ? Tu n'y penses pas sérieusement quand même ?
– Ça me ferait un peu de peine car j'y suis attaché, mais je ne vois pas comment faire autrement.
– Ce serait vraiment du gâchis ! Il y a plein de manières de recycler les livres maintenant !
– Ah bon, tu penses à quoi ? Tu veux dire qu'il faudrait que je les vende ?
– Eh bien, il existe effectivement des sites Internet qui te permettent de revendre des livres. Il faut scanner la couverture et les emballer, puis les envoyer ou les apporter à un magasin. Évidemment, tu ne touches pas beaucoup d'argent par livre, comparé au prix initial, mais c'est toujours ça !
– Ah oui, mais je ne vais avoir ni le temps ni l'énergie de m'occuper de scanner et d'emballer des livres, et encore moins de les apporter dans un magasin… Regarde, il y en a des dizaines ! Et puis j'ai assez de cartons à faire comme ça.
– D'accord, je comprends. Sache que tu peux également faire don de tes livres à des associations, à des bibliothèques ou à des entreprises spécialisées. Je pense notamment à des entreprises comme RecycLivres qui viennent récupérer gratuitement les livres chez toi. Les livres les plus anciens sont recyclés, et les livres en bon état sont revendus sur Internet. Ce qui est vraiment intéressant, c'est qu'une partie des bénéfices sont reversés à des associations ou à des programmes relatifs à l'écologie ou à l'éducation, comme une association de lecture pour les enfants. L'entreprise emploie par ailleurs des personnes en situation de handicap ou de grande difficulté sociale. Ce genre d'action te rend service en te débarrassant des livres dont tu ne veux plus, donne une seconde vie à ces ouvrages, mais cela te permet également de contribuer à des actions solidaires et citoyennes, tout cela grâce à tes vieux livres !
– D'accord, tu m'as convaincu, je vais me renseigner pour contacter une association ou une entreprise de ce genre.

4. *Exemple de production écrite :*
Bonjour,
Je réagis à la publication concernant l'initiative de Monsieur BMX de fixer des chariots de supermarché sur des murs extérieurs dans les villes de Montpellier et Nîmes. Je trouve qu'il s'agit d'une idée fantastique.
Premièrement, cela donne l'opportunité à tout un chacun de contribuer de manière anonyme et facile à une initiative solidaire. Il suffit de déposer des aliments ou d'autres types de dons dans le chariot. Une personne dans le besoin peut ensuite venir se servir directement, sans avoir à passer par des associations ou d'autres structures. Par ailleurs, cette initiative permet également de lutter contre la surconsommation et le gaspillage, puisque les personnes qui donnent ces aliments n'en ont pas besoin et les auraient peut-être jetés.
Cependant, ces chariots comportent plusieurs risques. En effet, ils pourraient être confondus avec des poubelles et des personnes mal intentionnées pourraient y placer des déchets ou autres objets malvenus. En outre, ils ne sont pas protégés de la pluie et les dons pourraient être dégradés en cas d'intempéries et deviendraient malheureusement inutilisables. Toutefois, l'idée de mettre une inscription au-dessus du chariot, expliquant en quoi consiste l'initiative, est une bonne idée pour éviter toute confusion et expliciter le message de cette action solidaire. De plus, il suffirait de placer une protection au-dessus du chariot pour conserver les aliments et leur permettre d'être récupérés intacts même en cas de pluie.
Dans tous les cas, cette initiative créative et solidaire attire l'œil et permet de dénoncer la surconsommation ainsi que les situations difficiles des personnes dans le besoin tout en apportant une solution concrète.
(260 mots)

DOSSIER 7 Nous agissons au travail

LEÇONS 1 et 2

1. 🎧 53 **Journaliste :** Nous rencontrons aujourd'hui Jean-Marc. Brillamment diplômé de HEC, il a renoncé à une carrière prestigieuse dans la finance, entre New York et Paris, pour travailler comme traducteur indépendant à Nice, sa ville d'adoption. Bonjour Jean-Marc ! Et merci beaucoup de nous accueillir dans votre bureau… chez vous en fait !
Jean-Marc : Bonjour ! Bienvenue chez moi, en effet ! Quand vous m'avez demandé ce que je préférais comme lieu de rencontre, j'ai hésité. C'est vrai que c'est un peu étrange de vous recevoir chez moi pour parler travail, mais justement : finis les bureaux, les buildings luxueux, je travaille à la maison ! Alors oui, j'ai pensé que vous me demanderiez si je suis heureux de ma nouvelle vie ; et voir d'où je travaille pourrait vous aider à le comprendre…
Journaliste : Vous avez bien fait ! Je précise pour nos auditeurs que de votre bureau, vous voyez la mer et la belle colline du château, comme une île de verdure posée sur la mer. C'est magnifique ! Alors, commençons par le commencement : racontez-nous votre parcours.
Jean-Marc : C'est en fait assez classique jusqu'à il y a cinq ans. Je suis fils de profs, j'ai toujours été bon élève, avec de bonnes aptitudes en mathématiques, en français et en langues. C'est donc assez naturellement mais sans vraiment y réfléchir que je me suis retrouvé en classe préparatoire pour entrer en école de commerce. Attention,

je ne dis pas que j'ai été forcé : à chaque fois qu'on me demandait ce que je souhaitais faire les années suivantes, je répondais invariablement : « des études de commerce international » ; quand on me demandait où j'envisageais de vivre quelques années plus tard, je déclarais sans hésiter : « aux États-Unis ».
Journaliste : Donc un beau début de carrière dans un grand groupe bancaire français, une évolution rapide vers des postes à grandes responsabilités. Que s'est-il passé ? Ce n'était pas le rêve attendu ?
Jean-Marc : Tant que j'étais junior dans mon équipe, je me sentais encore ancré dans l'action : on me disait de préparer des projets, de vérifier ou de traduire des documents de nature financière, d'atteindre des objectifs chiffrés, je le faisais. Tout était clair, je me sentais utile. Et puis, je ne me posais pas vraiment de questions : je vivais le rêve américain ! Mais les choses ont changé : j'ai mûri avec la trentaine, j'ai obtenu plusieurs promotions importantes pour finalement me réveiller avec un poste à responsabilités qui, selon moi, n'était plus qu'un ensemble théorique de belles paroles, c'est-à-dire des déclarations de bonnes intentions et de bonnes pratiques, la conception de plans de développement, etc. Mais toutes ces choses étaient absolument vides de sens.
Journaliste : Comment ça ?
Jean-Marc : Eh bien c'est simple : je dis que tout était détaché de l'humain. Les décisions ne prenaient jamais en compte les équipes qui allaient les mettre en place, les objectifs n'étaient pas adaptés à la réalité des compétences des personnes sur le terrain.
Journaliste : Est-ce que c'était lié à la culture d'entreprise américaine, à votre avis ?
Jean-Marc : Non. Je revenais souvent pour des missions en France, je travaillais régulièrement avec les collègues basés à Paris : ils m'expliquaient toujours que les processus étaient les mêmes qu'à New York. J'en ai conclu que c'était sans doute moi qui n'étais plus adapté à ce travail.
Journaliste : Et la traduction financière, comment y êtes-vous venu ?
Jean-Marc : J'en avais toujours fait en interne, ça me plaisait et j'étais plutôt compétent. Un client fidèle m'a demandé, au moment de mon départ de la banque, si je pouvais continuer à traduire ses rapports financiers. Là, j'ai eu comme une révélation : j'avais envie de travailler seul, de passer du temps chez moi… j'ai accepté !
Journaliste : Merci beaucoup de m'avoir reçue Jean-Marc. Belle continuation à vous !

a. 1. Jean-Marc a complètement changé de parcours professionnel malgré une brillante carrière dans la finance. *(1 point)*
2. New York, Paris et Nice *(1 point)*
3. classe préparatoire aux écoles de commerce et Grande École de commerce (HEC) – employé junior dans un grand groupe bancaire français – employé avec des responsabilités importantes dans le même groupe – traducteur financier *(2 points)*
b. Premier poste : il vivait le rêve américain
Poste de la fin de sa première carrière : impression que tout était vide de sens, détaché de l'humain. Il n'était plus adapté à ce travail
Proposition d'un client : sentiment d'une révélation
Travail actuel : envie de travailler seul, de passer du temps chez lui
(1 point par bonne réponse)
c. 1. Que préférez-vous comme lieu de rencontre ? – « *ce que je préférais…* » *(1 point)*
2. Qu'est-ce que vous souhaitez faire les prochaines années ? – « *… les années suivantes,…* » *(0,5 point)*
3. Où envisagez-vous vivre vie dans quelques années ? – « *… quelques années plus tard,…* » *(0,5 point)*
4. Est-ce que vous pourriez continuer à traduire mes rapports financières ? – « *…si je pouvais continuer à traduire…* » *(0,5 point)*

2. a. Formation : maîtrise de littérature comparée et un stage – **Poste précédent :** rédactrice dans une start-up – **Domaine d'expertise :** rédaction numérique – **Responsabilité assumée :** responsable d'un pôle numérique *(1 point par bonne réponse)*
b. 1. *Si l'on doit s'absenter, on peut […] proposer une solution de récupération.* OU *il n'est pas nécessaire de se justifier lorsque l'on part*

plus tôt **2.** *tous les salariés, hommes et femmes, même après un congé maternité, bénéficient d'une promotion interne tous les trois ans* *(1,5 point par bonne réponse)*
c. La capacité à s'organiser pour atteindre les objectifs – La capacité d'initiative – La capacité à actualiser ses connaissances – Savoir collaborer et communiquer – Le sens des responsabilités – Avoir l'esprit d'entreprise *(0,5 point par bonne réponse)*

3. a. 🎧 54 **1.** Félix, c'est moi ! Ça va ?
2. J'ai bien eu ton message mais je ne comprends rien !
3. Que voulais-tu me dire ?
4. J'avais laissé le téléphone dans la maison !
5. Ah, mais comment est-ce que j'ai pu oublier : tu avais un entretien aujourd'hui !
6. Rappelle-moi avant 7 heures, je dois sortir ! Bises !

1. b **2.** a **3.** a **4.** a **5.** b **6.** a

b. 🎧 55 **1. Mère de Félix :** Alors, raconte-moi, ton entretien… Tu m'as bien dit que ce serait une évaluation de ton profil, de tes compétences par un responsable de l'école, c'est bien ça ?
2. Félix : Oui, c'est ça ! Je t'avais dit de croiser les doigts pour moi tellement j'étais stressé, et en fait…
Mère de Félix : En fait ?
3. Félix : Eh bien c'était différent de mes attentes ! Tu te rappelles, il y a quelques jours, on m'avait demandé par mél si je pouvais passer un test en ligne le lendemain, ça s'appelle Performanse.
4. Mère de Félix : Oui, tu voulais savoir ce que j'en pensais d'ailleurs, mais je n'y connais rien… Alors ? Raconte !
5. Félix : Trois jours après le test, j'ai reçu un mél de l'un des responsables de 3e année. Il m'expliquait qu'il avait analysé les résultats de mon test et qu'il allait falloir en discuter… J'ai paniqué !
6. Félix : Je lui ai téléphoné, il m'a proposé que nous nous rencontrions ce jour-là et il m'a précisé que c'était toujours de cette manière qu'on finalisait le test ! Ouf !

1. Ce sera **2.** Croise **3.** Pouvez-vous **4.** tu en penses **5.** J'ai analysé – il faut **6.** Je propose que nous nous rencontrions – qu'on finalise

4. a. 1. dire : affirmation, ordre ou demande **2.** vouloir savoir : question **3.** admettre : affirmation **4.** préciser : affirmation **5.** affirmer : affirmation **6.** déclarer : affirmation **7.** demander : ordre ou demande, question **8.** exiger : ordre ou demande **9.** expliquer : affirmation **10.** ordonner : ordre ou demande **11.** répondre : affirmation **12.** assurer : affirmation
b. *Exemple de production :*
1. L'étudiant a voulu savoir **2.** Je lui ai assuré **3.** Félix a admis **4.** il a demandé **5.** je lui ai précisé **6.** je lui ai expliqué

5. *Exemple de production :*
Le journaliste a commencé par remercier Geneviève puis il lui a demandé s'ils pouvaient commencer par son actualité. Elle a accepté et elle lui a expliqué que, la veille, elle avait signé un contrat pour commencer une nouvelle vie. Il a voulu savoir ce qu'elle pouvait lui en dire. Elle lui a répondu que la semaine suivante, elle serait une auteure de théâtre à plein temps, une débutante de 50 ans. Il lui a demandé de résumer son parcours pour bien la comprendre. Elle a dit que deux ans plus tôt, elle était expatriée à Pékin. Elle a précisé qu'elle avait travaillé pour une grande entreprise puis qu'elle avait ouvert son propre studio. Elle a ajouté qu'elle ne s'intéressait pas professionnellement au théâtre, seulement dans le cadre de ses loisirs. Il a alors voulu savoir comment elle était arrivée à la création. Elle lui a répondu qu'elle avait rencontré une troupe de comédiens l'année précédente et qu'ils lui avaient fait réaliser que sa vie d'expatriée en Chine comportait des éléments de théâtre.

6. 1. Lorsque l'on observe […] et que l'on regarde […]. **2.** […] quoique l'on s'attache […], on réalise également […]. **3.** Si l'on souhaite […]. **4.** Puisque l'on sait […]. **5.** Que l'on choisisse […], ou que l'on préfère […]. **6.** […] où l'on établit […]. **7.** […] lorsque l'on est […] qui est également bénéfique […].

7. 🎧 56 **1.** Pour ce poste, il faut absolument savoir structurer ses journées et surtout, effectuer les tâches selon leur importance. C'est la clé pour gagner la confiance de l'ensemble du personnel.
2. Bien sûr, toutes les qualités professionnelles sont appréciées, mais surtout, les normes et procédures de notre démarche qualité doivent être maîtrisées et respectées à la lettre.
3. C'est une création de poste, il faut donc bien comprendre que des situations imprévues se produiront : il faudra absolument garder la maîtrise de soi et s'adapter aux délais sans se laisser déborder !
4. Le cœur du poste, c'est simple : concevoir, être différent des autres.
5. Notre domaine évolue sans cesse, les compétences d'aujourd'hui ne seront plus celles de demain, il est donc essentiel qu'un collaborateur soit toujours capable de se mettre au courant des dernières avancées.

a. 1. La capacité à s'organiser, à prioriser les tâches **2.** La connaissance et le respect des règles **3.** La capacité à travailler sous pression **4.** La créativité ; **5.** La capacité à actualiser ses connaissances
b. *Exemple de production :*
1. Responsable des ressources humaines **2.** Responsable qualité **3.** Responsable du suivi client **4.** Infographiste **5.** Ingénieur automobile

8. a. 1. Communication avec les collaborateurs expatriés **2.** Conception de produits multimédias originaux **3.** Création de sa propre activité **4.** Contrôle et gestion de son activité **5.** Participation trimestrielle aux formations internes proposées **6.** Gestion des contenus en ligne de l'entreprise
b. *Production libre.*

9. *Exemple de production :*
Bonjour,
Je souhaite aujourd'hui présenter ma candidature au poste que vous proposez de responsable du département des robots. Je pense posséder toutes les connaissances et compétences nécessaires à ce travail.
Tout d'abord, dans mon dernier poste, j'ai su développer un grand sens de l'organisation et montrer que je sais prioriser les tâches. En effet, j'étais en charge de l'ensemble des robots de deux hôtels différents et je devais chaque semaine décider des tâches qu'ils devraient accomplir. J'ai pu aussi apprendre à gérer le stress car parfois, des situations imprévues se produisaient, comme des pannes, et dans l'hôtellerie, il faut réagir immédiatement.
Par ailleurs, mon premier apprentissage, à la fin de mes études, concernait la programmation des robots. Même si j'ai ensuite choisi la gestion plutôt que la programmation, j'ai toujours continué à me former dans ce domaine. Pour moi, il est nécessaire de comprendre le fonctionnement des robots quand on doit les gérer et discuter avec les programmateurs, c'est pourquoi je cherche à toujours actualiser mes connaissances.
Enfin, tout au long de ma carrière, j'ai développé un grand sens de l'écoute et de l'adaptation : mes relations avec les clients de toutes origines comme mes dialogues avec des créateurs du monde entier m'ont appris à adapter mes attentes et à me faire comprendre dans le plus grand respect des différences culturelles et linguistiques.

10. *Production libre.*

LEÇONS 3 et 4

1. 🎧 57 **Iwona :** Dis, je suis avec Andrew et Tristan, nos deux nouveaux stagiaires, tu sais ? On parle des normes dans les communications écrites. Je les leur ai expliquées comme d'habitude mais on a une difficulté… Je peux venir te voir ? Toi qui es LA championne des méls professionnels et des lettres formelles, ça va t'intéresser !
Hélène : Ah, ces gamins, ça nous fait toujours perdre du temps de les former ! Bon, je t'attends…
Hélène : Alors, de quoi s'agit-il ? Je ne suis pas mécontente de te voir mais j'ai beaucoup de travail.
Iwona : Eh bien, Andrew et Tristan ont reçu un mémo de la direction générale de Paris avec des normes de communication écrite très précises.
Hélène : Un mémo ? Je suis dans cette boîte depuis 25 ans et personne ne m'en a jamais parlé !
Iwona : En fait, c'est la nouvelle à Paris, tu sais : Alice.
Hélène : Quoi ? Elle débarque à peine et déjà elle change tout sans concertation ? Moi qui avais entendu dire que son poste ne lui plaisait pas et qu'elle allait se barrer… Montre-le-moi un peu ce mémo…
Iwona : Qu'en penses-tu ? Elle y a listé de nouvelles normes pour les communications internes mais aussi avec nos clients, et là, je suis soufflée, je dois dire !
Hélène : Attends, il faut regarder attentivement. Si on fait trop de règles différentes, on va être paumés. Commençons par le commencement… Elle propose « Bien à vous » pour toutes les communications internes. Mais elle oublie d'en préciser la signification ! Ça met celui qui signe à la disposition du destinataire ! On était bien avec les formules « Cordialement », « Très cordialement », « Bien cordialement », non ?
Iwona : Oui ! Je les leur donnais comme exemples quand ils m'ont parlé de ce fameux mémo ! Parfois précédées de « Bonne journée » ou « Excellente journée », et voilà ! Et pour les clients, tu as vu le paragraphe qui les concerne ?
Hélène : Alors… Ça alors ! Plus aucune formule formelle traditionnelle ! Seulement « Bien à vous » et d'autres formulations courtes à la mode ! D'accord… elles peuvent convenir éventuellement… En fait, ce document, c'est un ensemble de procédures nouvelles… Alice les a formalisées sous forme de mémo mais il faut absolument qu'on en parle en comité stratégique pour validation, ça concerne tous les services et ça modifie en particulier notre politique marketing !
Iwona : Ah oui, je vois… je ne t'ai pas dérangée pour rien, dis donc ! Mais en attendant, nos doutes, je leur en fais part ? Je dis à mes stagiaires qu'on a fait de toutes petites modifications ?
Hélène : Écoute, voilà ce que je te propose et j'en assume la pleine responsabilité : ce mémo n'a pas encore été largement diffusé. Tu leur dis que ce n'était qu'une proposition qui doit être discutée. En attendant, on fait comme avant. Et surtout : dis-leur bien que pour tous les méls importants, officiels ou potentiellement conflictuels, etc., ils devront non seulement respecter les salutations traditionnelles raffinées mais qu'en plus, ils devront toujours te les soumettre pour vérification !
Iwona : Ok. Merci pour ton aide, Hélène !

a. 2 *(2 points)*
b. 1. Ils sont jeunes car Hélène dit *« ces gamins »* en parlant d'eux **2.** Non, Hélène dit qu'*« Elle débarque à peine »* **3.** Oui, Hélène a *« entendu dire que son poste ne lui plaisait pas et qu'elle allait se barrer. »* **4.** Elle est très surprise, elle dit qu'elle est *« soufflée »* **5.** Selon Hélène, les employés risquent d'être perdus, elle dit : *« on va être paumés. »* *(0,5 point par bonne réponse)*
c. 1. a F **2.** b E **3.** a D **4.** a A **5.** c C *(0,5 point par bonne réponse)*
d. 1. *Toi qui es LA championne des méls professionnels et des lettres formelles* → une hyperbole **2.** *Je ne suis pas mécontente de te voir* → une litote **3.** *on a fait de toutes petites modifications* → un euphémisme *(1 point par bonne réponse)*

Corrigés et transcriptions

2. a. Tâches assignées : 1. accueillir les clients **2.** transporter les bagages jusque dans les chambres **3.** régler la luminosité dans les chambres et répondre aux questions **4.** décorer les aquariums **5.** ouvrir les chambres (*1 point par réponse*) – **Difficultés rencontrées : 1.** incapables de répondre aux questions **2.** pas assez puissants pour rouler jusque dans toutes les chambres, bruyants en cas de pluie ou neige **3.** confondent les ronflements avec des questions et réveillent les clients en pleine nuit (*1 point par bonne réponse*)
b. 1. D **2.** C **3.** C **4.** D (*2 points au total*)

3. 🎧 58 **1.** Est-ce que nous pourrons prêter les ouvrages aux professeurs ou est-ce que c'est réservé aux employés permanents ?
2. Et si jamais on nous demande quelque chose qu'on n'a pas, on peut commander des ouvrages ou revues aux professeurs ?
3. Vous devez parler de ces demandes au service des acquisitions. Les procédures sont précises.
4. On ne garde pas les ouvrages réservés au bureau de prêt, c'est bien ça ?
5. Notez bien les références dans le registre que je vous ai montré !
6. Si un étudiant ne trouve pas un livre… je peux quitter le bureau et essayer de trouver ce livre dans les rayons ?

1. Nous pourrons les leur prêter ? **2.** On peut leur en commander ? **3.** Vous devez leur en parler. **4.** On ne les y garde pas ? **5.** Notez-les-y bien ! **6.** Je peux essayer de le lui trouver ?

4. 1. Non, je ne vous les ai pas transmis. **2.** Oui, vous allez ensuite les lui envoyer. **3.** Oui, transmettez-le-lui ! **4.** Non, ne m'en donnez pas. **5.** Oui, vous devez lui en donner deux. **6.** Oui, c'est vous qui les y avez mis.

5. 1. Je le lui ai déjà écrit. **2.** Je ne te les ai jamais adressées. **3.** Vos dates de congés, donnez-les-moi sans tarder ! **4.** La procédure de remboursement, il la lui a encore répétée. **5.** La réunion ? Oui, vous les y avez déjà invitées. **6.** L'audit financier, je leur en ai parlé, n'est-ce pas ?

6. a. 🎧 59 **1.** Vous savez que Chantal a encore obtenu une promotion ? Avec plein d'avantages en plus !
2. Oh, j'ai remarqué que tu utilisais toujours « Bien cordialement » en fin de mél, c'est bien mais pourquoi pas « Bien à vous » pour changer ? C'est hyper à la mode !
3. Eh ben dis donc, tu tiens le rythme toi : trois projets en même temps, des réunions et des déplacements à tout va, les deux petits à la maison…
4. Dis, j'ai vu un mémo du nouveau stagiaire : c'est impressionnant le nombre d'erreurs qu'il peut faire en quelques lignes !
5. L'autre jour, Guillaume a été convoqué par le conseil d'administration… il a passé un sale quart d'heure à ce qu'on dit !
6. Ah, regardez ce message, c'est digne du livre des records : on n'a jamais vu un texte aussi peu clair et mal formulé !

1. d **2.** b **3.** a **4.** e **5.** f **6.** c

b. 🎧 60 **1.** – Vous savez que Chantal a encore obtenu une promotion ? Avec plein d'avantages en plus !
– Non mais attends, je rêve ! C'est du délire total !
2. – Oh, j'ai remarqué que tu utilisais toujours « Bien cordialement » en fin de mél, c'est bien mais pourquoi pas « Bien à vous » pour changer ? C'est hyper à la mode !
– Écoute, je ne suis pas fan de cette expression, c'est tout.
3. – Eh ben dis donc, tu tiens le rythme toi : trois projets en même temps, des réunions et des déplacements à tout va, les deux petits à la maison…
– Je ne suis pas débordée du tout, c'est vrai…
4. – Dis, j'ai vu un mémo du nouveau stagiaire : c'est impressionnant le nombre d'erreurs qu'il peut faire en quelques lignes !
– Tu sais, on a tous compris que l'orthographe et lui, c'est un peu difficile…
5. – L'autre jour, Guillaume a été convoqué par le conseil d'administration… il a passé un sale quart d'heure à ce qu'on dit !
– Oui, j'ai entendu que sa gestion du projet avait été un peu critiquée, en effet.
6. – Ah, regardez ce message, c'est digne du livre des records : on n'a jamais vu un texte aussi peu clair et mal formulé !
– Vraiment, des méls comme ça, ça devrait être un motif de licenciement !

1. une hyperbole **2.** une litote **3.** une antiphrase **4.** un euphémisme **5.** un euphémisme **6.** une hyperbole

7. *Exemple de production :*
1. En fait, les films d'action, ce ne sont pas trop mes films préférés…
2. C'était assez… intéressant, même si je n'ai pas appris beaucoup de nouvelles choses. **3.** Ah mais je l'adore, c'est mon/ma responsable préféré(e) ! **4.** Ce restaurant, vous devez ab-so-lu-ment l'essayer, c'est un bonheur absolu pour les gourmands, un moment inoubliable, on en parle aux quatre coins du pays !

8. a débarqué – être soufflés – (qu')une gamine – paumé – s'est barré

9. 🎧 61 **1.** En Allemagne, je suis toujours sinon choqué, du moins surpris par les signatures : les personnes indiquent tous leurs titres, ça fait beaucoup, non ?
2. Aux États-Unis, les formules de politesse sont courtes et directes. Pour autant, « Kind regards » est aussi respectueux que les longues formulations françaises, je crois.
3. Les formules de fin de lettre sont tellement lourdes, c'est la tradition en France. Je pense qu'on ne doit pas pour autant les conserver dans les méls, il faut se moderniser !
4. Moi, ce qui m'énerve de plus en plus, c'est cette habitude d'utiliser les prénoms dans le contexte professionnel, comme si on était tous amis. Je trouve cette habitude inappropriée.

1. La longueur des signatures allemandes peut être surprenante. **2.** Les formules de politesse américaines sont aussi polies que les françaises. **3.** Les formules de fin de lettre dans les méls doivent se moderniser. **4.** Utiliser les prénoms dans la vie professionnelle n'est pas approprié.

10. *Exemple de production :*
1. C'est convivial de se faire la bise entre collègues, pour autant cela peut être envahissant. **2.** Parler de sa vie privée sur le lieu de travail peut être sinon irrespectueux, du moins embarrassant pour les collègues. **3.** Critiquer des collègues au travail, c'est sinon impoli, du moins inutile. **4.** Je comprends que certains prennent des jours de congés plutôt que des semaines entières, cela peut pour autant perturber le fonctionnement d'un service.

11. 🎧 62 **1.** Mes collaborateurs, je leur annonce toujours mes intentions avant de prendre la moindre décision.
2. C'en est bientôt terminé de toutes ces démarches pour obtenir enfin l'approbation du conseil d'administration !
3. Il faudra vraiment que je coure moins après les résultats, si je veux préserver toute mon énergie pour réussir les tâches les plus simples.
4. Je ne crois pas que la fin justifie les moyens dans toutes les situations de la vie professionnelle.
5. Au bout du compte, il faudra bien que je finisse de rédiger ce rapport avant la fin de la journée, avec ou sans aide de mes collègues.

1. Mes collaborateurs, je **leur** annonce toujours mes intentions avant de prendre la moindre décision. **2.** **C'en** est bientôt terminé de toutes ces démarches pour obtenir enfin l'approbation du conseil d'administration ! **3.** Il faudra vraiment que je **coure** moins après les résultats, si je veux préserver toute mon énergie pour réussir les tâches les plus simples. **4.** Je ne crois pas que la **fin** justifie les moyens dans toutes les situations de la vie professionnelle.

5. Au bout du **compte**, il faudra bien que je finisse de rédiger ce rapport avant la fin de la journée, avec ou sans l'aide de mes collègues.

12. mél 1 : Mél de motivation – Présentation de la candidature et résumé des motivations – Proposition de rencontre en face à face – Demande polie de réponse **mél 2 :** Réponse à un mél – Référence au message précédent et réponse à la demande – Proposition commerciale – Offre de renseignements **mél 3 :** Mél d'offre commerciale – Offre exceptionnelle – Rappel des relations passées – Espoir de collaborer à nouveau

13. *Production libre.*
14. *Production libre.*

BILAN 7

1. 1. Il est vu soit comme un espoir pour l'humanité, soit comme une idéologie dangereuse. **2.** c **3.** L'amélioration de l'être humain (non malade) par l'utilisation de drogues, de technologies ou de modifications génétiques. **4.** Certaines personnes voient l'utilisation de l'intelligence artificielle comme une tentation de transformer l'être humain en un surhomme immortel. **5.** Faux : *La prévention des maladies liées au travail n'entre pas dans le champ du transhumanisme mais dans celui de la médecine.* **6.** Les exosquelettes et les bras robotisés **7.** b

2. 🎧63 **Journaliste :** Aujourd'hui, dans notre émission consacrée au travail, nous allons parler de l'orthographe. Un mauvais niveau d'orthographe peut-il nous pénaliser au travail ? Sans aucun doute, avertissent les responsables des ressources humaines. Certains disent même que cela peut conduire au licenciement. Ce sont surtout les moins de trente ans qui reconnaissent avoir du mal à l'écrit. Prenez un site marchand comme motoblouz.com, une entreprise de 130 salariés située à Carvin, dans les Hauts-de-France. Pour distribuer ses accessoires pour les motos et les scooters, la société envoie environ cinq cents messages par jour, par mél, sur les réseaux sociaux ou sur des messageries instantanées. Pour Isaline Demonchy, du service des ressources humaines de cette entreprise, l'orthographe dans les messages envoyés par les salariés a tendance à déraper ces dernières années. On l'écoute tout de suite.
Isaline Demonchy : Nos employés font pas mal de fautes de conjugaison, des fautes d'accent… Cela donne une mauvaise image de l'entreprise… Et l'orthographe fait partie intégrante de l'image de l'entreprise, donc il a fallu agir. C'est-à-dire, remettre tout le monde à niveau. On a mis en place des exercices d'orthographe en ligne. Chaque collaborateur doit y passer environ une heure par semaine. Des petits modules sur les accents, sur les conjugaisons, sur les participes passés qui leur permettent d'évoluer. Et moi, je peux les suivre et constater leur évolution.
Journaliste : Dans une étude récente, les responsables de ressources humaines interrogés reconnaissent à 52 % que cela a déjà pu jouer dans la mise à l'écart d'un candidat au moment du recrutement. Ils sont 15 % à estimer que ça peut freiner la promotion d'un salarié. Ce qui n'est pas énorme, pour l'ensemble de la population, mais qui prend de toutes autres proportions si on s'intéresse aux plus jeunes, aux moins de trente ans. Ce sont eux qui disent avoir le plus de mal avec l'orthographe. Quand on leur demande si leurs fautes ont suscité des reproches de la part de leurs collègues, de leur hiérarchie ou de leurs clients, ils sont trois fois plus nombreux que le reste de la population à dire oui. Idem, quand on leur demande si leur faible niveau d'orthographe a freiné leur évolution professionnelle, ils sont là aussi deux fois plus nombreux que les autres à le penser. Du reste, plus des trois quarts des salariés se disent prêts à suivre une formation de remise à niveau. De quoi remonter le moral de leurs employeurs.

1. a **2.** des modules de formation/d'exercices d'orthographe en ligne **3.** Elle suit l'évolution des progrès des employés en orthographe **4.** b.

3. *Exemple de production orale :*
– Peux-tu m'aider à préparer mon entretien d'embauche ? Je vais postuler à une annonce de vendeur et j'aimerais m'entraîner à présenter mon parcours et mes compétences.
– Bien sûr ! Vas-y, je t'écoute.
– Bonjour, je m'appelle Augustin Marchitelli et je vous remercie de me recevoir aujourd'hui pour l'entretien concernant l'offre de vendeur publiée sur votre site Internet. J'ai six ans d'expérience dans le domaine de la vente, j'ai pu travailler dans différents secteurs tels que le prêt-à-porter, la restauration rapide, et des magasins de souvenirs. Pendant mes différentes expériences, j'ai pu développer des compétences de rigueur, de travail en autonomie et en équipe, de sens des responsabilités, de capacité d'adaptation et de travail sous pression. Je parle trois langues : français, anglais et russe.
– Tu as terminé ? Je trouve ta présentation très bien. C'est une bonne idée de mentionner les langues que tu parles, même si tu pourrais dire quel niveau tu as dans chacune des langues. Si je peux te donner quelques conseils, tu devrais donner quelques exemples concrets quand tu parles de tes points forts. Par exemple, quand tu parles de rigueur, tu peux dire que tu es toujours très ponctuel, ou quand tu parles de travail sous pression, tu pourrais mentionner que c'est notamment en période de soldes, etc.
– Ah oui, merci, c'est un bon conseil.
– J'ai d'autres idées : tu devrais également ajouter une qualité liée à la créativité. Je sais que tu es capable par exemple de proposer de très belles vitrines dans les magasins ! Par ailleurs, j'ai entendu une émission de radio récemment où le présentateur disait que la capacité à mettre en avant sur son CV en ce moment était la force de persuasion. Apparemment, d'après un sondage auprès d'employeurs partout dans le monde, c'est cette qualité qui est ressortie le plus, ce qui signifie qu'elle n'est plus seulement réservée aux managers. Dans ton cas, c'est tout à fait adapté étant donné que tu cherches à vendre des produits. Bon courage pour ton entretien !

4. *Exemple de production écrite :*
Bonjour Marie,
Je suis dans le même cas que toi. Je vis également au Japon, depuis cinq ans maintenant. Et effectivement, j'ai pu remarquer de grosses différences culturelles entre le Japon et la France, notamment dans le domaine du travail. Comme tu l'as indiqué, alors qu'en France, on tolère un léger retard, au Japon, il ne suffit pas d'être à l'heure, il faut être en avance ! Par ailleurs, en France, on aime débattre (vivement !) sur toutes sortes de sujets, mais les discussions et débats mettent les Japonais très mal à l'aise. Ils préfèrent discuter poliment autour du sujet pour arriver à un consensus avec l'interlocuteur. Dans le domaine professionnel, il est même inconcevable d'exprimer son désaccord à son supérieur hiérarchique. En outre, les Japonais prennent des décisions en groupe, l'individu s'effaçant au profit de la société, et les responsabilités sont partagées ; en France, la prise de décision repose davantage sur le manager, même si l'équipe peut être consultée. Enfin, une autre différence que j'ai pu relever concerne la gestion des congés : les Japonais ont peu de vacances (deux semaines il me semble), mais ils en prennent peu, et une journée à la fois, car il est mal vu de poser toutes ses vacances. Les Français ont plus de congés (à partir de cinq semaines) et peuvent les poser.
Ces différences culturelles peuvent être parfois déconcertantes, voire embarrassantes en cas de malentendu, mais elles sont très intéressantes car elles nous permettent d'appréhender différemment notre quotidien et de remettre en question notre manière d'agir. *(256 mots)*

DOSSIER 8 Nous échangeons sur des modèles éducatifs

LEÇONS 1 et 2

1. a. 1. novatrice **2.** des travaux pratiques – du travail en petits groupes – une réflexion collective des étudiants sur des situations proches du réel – l'élaboration de raisonnements *(0,5 point par bonne réponse)*
b. Les 5 étapes : 1. Se répartir les rôles **2.** Présentation du problème **3.** Travail en petits groupes pour essayer de résoudre le problème **4.** Présentation des résultats du travail **5.** Évaluation **Posture de l'étudiant :** Acteur de son enseignement **Posture de l'enseignant :** Accompagnateur *(0,5 point par bonne réponse)*
c. 1. La mise en pratique et la consolidation des compétences qui viennent d'être acquises *(2 points)* **2.** Le questionnement, l'écoute et l'accompagnement des étudiants dans leur cheminement *(2 points)*

2. 🎧 64 **Journaliste :** L'histoire du jour. Un jeune Américain intrigue les neurologues et les linguistes. À 17 ans, cet anglophone parle une vingtaine de langues étrangères quasiment couramment. Alex est un peu le jeune homme aux mille visages ou plutôt aux vingt langages. Grâce à Internet, il peut presque s'adresser au monde entier. Une fois en hébreux, l'autre en russe, turc ou italien ou dans différents dialectes asiatiques ou africains. Des langues bien éloignées de sa langue maternelle. Ce lycéen de 17 ans a appris sa première langue étrangère en regardant des dessins animés.
Alex : J'ai commencé par le français. J'avais que six ans et maintenant je l'utilise chaque jour.
Journaliste : Un accent vraiment très léger, du vocabulaire, Alex a une méthode : écouter. Et un atout essentiel : la mémoire.
Alex : En fait, je retiens très facilement les paroles des chansons et je les répète. Cela me permet de former de vraies phrases. Au bout de six mois, ça devient plus facile. J'arrive à avoir des conversations courantes grâce aux mots que j'ai appris dans ces chansons.
Journaliste : Visiblement, parler ne lui suffit pas. Il lit aussi avec une facilité déconcertante. Le japonais par exemple. À Chicago, ville plurilingue par excellence, Alex est partout chez lui. Et il profite de chaque opportunité pour pratiquer.
Alex : Ça m'arrive d'écouter les conversations des gens. Je prends le métro tous les jours pour aller au lycée. Et j'entends plein de langues différentes. Je fais très attention aux différentes sonorités, à l'intonation. C'est un très bon exercice pour moi. Ça me permet de travailler ma compréhension orale mais aussi d'améliorer ma prononciation. Et puis, c'est gratuit !
Journaliste : Alex le reconnaît. Il a encore quelques lacunes dont une qui paraît incroyable. Il ne parle pas encore espagnol…

a. américain – anglais – 20 – hébreux, russe, turc, italien, dialectes asiatiques ou africains, français, japonais *(2 points)*
b. 1. La mémoire **2.** C'est une ville plurilingue. Alex y est partout chez lui et peut pratiquer les différentes langues qu'il connaît **3.** L'apprentissage de l'espagnol *(1,5 point par bonne réponse)*
c. Support : 1. dessins animés **2.** chansons **3.** conversations des gens (dans le métro par exemple) **Utilisation : 2.** écouter, retenir les paroles, les répéter **3.** écouter, faire attention aux différentes sonorités et à l'intonation **Compétence(s) travaillée(s) : 2.** vocabulaire, compréhension orale **3.** prononciation *(0,5 point par bonne réponse)*

3. a. 1. f **2.** e **3.** b **4.** a **5.** d **6.** c
b. 1. Le lycée recherche un professeur qui puisse former ses collègues à la pédagogie inversée. **2.** Nous voulons former des élèves qui sachent raisonner par eux-mêmes. **3.** J'aimerais apprendre une langue qui soit parlée dans de nombreux pays. **4.** On doit développer une pédagogie qui mette l'élève au centre de l'apprentissage. **5.** Il faudrait que je pratique l'espagnol avec quelqu'un qui m'apprenne des expressions idiomatiques. **6.** On doit proposer des cursus qui correspondent au profil de chacun.

4. sont – puisse – connaisse – se restreint – ait – réponde – permette

5. *Exemple de production :*
Notre établissement souhaite former des élèves qui, à la fin du lycée, sachent parler couramment deux langues étrangères.

6. 1. Je crois que le téléphone portable peut être un outil pédagogique. **2.** Je ne pense pas que l'utilisation de tout type d'écran en salle de classe permette une meilleure concentration ou créativité des élèves. **3.** Le fait que Steve Jobs ait dit que ses enfants n'avaient jamais utilisé d'iPad prouve bien qu'il y a un risque. **4.** Je crois qu'il faut vivre avec son temps. Je trouve que les outils numériques renforcent la motivation des élèves. **5.** Le fait qu'il faille équiper chaque classe de tablettes et de tableaux numériques est une catastrophe environnementale. **6.** Je ne crois pas que l'école numérique soit un désastre comme certains le disent. Au contraire, je pense qu'il faut y voir une opportunité.

7. *Exemple de production :*
1. Arrestation de 31 étudiants suite à une manifestation **2.** Protestation des directeurs d'école suite aux suppressions de personnel **3.** Ouverture d'une école d'un nouveau genre **4.** Obtention d'un financement exceptionnel des écoles de production

8. 🎧 65 La réforme du lycée est engagée. Voici les points principaux qui figurent dans le texte :
1. Le baccalauréat est modernisé.
2. La classe de seconde est réorganisée.
3. Il faut maîtriser au moins deux langues de communication à la fin du lycée.
4. Chaque établissement signe des accords avec des établissements étrangers pour renforcer les échanges.

1. Modernisation du baccalauréat **2.** Réorganisation de la classe de seconde **3.** Maîtrise d'au moins deux langues de communication à la fin du lycée **4.** Signature d'accords avec des établissements étrangers pour renforcer les échanges

9. Production libre.

10. 1. orthophonie **2.** prononciation **3.** consonne **4.** plurilingue **5.** bilingue **6.** étrangère **7.** tonalité **8.** voyelle **9.** précoce **10.** maternelle

11. a. 1. Quoi ? **2.** Pourquoi ? **3.** Comment ? **4.** Qui ? **5.** Où ?
b. *Exemple de production :*
Où : dans un institut, dans une école de langue, dans une université, à l'étranger
Qui : un apprenant, un linguiste, un locuteur, un natif, un polyglotte, un francophone, un anglophone, un hispanophone, un germanophone, un arabophone, un lusophone, un russophone, un francophile, un anglophile, un hispanophile, un germanophile, un sinophile…
Quoi : une langue vivante, une langue morte, la langue des signes, un dialecte, une langue dominante, une langue rare, une langue étrangère, la langue maternelle…
Comment : la sonorité, les sons, la tonalité, l'alphabet, les signes, la prononciation, les expressions idiomatiques, l'accent…
Pourquoi : échanger, communiquer, se comprendre, favoriser le plurilinguisme

12. *Exemple de production :*
Mon idée pour le français, c'est de travailler encore plus à l'école avec les apprenants de la langue française. Je pense que dans mon pays, en Bulgarie, il y a un vrai intérêt pour la culture française et pour la langue française. Le nombre de francophones ne cesse d'augmenter. Apprendre une langue étrangère, le français en particulier, permet de favoriser le plurilinguisme. J'aimerais bien lancer un grand concours dans tous les lycées de France. Par exemple : un concours de courts métrages qui expliqueraient les expressions idiomatiques, qui rendraient hommage à ces expressions. Ou encore un concours d'éloquence où on récompenserait les personnes qui ont la meilleure diction…

Corrigés et transcriptions

13. 🎧 66 En France, l'Assemblée nationale a voté, le 30 juillet 2018, une loi interdisant le téléphone portable dans les écoles et collèges. Je n'approuve pas ce changement. Il faut encourager le téléphone portable en classe. Le téléphone portable est souvent accusé de tous les maux. Cependant, il existe des expérimentations pédagogiques qui sont concluantes. J'ai moi-même tenté l'expérience : récemment, en cours magistral, j'ai demandé à mes étudiants de première année de licence de m'envoyer des réponses à mes questions par SMS, affichés par ordre d'arrivée sur le grand écran à la vue de tous. J'avais donc conseillé l'utilisation du téléphone portable dans le cadre du cours. Les étudiants étaient ravis, mais surtout, la participation des étudiants – rare en amphithéâtre – était nettement accrue. Alors pourquoi, à l'école et au collège, au lieu d'interdire le téléphone portable, ne pas intégrer, au contraire, son usage pour accompagner les élèves dans un apprentissage guidé ? Ne pourrait-on pas l'utiliser pour aider les élèves à s'approprier les usages de recherche d'informations ou de création de contenus dans le cadre d'activités pédagogiques ?

a. Interdiction du téléphone portable dans les écoles et les collèges.
b. Elle désapprouve cette loi car elle pense que le téléphone portable peut être un bon outil pédagogique et qu'il peut accroître la motivation des élèves et étudiants.
c. *Production libre.*

LEÇONS 3 et 4

1. a. Dans le cadre **des journées du patrimoine,** l'ensemble de l'équipe éducative et les élèves vous invitent à **une visite de l'école-musée des Frères Chappe à Saint-Etienne**. Venez découvrir **50 œuvres de 20 artistes différents** et **des travaux d'élèves.** Vous pourrez visiter les lieux librement ou profiter d'une **visite guidée** animée par **les élèves.** *(1 point par bonne réponse)*

b. 1. une école primaire **2.** un quartier défavorisé **3.** pallier à des problèmes d'ordre sociaux et scolaires *(0,5 point par bonne réponse)*

c. *Exemple de production :*
Les missions de l'enseignant sont d'aider les enfants à se questionner, à réfléchir sur leur place dans la société et dans l'école et à dialoguer. *(2,5 points)*

2. 🎧 67 **Voix off :** Ils sont nombreux ces cadres supérieurs qui ont de plus en plus de mal à trouver une utilité à leur travail. Un phénomène qui prend de l'ampleur dans les sociétés post-industrielles.
Anaïs : Tu sors du bac, tu fais ta prépa, tu passes ton concours, tu rentres à HEC, tu ne te poses pas de questions, c'est l'autoroute, tu continues, tu n'as pas de sorties possibles. Tu sais que t'auras un job une fois diplômé. Et puis après quand tu commences à travailler, que tu vois que ça te plaît pas, là, tu t'en vas…
Voix off : Pendant trois ans et demi, Anaïs a occupé un poste de cadre supérieur dans l'une des trois plus grosses banques françaises.
Anaïs : Pour mes parents, la réussite sociale, c'était occuper un superbe poste dans une grande boîte. Au début, ce qui me plaisait beaucoup dans mon boulot, c'était le fait de voyager, de travailler sur des grands projets, d'avoir des responsabilités… Mais au fur et à mesure, j'avais l'impression d'être trop en dehors de la réalité de la vie de tous les jours. Et de travailler sur des tableurs Excel pour des montants qui sont pas des montants qu'on utilise nous-mêmes dans notre vie quotidienne…
Voix off : Alors à 25 ans, elle a troqué ses talons aiguilles contre des baskets, elle a changé de métier, de vie aussi. En plein cœur de Paris, elle a ouvert une boulangerie artisanale. Ici, tout est fait sur place, la plupart des pains sont issus de farines biologiques… Depuis l'ouverture de la boulangerie il y a cinq ans, Anaïs a déjà recruté treize personnes, un mini-empire…
Elle a passé un CAP puis fait un stage de fabrication et de vente dans un moulin artisanal pendant plusieurs mois. Mais contrairement à la plupart des artisans, Anaïs n'a pas eu besoin de formation en comptabilité ou en gestion, elle a appliqué les méthodes qu'elle avait apprises à l'école.
Anaïs : J'ai élaboré un business plan au début, c'était pas improvisé. Et puis, c'est vrai que je fais tout sur Excel, je fais beaucoup plus de choses sur l'ordinateur que si j'avais pas eu cette formation.
Voix off : La boulangerie d'Anaïs est devenue l'une des meilleures boulangeries de Paris. Cela ne s'improvise pas. C'est un prestige qui s'acquiert et se défend, un peu comme le rang du premier de la classe.

a. *La révolte des premiers de la classe,* de Jean-Laurent Cassely *(1 point)*
b. Formation initiale : Classe préparatoire aux grandes écoles *(1 point)* – HEC *(1 point)* **Poste occupé pendant trois ans et demi :** Cadre supérieur dans l'une des trois plus grosses banques françaises *(0,5 point)* **Formation suivante :** CAP boulangerie *(1 point)* **Poste actuel :** Boulangère *(0,5 point)*
c. 1. Faux : *Au début, ce qui me plaisait beaucoup dans mon boulot, c'était le fait de voyager, de travailler sur des grands projets, d'avoir des responsabilités…* **2.** Vrai : *J'avais l'impression d'être trop en dehors de la réalité de la vie de tous les jours.* **3.** Faux : *Anaïs n'a pas eu besoin de formation en comptabilité ou en gestion, elle a appliqué les méthodes qu'elle avait apprises à l'école / J'ai élaboré un business plan / je fais tout sur Excel / je fais beaucoup plus de choses sur l'ordinateur que si j'avais pas eu cette formation.* *(1 point par bonne réponse)*

d. *Exemple de production :*
Il y a de fortes chances que ce phénomène séduise de plus en plus de cadres qui ne trouvent pas de sens à leur travail. – Il est peu probable que les premiers de la classe soient les artisans du futur. *(1 point par phrase correcte)*

3. 1. cela ne fait nul doute **2.** il y a de fortes chances **3.** il y a de grandes chances **4.** il est bien possible **5.** il se peut **6.** il se pourrait **7.** il est peu probable **8.** il est improbable

4. 1. Il se peut que l'on revienne à des écoles sans écran dans le futur. – Il y a de fortes chances que l'on revienne à des écoles sans écran dans le futur. **2.** Il est certain que la dictée fera bientôt partie du programme du bac. – Il y a peu de chances que la dictée fasse bientôt partie du programme du bac. **3.** Il est peu probable que la course aux diplômes soit terminée. – Il ne fait aucun doute que la course aux diplômes est terminée.

5. *Exemple de production :*
1. Il se peut que la pédagogie soit de plus en plus individualisée et différenciée. **2.** Il y a de fortes chances que les classes à niveaux multiples soient la tendance de demain. **3.** Il est possible que le rôle de l'enseignant change et qu'il soit considéré plutôt comme un accompagnateur dans l'apprentissage. **4.** Il y a de grandes chances que les élèves soient plus motivés s'ils s'engage plus dans leur apprentissage. **5.** Il y a peu de chances que les diplômes puissent perdre de leur valeur. **6.** Il se pourrait que l'autodidaxie soit de plus en plus valorisée.

6. 1. Dans notre système scolaire, nous ne pratiquons ni la dissertation ni la note de synthèse. **2.** Ni les élèves ni le personnel éducatif ne sont en faveur de la réforme du lycée. **3.** Guillaume n'a ni réussi son CAP bijoutier ni été embauché par un diamantaire. **4.** Ni l'un ni l'autre n'a été accepté en classe prépa. **5.** Vous n'êtes ni sérieux ni rigoureux dans votre travail scolaire. **6.** Les diplômes ne sont ni un aboutissement ni un symbole de réussite sociale.

7. 🎧 68 *Exemple :* À l'école, j'ai pas fait de latin. J'ai pas fait de grec non plus.
1. Je suis nul en maths. Du coup, je ne choisirai pas une filière scientifique.
2. Mon père ne m'a pas encouragée à poursuivre les mêmes études que lui. Ma mère encore moins d'ailleurs !

Corrigés et transcriptions

3. J'étais un vrai cancre. La rigueur et l'effort, je ne connaissais pas.
4. Je n'ai pas fait d'études supérieures mais je m'en suis bien sortie quand même.
5. Quand j'ai choisi de m'orienter vers un lycée professionnel, mes parents n'étaient pas franchement pour mais pas complètement contre non plus.
6. Je ne ferai pas de grande école ! Il n'y a que l'université qui donne la même chance à chacun !

1. impossible 2. Ni mon père ni ma mère ne m'ont encouragée à poursuivre les mêmes études qu'eux. 3. Je ne connaissais ni la rigueur ni l'effort. 4. impossible 5. Quand j'ai choisi de m'orienter vers un lycée professionnel, mes parents n'étaient ni franchement pour ni complètement contre. 6. impossible

8. 1. Les écoles d'ingénieurs peinent à s'ouvrir aux **bacheliers** technologiques et professionnels. / Martigny-les-Bains : des récompenses pour les **bacheliers** ayant obtenu une mention au bac 2. L'apprentissage n'est pas une **voie de garage** / Le lycée professionnel de Cluny : une voie d'excellence pas une **voie de garage** 3. Jeune, urbain, **surdiplômé**… La réussite assurée ! / Quand les **surdiplômés** déclarent la guerre au surmenage 4. Université de Savoie : ouverture d'un nouveau **cursus** en archéologie / Parcoursup : sélection du **cursus** post-bac 5. Bac : la méthodologie de la **dissertation** en BD / Conseils pour éviter le hors-sujet en **dissertation** 6. Même avec un **bac + 5**, les femmes accèdent moins facilement au statut de cadre / Studyrama : un salon pour les étudiants du bac au **bac + 5**

9. 1. Faux 2. Vrai 3. Faux 4. Faux 5. Vrai 6. Vrai

10. 1. 3 2. de 3 à 16 ans (En avril 2019, la loi Blanquer a été adoptée, rendant la scolarité obligatoire à partir de trois ans.) 3. Licence et Master 4. la classe de 3ᵉ 5. une thèse 6. la seconde 7. 7 ans 8. intégrer une classe préparatoire et réussir le concours d'entrée de la grande école 9. être titulaire du baccalauréat 10. Deux parmi : CAP / BEP / Bac professionnel / Brevet professionnel

11. 🎧 69 *Exemple* : Vous croyez vraiment que je vais croire tout ce que vous racontez depuis une heure ? Vous rêvez !
1. Mais comment peux-tu affirmer une chose pareille ? Tu n'en sais rien !
2. Je croyais vraiment que je serais reçu à ce concours. Tant pis, je retenterai l'année prochaine.
3. Cette année, j'ai décidé de me reprendre en main et de chercher un nouvel emploi.
4. Arrête de réfléchir et prends les décisions qui s'imposent, si tu veux vraiment que ta vie change.
5. Nous étions tous très confiants et nous ne comprenons toujours pas l'origine de l'échec de notre association.
6. C'est fou comme tu peux être sûr de toi alors que tu fais souvent des oublis, voire des erreurs.
7. Si on en est arrivés là, c'est un peu grâce à mon intervention, me semble-t-il.
8. Je me sens frustré de ne pas pouvoir parler anglais couramment, surtout quand je voyage dans un pays anglophone.

1. Ton agacé 2. Ton triste et découragé 3. Ton neutre 4. Ton agacé 5. Ton triste et découragé 6. Ton moqueur 7. Ton neutre 8. Ton triste et découragé

12. a. un titre – une définition – un argument – un contre-argument – une problématique
b. En clair : résumer l'idée – Cependant : introduire une concession, un contre-argument – Alors : indiquer une conséquence, introduire la problématique
c. remplace « tout le monde »

13. *Exemple de production* :
Les notes, pour quoi faire ?
Les notes représentent le système d'évaluation prédominant à l'école. Elles se posent comme le reflet du niveau d'un élève. Mettre une note permet de situer les élèves les uns par rapport aux autres et induit donc le classement. Parents, professeurs et élèves y semblent très attachés. En clair, les notes apparaissent comme indéboulonnables de la culture scolaire de notre pays.
Cependant, on sait bien ce que font les élèves lorsque le prof leur rend une copie. C'est la note qu'ils regardent avant tout, pas les commentaires du professeur ou encore leurs réussites ou leurs échecs. Puis ils comparent avec les autres élèves afin de se situer.
Alors, les enseignants doivent-ils nécessairement répondre à cette demande de compétition ? Les notes sont-elles nécessaires pour évaluer ou s'évaluer ? Quel est l'intérêt pour les apprentissages ?

14. *Production libre.*

BILAN 8

1. 1. a 2. Cette satisfaction est liée à l'amélioration de l'accueil des étudiants. 3. a. Vrai : *75 % les trouvent accueillants* b. Faux : *C'est du reste sur Paris que se concentrent les critiques, car les étudiants ayant étudié dans d'autres régions se disent satisfaits du coût de la vie et du logement à 63 %.* 4. 2 réponses parmi : Ils parlent couramment français / Ils utilisent le français dans le cadre professionnel / Ils travaillent en France.

2. 🎧 70 **Journaliste** : Aujourd'hui nous parlons d'éducation, et plus particulièrement des cours particuliers ou autre soutien scolaire payant après l'école. C'est un débat qui révèle les insuffisances d'un système éducatif. La France, les pays d'Afrique francophone, ou encore la Corée du Sud, sont des pays champions des petits cours après l'école. Alors pourquoi ces pratiques alors qu'elles sont inexistantes dans certains pays ? Le soutien scolaire et ses pratiques commerciales se nourrissent-ils d'un affaiblissement des systèmes éducatifs ou bien s'agit-il d'une garantie d'une meilleure attention à l'enfant ? Je vous présente nos deux invités : Muriel Poisson, spécialiste des questions d'éthique dans l'éducation à l'Unesco et Philippe Coléon, directeur général de l'entreprise Acadomia, numéro 1 du soutien scolaire en France. 100 000 élèves l'an dernier, 3 millions d'heures de cours parallèlement à l'école et 150 millions d'euros de chiffres d'affaires, de quoi interroger l'Éducation nationale ! Je vais commencer par vous lire quelques témoignages de nos auditeurs. Jacquy, de Madagascar, nous dit qu'à cause du chômage, beaucoup de jeunes diplômés donnent des cours particuliers sans avoir reçu aucune formation et cela nuit à la qualité et à l'image de l'enseignement. Eugénie, de Douala, au Cameroun, pense qu'on ne peut pas parler d'injustice sociale, car les cours de soutien résultent d'une décision des parents qui constatent un problème dans l'éducation de leurs enfants. Les enseignants ont la connaissance nécessaire, mais les classes sont surchargées ou ils manquent de matériel. Au Cameroun, on trouve des cours particuliers à tous les prix et ces cours sont des partenaires du système scolaire. En Afrique, il est indispensable d'avoir un professeur particulier après les cours si on veut aspirer à un métier reconnu. Et enfin, selon Gustave, de la ville de Ziguinchor, en Casamance dans le sud du Sénégal, aucun parent d'élève digne de ce nom ne peut priver son enfant de cet avantage. Ces témoignages semblent donc liés à l'insuffisance du service public de l'éducation. Ceci dit, pour les parents qui culpabilisent les autres parents qui ne dépensent pas d'argent pour des cours particuliers, c'est quand même assez violent, non ? Muriel Poisson.

Muriel Poisson : Oui, effectivement, je pense que la difficulté, c'est que les parents essaient de faire ce qui est mieux pour leurs enfants, donc s'il y a des problèmes de qualité dans les établissements scolaires, avec des classes surchargées, etc., ils essaient de trouver un moyen alternatif de pallier ces difficultés. Ils ont envie que leurs enfants réussissent leurs examens, donc ils les poussent à suivre ces cours particuliers.

Journaliste : Et en même temps, les familles n'ont pas recours à des tuteurs partout dans le monde.

Corrigés et transcriptions

Muriel Poisson : Enfin, c'est quand même un phénomène qui s'est beaucoup développé au cours des dernières années. Je pense qu'il y a peu de pays où il n'existe pas du tout de cours privés. Le soutien scolaire a explosé dans certaines régions du monde. Par exemple en Asie de l'Est, cela existe depuis les années 1960 dans des pays comme la Corée du Sud, Taïwan, le Japon. À la fin des années 1990, ça s'est beaucoup développé dans les pays de l'ex-Union soviétique, notamment à la fin du secondaire pour entrer dans les établissements d'enseignement supérieur. Dans les pays européens et en Amérique du Nord, ça s'est bien développé, mais on a des difficultés à avoir des chiffres fiables sur cette question. Et en Afrique, très clairement, ça s'est beaucoup développé au cours des dix, vingt dernières années. Dans des pays comme le Kenya, ce sont plus de 80 % des élèves au niveau 6 du primaire qui suivent des cours privés d'enseignement. Les chiffres sont similaires pour l'île Maurice. Au Malawi, plus de la moitié des enfants suit des cours. Donc c'est quand même un phénomène massif.

Journaliste : La France a quand même une passion pour les cours de soutien scolaire. 36 % des lycéens ont déjà bénéficié de cours, depuis qu'ils sont à l'école primaire. Pourquoi cela, Philippe Coléon ?

Philippe Coléon : La France est l'un des pays au monde où on demande le plus de travail à la maison. Un élève de terminale doit fournir environ 400 heures de travail personnel à la maison. Dans les systèmes éducatifs nordiques ou anglo-saxons, le travail se fait à l'école, c'est ce qu'on appelle la pédagogie inversée. En France, hélas, trop souvent, l'apprentissage se fait à la maison.

1. Le nombre d'élèves concernés et d'heures de cours particuliers (ainsi que le chiffre d'affaires d'Acadomia) est très important et pose question sur l'efficacité du système éducatif français. 2. a 3. Ils ont les connaissances nécessaires pour enseigner, mais manquent de matériel à l'école et les classes sont surchargées. 4. Les cours de soutien scolaire se sont développés dans le monde entier (Asie, ex-URSS, Afrique, Amérique, Europe) / Il s'agit d'un phénomène massif / Dans certains pays, une grande partie des enfants suit des cours particuliers. 5. b.

3. *Exemple de production orale :*

– J'ai lu un article sur l'authentification des diplômes. Le gouvernement français a mis en place un site Internet pour stocker les diplômes et prouver à des employeurs, par exemple, qu'ils sont bien réels. J'ai trouvé ça très intéressant, à une époque où les faux diplômes sont de plus en plus présents.

– En tout cas, ça montre bien l'importance des diplômes dans notre société et le fait que les diplômes sont indispensables pour réussir sa vie professionnelle.

– Je ne serais pas si catégorique. Les diplômes sont certes très importants, mais que fais-tu de l'expérience acquise sur le tas ? Elle vaut parfois plus qu'un diplôme. Et puis, les diplômes ne préparent pas nécessairement à toutes les facettes d'un métier. Certains concours sont même parfois déconnectés de la réalité. Ils consistent en des épreuves théoriques, loin de la réalité concrète du terrain.

– Il est vrai que l'expérience compte, mais il me semble que les diplômes sont parfois nécessaires pour accéder à certains postes. Prends l'exemple des médecins. Il ne nous viendrait pas à l'idée d'ouvrir un cabinet de médecine sans avoir suivi les études correspondantes !

– Évidemment, cela dépend des métiers. Pour certains métiers, comme les métiers relatifs à la santé, il est important, voire vital, de s'assurer que les personnes ont bien le diplôme adéquat. En revanche, pour d'autres professions, ce n'est pas si tranché. Par exemple, en France, des étudiants de niveau master 1 (bac + 4) peuvent être recrutés pour enseigner dans les écoles, en raison d'un manque de personnel titulaire du concours d'enseignement. Dans d'autres métiers, l'expérience est parfois très reconnue et importante, comme pour le secteur de la vente, par exemple. Par ailleurs, on parle souvent du « rêve américain », avec l'idée que tout est possible aux États-Unis. Ce n'est peut-être pas toujours le cas pour tout le monde, mais il y a plus de possibilités de réussir dans ce pays que dans d'autres pays où la culture des diplômes est importante. Par exemple, le cas d'Arnold Schwarzenegger est éloquent : cet homme, d'origine autrichienne, a été culturiste, acteur et politicien ! Il a réussi à être élu gouverneur de Californie sans diplôme en politique, mais grâce à son engagement pour le parti républicain. En France, un cas comme celui-ci est quasiment impossible. La plupart des politiciens ont fait de grandes écoles.

– En tout cas, ce qui est sûr, c'est que les diplômes représentent de gros enjeux. Ils permettent de préparer au mieux l'entrée dans la vie professionnelle ou dans un secteur spécifique, ce qui est rassurant.

4. *Exemple de production écrite :*

Chère Élise,

Je me permets de vous répondre afin de vous convaincre de tenter l'aventure de partir dans le cadre d'un programme d'échange étudiants, même si (ou parce que !) je n'ai moi-même jamais eu cette chance. Tout d'abord, partir dans le cadre d'un séjour étudiant est une expérience unique d'un point de vue culturel. Vous avez la possibilité de découvrir et de vivre dans une autre culture pendant un ou deux semestres. Par ailleurs, en étant en immersion dans cette culture, vous pouvez apprendre une langue et progresser plus rapidement que si vous étiez restée dans votre pays, grâce aux situations concrètes de la vie quotidienne. Si vous décidez de partir, je vous conseillerais de suivre assidûment un cours de langue à l'université pour faire de nets progrès à la fois à l'écrit et à l'oral. Certes, partir signifie quitter sa famille, ses amis, mais ce n'est que temporaire et le fait que ce soit encadré par l'université est rassurant. Il n'est parfois pas évident de profiter de son expérience quand le coût de la vie est cher dans le pays d'accueil, aussi je vous conseillerais de chercher un petit travail à faire à côté des études pour gagner un peu d'argent (idéalement dans son domaine de spécialité), en faisant attention tout de même à garder assez de temps pour étudier. J'ai une amie qui est partie dans le cadre d'un programme d'échange à Paris et elle travaillait à l'accueil d'un hôtel le week-end. Elle a adoré son expérience même si effectivement le logement et la vie sur place étaient chers. En se renseignant un peu, elle a d'ailleurs pu trouver une colocation et vivre dans un plus grand appartement en divisant les frais. Enfin, l'avantage principal, me semble-t-il, est de rentrer ensuite dans son pays et de faire valoir son expérience à l'étranger. Les recruteurs apprécient souvent la connaissance d'une autre langue et culture.

J'espère que ces quelques mots vous auront convaincue et vous souhaite bon courage pour cette année d'étude !

Bien à vous,

Alice *(338 mots)*

Corrigés et transcriptions

DELF B2
Compréhension de l'oral

EXERCICE 1

🎧 N°71 Vous allez entendre deux fois un enregistrement de 5 minutes environ. Vous avez tout d'abord 1 minute pour lire les questions. Puis vous écoutez une première fois l'enregistrement. Vous avez ensuite 3 minutes pour répondre aux questions. Vous écoutez une seconde fois l'enregistrement.

Vous avez encore 5 minutes pour compléter vos réponses.

Pour répondre aux questions, cochez la bonne réponse ou écrivez l'information demandée.

Lisez les questions, écoutez le document puis répondez.

Journaliste : Cette semaine, dans notre émission, nous allons parler de l'habitat participatif. C'est un moyen pour les habitants de prendre leur logement en main, une idée pleine d'audace et de bon sens. Plutôt que chacun achète dans son coin et que d'éventuelles règles de copropriété basiques soient mises en place, là il s'agit de réfléchir ensemble en amont à ce qu'on a envie de faire ou pas ensemble. Nous accueillons Siham Laux, la co-fondatrice de la start-up « Ô Fil des voisins », qui accompagne les projets d'habitat participatif. Siham Laux, pouvez-vous nous expliquer ce qu'est l'habitat participatif ?

Siham Laux : C'est la possibilité pour les habitants de réfléchir ensemble à leur futur logement, ce qui signifie co-concevoir le logement en amont et réfléchir à sa gouvernance. En général, ces deux étapes sont distinctes, la première étant réalisée avant la construction même du logement tandis que la seconde se fait un peu plus tard, sur le long terme.

Journaliste : Et cette approche participative est encadrée par la loi Alur de 2014, pour l'accès au logement et à un urbanisme rénové. Cette loi propose un cadre juridique et une définition, en précisant qu'il s'agit d'une démarche citoyenne qui permet à des personnes physiques de s'associer avec des personnes morales, afin de participer à la définition et la conception de leurs logements et des espaces destinés à un usage commun. Cela peut donc concerner un logement neuf ou ancien, l'important étant qu'il y ait une collectivité d'habitants et une volonté de construire ensemble. On parle donc d'un projet immobilier, mais aussi d'un projet de voisinage avec des espaces partagés en extérieur, ou en intérieur, et également de projet de solidarité ou d'entraide. Ce type de logement participatif est beaucoup moins répandu en France que dans d'autres pays, même si un début de dynamique semble s'installer dans l'Hexagone. En Suisse, par exemple, on estime à 5 % le nombre de logements participatifs. Il y en aurait près de deux millions en Allemagne. En France, ce serait un peu moins de 1 % des logements, voire beaucoup moins selon les sources. Siham Laux, pourriez-vous nous expliquer en quoi consiste l'entreprise « Ô Fil des voisins » que vous avez créée ?

Siham Laux : « Ô Fil des voisins » est une plateforme qui rassemble et accompagne des projets d'habitat participatif. Nous avons d'abord un rôle de création de groupes. La plupart du temps, nous allons mettre en relation des personnes en fonction de leurs valeurs, de leurs projets de vie, pour faire en sorte que le groupe soit solide et puisse durer. Ensuite nous accompagnons également, avec l'aide des structures locales, la mise en place des projets. Notre travail, c'est aussi de convaincre les promoteurs et les mairies de l'intérêt de ces projets. Nous sommes des « facilitateurs » en quelque sorte.

Journaliste : Les motivations peuvent être diverses pour des particuliers qui décident de s'inscrire dans cette démarche d'habitat participatif.

Siham Laux : La première motivation des personnes qui choisissent l'habitat participatif, c'est de ne pas être isolés. Dans certains cas, ce sont des personnes qui vont être ou sont déjà retraitées et qui ne veulent pas vieillir seules. Dans d'autres, ce sont de jeunes parents divorcés qui veulent un nouveau logement sans être isolés.

Il existe aussi une motivation financière, même si dans l'absolu le prix du mètre carré ne change pas beaucoup par rapport à un achat traditionnel. Par contre, le fait de pouvoir mutualiser les espaces permet de pouvoir acheter un logement qui est moins cher. Par exemple, avoir une chambre d'ami en commun avec ses voisins, ou partager la buanderie avec la machine à laver et le sèche-linge. Et puis il y a une dernière raison, qui est assez intéressante, c'est le désir de connaître ses voisins, de ne pas vouloir se retrouver dans un immeuble où l'on ne connaît personne. Ce type de lien peut favoriser l'entraide. Donc il y a ces trois motivations principales.

Journaliste : Ça peut donc consister à créer une chambre d'amis partagée, une buanderie, se partager un lave-linge ou encore un jardin, mais aussi des réunions ou des réseaux de solidarité. En tout cas, pour vous, Siham Laux, cela s'inscrit dans une communauté de valeurs.

Siham Laux : Globalement, on a des valeurs de partage, ce qui paraît assez logique. Mais c'est vrai qu'avoir envie de partager des espaces avec ses voisins, ça va un peu plus loin que l'usage commun d'un espace, c'est aussi le fait de se rencontrer physiquement. C'est d'accepter d'aller aussi vers l'autre, donc c'est une valeur assez forte. Il y a une valeur d'entraide aussi, parce qu'on part du postulat qu'en habitant dans un logement participatif, on connaît ses voisins et donc forcément, il va y avoir plus de solidarité entre les voisins. Par exemple, c'est plus facile d'accepter de l'aide de quelqu'un quand on le connaît. Je pense par exemple à des copropriétés où les personnes âgées ou retraitées surveillent ou gardent les enfants et en contrepartie, les parents vont faire les courses pour elles si elles ont du mal à se déplacer. Tout cela se fait très naturellement. Cependant, c'est vraiment en fonction des voisins, on construit le modèle participatif dont on a envie : est-ce qu'on a envie de manger ensemble tous les vendredis soir, ou pas ? Est-ce qu'on a envie de partager le lave-linge aussi ? C'est vraiment très variable et il faut déterminer ces aspects ensemble au moment de construire le projet.

Journaliste : Pouvez-vous nous donner des exemples concrets d'habitat participatif ?

Siham Laux : Un des projets que j'ai pu suivre, et qui a été accompagné par une association locale, m'a vraiment marquée. C'est celui du MasCobado à Montpellier. Il regroupe plusieurs aspects : la propriété individuelle, la location sociale et l'accès à la propriété grâce à un prêt bancaire spécifique. Ce projet est assez intéressant parce qu'ils ont réussi à créer une mixité sociale en plus de la mixité générationnelle et à mettre en place une certaine entraide. C'est un projet magnifique, qui a d'ailleurs gagné un prix. C'est un endroit où l'on a envie d'habiter.

1. B. collaboratif – **2.** La loi Alur (de 2014, qui pose un cadre juridique permettant à des personnes de s'associer en vue de définir un logement). – **3.** Une collectivité d'habitants ET une volonté de construire ensemble. – **4. A.** social – **5.** L'habitat participatif est moins répandu en France que dans d'autres pays, mais commence à se développer. – **6.** Une plateforme qui regroupe et accompagne des projets d'habitat participatif. / Un service de mise en relation de futurs voisins en habitat participatif. – **7. A.** les services de la ville – **8.** Ne pas être isolé, motivation financière (en mutualisant des espaces) et connaître ses voisins. – **9.** Deux réponses parmi : une chambre d'ami / une buanderie / un jardin. – **10.** Deux réponses parmi : des valeurs de partage, de découverte de l'autre, de solidarité, d'entraide. – **11. C.** Garde d'enfants. – **12. C.** Le partage des moments de vie. **13.** Le projet à Montpellier propose une mixité sociale et intergénérationnelle avec de l'entraide.

Corrigés et transcriptions

EXERCICE 2

🎧 72 Vous allez entendre une seule fois un enregistrement de 1 minute 30 à 2 minutes.

Vous avez tout d'abord 1 minute pour lire les questions.

Après l'enregistrement, vous avez 3 minutes pour répondre aux questions.

Pour répondre aux questions, cochez la bonne réponse ou écrivez l'information demandée.

Lisez les questions, écoutez le document puis répondez.

David, journaliste : Bonjour Philippe.

Philippe, journaliste : Bonjour David.

David, journaliste : Ce soir à la maison de la Radio, vous accueillez les auditeurs de France Info pour parler changement de vie professionnelle. Comment changer de métier ? Faut-il forcément changer d'entreprise ? Êtes-vous mûr pour ce virage à 180 degrés ? Le moins que l'on puisse dire, Philippe, c'est que le thème passionne !

Philippe, journaliste : Oui, je vais vous donner une indication, David, qui parle de l'engouement pour ce thème. J'ai déposé sur le réseau social professionnel LinkedIn un appel à témoins pour inviter tous ceux qui le souhaitaient à parler de leur reconversion. Au bout de 24 heures, le post avait été vu 1 400 fois, on en était à 46 000 vues le lendemain. On a dépassé aujourd'hui les 90 000 lecteurs de ce message.

David, journaliste : Des chiffres effectivement impressionnants. Parmi vos invités de ce soir, Philippe, Carine Celnik, la fondatrice d'une start-up qui donne un coup de jeune à la mobilité professionnelle.

Philippe, journaliste : Oui, cette start-up, c'est testunmetier.com. C'est simple, c'est comme le stage de troisième au collège en France, vous vous demandez si un métier est fait pour vous, et bien vous avez la possibilité de le exercer entre cinq et trente jours avec un vrai pro. Une façon d'arrêter de se prendre la tête et de mettre les mains dans le cambouis. Oui, Carine Celnik ?

Carine Celnik : Toutes les solutions qui accompagnent la reconversion sont axées de la même façon : il s'agit généralement de se projeter, de s'imaginer, mais absolument pas de vivre l'expérience de ce nouveau métier. C'est dommage. Pour s'engager dans une nouvelle partie de vie, c'est bien de répondre aux questions que vous avez dans votre tête : est-ce que c'est le métier qui est bien pour moi, est-ce que j'en ai envie, est-ce que j'en suis capable ? Il n'y a qu'en vivant l'expérience qu'on sait si un métier est fait pour soi.

David, journaliste : Quels métiers peut-on tester de cette façon ?

Carine Celnik : La liste est longue, et parfois surprenante. C'est vrai qu'on a été très associés aux métiers de l'artisanat, comme les pâtissiers, boulangers, fleuristes, mais on a beaucoup de demandes dans les métiers du tertiaire. Ça peut être négociateur immobilier, agent d'accueil touristique, conseil en insertion professionnelle, aide-soignante... Je peux vous en citer comme ça des centaines, et à chaque fois, c'est des métiers très différents.

David, journaliste : Peut-être que je me trompe Philippe, mais j'imagine qu'il y a un coût tout de même ?

Philippe, journaliste : La formule est faite pour être financée par le plan de formation de votre entreprise. Vous donnez le nom de votre responsable RH et la start-up s'occupe de tout.

David, journaliste : Merci beaucoup, Philippe.

1. **C.** La reconversion professionnelle. – 2. Quand la thématique a été proposée sur les réseaux sociaux, le nombre de vues du message n'a cessé d'augmenter. – 3. On peut découvrir un métier en le testant pendant plusieurs jours avec un professionnel. – 4. Quand on souhaite changer de métier, on est censé imaginer et se projeter, mais sans faire l'expérience de ce nouveau métier. – 5. **C.** les compétences – 6. **B.** l'immobilier – 7. **B.** L'entreprise.

Compréhension des écrits

EXERCICE 1

1. Malgré l'intérêt croissant des consommateurs pour les produits naturels, le marché du bio fait face à de nombreuses menaces. – 2. L'incapacité de la production française à répondre à la croissance de la demande / L'augmentation des importations de produits bio. – 3. Faux : « *En dehors de quelques produits spécifiques, on ne peut pas parler d'un réel problème de pénurie en France.* » – 4. **C.** connaît une croissance modérée – 5. Faux : « *L'agriculture bio a beau être moins productive, elle est plus rémunératrice que l'agriculture conventionnelle.* » – 6. Faux : « *Contrairement à l'Autriche ou à l'Allemagne, qui ont mis en place une véritable politique en faveur du bio, la France a toujours privilégié l'agriculture conventionnelle [...].* » – 7. Le temps de conversion de l'agriculture conventionnelle vers l'agriculture biologique ne permet pas de répondre à la demande rapidement. – 8. **C.** de s'investir pour une tendance passagère – 9. **B.** restent à développer – 10. Le bio est un choix écologique responsable qui demande de gros investissements et des sacrifices pour des produits de qualité supérieure. Le consommateur doit s'associer à cette démarche et payer le prix juste du bio.

EXERCICE 2

1. Il faut toujours être occupé, faire plein d'activités, ne jamais perdre de temps. C'est un mode de vie que les adultes imposent aux enfants dès le plus jeune âge. – 2. Ils servent de moyen de garde pour les enfants et soulagent les parents. – 3. Vrai : « *Les trois-quarts ont répondu favorablement, et je parle d'enfants d'à peine cinq ans !* » – 4. Faux : « *Les parents ne sont pas les seuls à blâmer. Dès l'école, les petits sont gavés d'activités [...]* ». – 5. **A.** manquent d'autonomie – 6. Faux : « *[...] ne rien faire est une activité à part entière !* ». – 7. **C.** découvrir leur environnement – 8. **B.** Les enfants arrivent à s'occuper seuls. 9. Ce sont les parents qui ont peur que leurs enfants s'ennuient. Les enfants ne ressentent pas l'ennui. 10. Il faut expliquer aux enfants que ces moments leur permettent de réfléchir et de rêvasser.

> **Production écrite et production orale**
>
> *Pour évaluer la production écrite et la production orale, nous vous invitons à vous référer aux grilles d'évaluation du DELF, téléchargeables sur les sites Internet des centres d'examen.*

Lexique

DOSSIER 1

LEÇON 1
allure [alyʁ]
apparence [apaʁɑ̃s]
apprêté [apʁete]
classicisme [klasisism]
colonisation [kɔlɔnizasjɔ̃]
contestation [kɔ̃tɛstasjɔ̃]
déjanté [deʒɑ̃te]
dernier cri [dɛʁnje kʁi]
écoresponsable [ekɔʁɛspɔ̃sabl]
élégance [elegɑ̃s]
fringues [fʁɛ̃g]
influence [ɛ̃flyɑ̃s]
minijupe [miniʒyp]
sophistiquée [sɔfistike]
talon [talɔ̃]
vestimentaire [vɛstimɑ̃tɛʁ]

LEÇON 2
agroalimentaire [agʁoalimɑ̃tɛʁ]
algue [alg]
aromatisé [aʁɔmatize]
barquette [baʁkɛt]
bétail [betaj]
caddie [kadi]
cellophane [selɔfan]
congelé [kɔ̃ʒ(ə)le]
consommateurs [kɔ̃sɔmatœʁ]
côte de bœuf [kot də bœf]
cultivé [kyltive]
essor [ɛsɔʁ]
ferme [fɛʁm]
flexitarisme [flɛksitaʁism]
grande distribution
 [gʁɑ̃d:istʁibysjɔ̃]
indécent [ɛ̃desɑ̃]
insecte [ɛ̃sɛkt]
mouche [muʃ]
niche [niʃ]
protéine [pʁɔtein]
rire jaune [ʁiʁ ʒon]
sauterelle [sot(ə)ʁɛl]
urbain [yʁbɛ̃]
végétarisme [veʒetaʁism]

LEÇON 3
adepte [adɛpt]
anthropologie [ɑ̃tʁɔpɔlɔʒi]
authenticité [otɑ̃tisite]
aux quatre coins du monde
 [o katʁ(ə) kwɛ̃ dy mɔ̃d]
balnéaire [balneɛʁ]
bout du monde [bu dy mɔ̃d]
croisière [kʁwazjɛʁ]
débarquant [debaʁkɑ̃]
décalage [dekalaʒ]
engouement [ɑ̃gumɑ̃]
estivant [ɛstivɑ̃]
hostile [ɔstil]
huis clos [ɥi klo]
long-courrier [lɔ̃kuʁje]
migrant [migʁɑ̃]
nu [ny]
nuisances [nɥizɑ̃s]
parasol [paʁasɔl]
plaisance [plɛzɑ̃s]
ravages [ʁavaʒ]
rébellion [ʁebɛljɔ̃]
rengaine [ʁɑ̃gɛn]
s'agglutiner [saglytine]
se détendre [s(ə)detɑ̃dʁ]
temporalité [tɑ̃pɔʁalite]
territoire [tɛʁitwaʁ]
us et coutumes [ysekutym]
traîner [tʁene]
transhumance [tʁɑ̃zumɑ̃s]
villégiature [vileʒjatyʁ]

LEÇON 4
à pois [a pwa]
adage [adaʒ]
comble [kɔ̃bl]
coupe [kup]
débrouille [debʁuj]
deuxième main
 [døzjɛm(ə) mɛ̃]
empreinte [ɑ̃pʁɛ̃t]
estudiantine [ɛstydjɑ̃tin]
éthique [etik]
évasé [evaze]
fluidité [flɥidite]
jupe crayon [ʒyp kʁɛjɔ̃]
matière [matjɛʁ]
rétro [ʁetʁo]
souplesse [suplɛs]
tapisserie [tapis(ə)ʁi]
tissu [tisy]
uniformité [yniformite]

DOSSIER 2

LEÇON 1
adoption [adɔpsjɔ̃]
affinité [afinite]
ancré [ɑ̃kʁe]
asile [azil]
blâmé [blame]
censuré [sɑ̃syʁe]
charnel [ʃaʁnɛl]
délivrance [delivʁɑ̃s]
démuni [demyni]
diversité [divɛʁsite]
émotionnel [emɔsjɔnɛl]
exil [ɛgzil]
factuel [faktɥɛl]
féconde [fekɔ̃d]
innocence [inɔsɑ̃s]
langue maternelle
 [lɑ̃g matɛʁnɛl]
mémoire [memwaʁ]
mondialité [mɔ̃djalite]
natale [natal]
nostalgie [nɔstalʒi]
olfactif / olfactive
 [ɔlfaktif / ɔlfaktiv]
périple [peʁipl]
persan [pɛʁsɑ̃]
prise de position
 [pʁiz də pɔzisjɔ̃]
proscrit [pʁɔskʁi]
réfugié [ʁefyʒje]
se réfugier [sə ʁefyʒje]
scolarité [skɔlaʁite]
survie [syʁvi]

LEÇON 2
accompagnateur [akɔ̃paɲatœʁ]
antan [ɑ̃tɑ̃]
allumeur de réverbères
 [alymœʁ də ʁevɛʁbɛʁ]
automatisé [otɔmatize]
avènement [avɛn(ə)mɑ̃]
basculement [baskyl(ə)mɑ̃]
composter [kɔ̃pɔste]
décennie [deseni]
démocratisation
 [demɔkʁatizasjɔ̃]
dépanneur [depanœʁ]
électricien [elɛktʁisjɛ̃]
époque [epɔk]
fantasmer [fɑ̃tasme]
générer [ʒeneʁe]
heure de gloire [œʁ də glwaʁ]
installateur [ɛ̃stalatœʁ]
laitier [lɛtje]
livreur [livʁœʁ]
manuel [manɥɛl]
métier [metje]
oubli [ubli]
traite [tʁɛt]
obsolète [ɔbsɔlɛt]
plombier-chauffagiste
 [plɔ̃bjeʃofaʒist]
poinçonneur [pwɛ̃sɔnœʁ]
pointer du doigt [pwɛ̃te dy dwa]
robot [ʁɔbo]
s'imposer [sɛ̃poze]
s'immiscer [simise]
spéculer [spekyle]

LEÇON 3
allumé [alyme]
bûche [byʃ]
brusque [bʁysk]
câlin [kalɛ̃]
chair [ʃɛʁ]
chevelure [ʃəv(ə)lyʁ]
effeuillé [efœje]
engourdi [ɑ̃guʁdi]
extase [ɛkstaz]
filtrer [filtʁe]
flambée [flɑ̃be]
flamme [flam]
fragrance [fʁagʁɑ̃s]
griser [gʁize]
insomnie [ɛ̃sɔmni]
manguier [mɑ̃gje]
marronnier [maʁɔnje]
ombre [ɔ̃bʁ]
obscurité [ɔpskyʁite]
os [ɔs / o]
paon [pɑ̃]
rafraîchir [ʁafʁɛʃiʁ]
sang [sɑ̃]
saveur [savœʁ]
scarabée [skaʁabe]
submerger [sybmɛʁʒe]
taché [taʃe]
tambouriner [tɑ̃buʁine]
tresse [tʁɛs]
vertige [vɛʁtiʒ]

LEÇON 4
ampleur [ɑ̃plœʁ]
armistice [aʁmistis]
assiduité [asidɥite]
capitulation [kapitylasjɔ̃]
communisme [kɔmynism]
croquis [kʁɔki]
débâcle [debakl]
débarquement [debaʁkəmɑ̃]
déclarer la guerre
 [deklaʁe la gɛʁ]
éloges [elɔʒ]
éminent [eminɑ̃]
entrée en guerre [ɑ̃tʁe ɑ̃ gɛʁ]
grisaille [gʁizaj]
hors normes [ɔʁ nɔʁm]
inédit [inedi]
insouciance [ɛ̃susjɑ̃s]
justesse [ʒystɛs]
lancement [lɑ̃s(ə)mɑ̃]
Libération [libeʁasjɔ̃]
marché noir [maʁʃe nwaʁ]
mérite [meʁit]
minutieux [minysjø]
Occupation [ɔkypasjɔ̃]
protagoniste [pʁɔtagɔnist]
ravitaillement [ʁavitaj(ə)mɑ̃]
réalisme [ʁealism]
reconstitution [ʁəkɔ̃stitysjɔ̃]
Résistance [ʁezistɑ̃s]
romanesque [ʁɔmanɛsk]
Seconde Guerre mondiale
 [səgɔ̃d gɛʁ mɔ̃djal]

Lexique

scrupuleux / scrupuleuse [skrypylø / skrypyløz]
unanimement [ynanim(ə)mã]
vanter [vɑ̃te]

DOSSIER 3

LEÇON 1

absurde [apsyrd]
avant-première [avɑ̃prəmjɛr]
boudé [bude]
cartonner [kartɔne]
cession [sɛsjɔ̃]
clin d'œil [klɛ̃ dœj]
confesser [kɔ̃fese]
consécration [kɔ̃sekrasjɔ̃]
défraîchi [defreʃi]
délire [delir]
dénigrer [denigre]
dénué [denɥe]
dénuement [denymɑ̃]
drame [dram]
éditeur [editœr]
édulcoré [edylkɔre]
enjoué [ɑ̃ʒwe]
ex æquo [ɛgzeko]
exemplaire [ɛgzɑ̃plɛr]
foisonnant [fwazɔnɑ̃]
frisson [frisɔ̃]
gâté [gate]
Hexagone [ɛgzagɔn]
laborieux [labɔrjø]
louanges [lwɑ̃ʒ]
loufoque [lufɔk]
manuscrit [manyskri]
Nobel [nɔbɛl]
notoriété [nɔtɔrjete]
outre-Manche [utrə mɑ̃ʃ]
ouvrage [uvraʒ]
parader [parade]
pléthore [pletɔr]
polar [pɔlar]
présager [prezaʒe]
prisé [prize]
record [rəkɔr]
redorer son blason [rədɔre sɔ̃ blazɔ̃]
réputation [repytasjɔ̃]
rocambolesque [rɔkɑ̃bɔlɛsk]
romancier [rɔmɑ̃sje]
sens de l'humour [sɑ̃s də lymur]
tome [tɔm]
trio de tête [trijo də tɛt]
ultrapopulaire [yltrapɔpylɛr]

LEÇON 2

affable [afabl]
audience [odjɑ̃s]
blagueur / blagueuse [blagœr / lagøz]
camper [kɑ̃pe]
chaîne [ʃɛn]
chuter [ʃyte]
cinéma d'auteur [sinema dotœr]
cinéphile [sinefil]
clownesque [klunɛsk]
consécration [kɔ̃sekrasjɔ̃]
culot [kylo]
diffuser [difyze]
diffusion [difyzjɔ̃]
doublage [dublaʒ]
écran [ekrɑ̃]
élitiste [elitist]
épisode [epizɔd]
héroïne [eroin]
hors du commun [ɔr dy kɔmɛ̃]
incarner [ɛ̃karne]
ligne éditoriale [liɲeditɔrjal]
multiprimé [myltiprime]
prolifique [prɔlifik]
réalisatrice [realizatris]
service public [sɛrvis pyblik]
sous-titrage [sutitraʒ]
sublimé [syblime]
subtil [syptil]
tempérament [tɑ̃peramɑ̃]
touche-à-tout [tuʃatu]
tournage [turnaʒ]
version originale [vɛrsjɔ̃ ɔriʒinal]

LEÇON 3

agencement [aʒɑ̃s(ə)mɑ̃]
art de vivre [ar də vivr]
attachement [ataʃ(ə)mɑ̃]
bistrot [bistro]
brasserie [bras(ə)ri]
comptoir [kɔ̃twar]
contribuable [kɔ̃tribɥabl]
contributeur [kɔ̃tribytœr]
contribution [kɔ̃tribysjɔ̃]
copropriété [kɔprɔprijete]
disposition [dispɔzisjɔ̃]
domaine [dɔmɛn]
édifice [edifis]
en piteux état [ɑ̃ pitø zeta]
entretien [ɑ̃trətjɛ̃]
en ruine [ɑ̃ rɥin]
façade [fasad]
figurer [figyre]
financement [finɑ̃s(ə)mɑ̃]
immatériel [im:aterjɛl]
lien social [ljɛ̃ sɔsjal]
mécénat [mesena]
mécène [mesɛn]
octroyé [ɔktrwaje]
omniprésence [ɔmniprezɑ̃s]
patrimoine [patrimwan]
plan d'investissement [plɑ̃ dɛ̃vɛstis(ə)mɑ̃]
réaménagement [reamenaʒ(ə)mɑ̃]
rénovation [renɔvasjɔ̃]
rescousse [rɛskus]
restauration [rɛstɔrasjɔ̃]
s'abîmer [sabime]
se dégrader [s(ə) degrade]
s'effondrer [sefɔ̃dre]
troquet [trɔkɛ]

LEÇON 4

assumer [asyme]
autocensure [otosɑ̃syr]
censure [sɑ̃syr]
intériorité [ɛ̃terjɔrite]
intrigue [ɛ̃trig]
improviser [ɛ̃prɔvize]
prisé [prize]
profusion [prɔfyzjɔ̃]
quid [kwid]
saison [sɛzɔ̃]
scénariste [senarist]
scène [sɛn]
séquence [sekɑ̃s]
sériephile [serifil]
super-héros [sypɛrero]
suspense [syspɛns]
tant pis [tɑ̃ pi]
téléspectateur [lelespɛktatœr]
visionné [vizjɔne]

DOSSIER 4

LEÇON 1

algorithme [algɔritm]
annonceur [anɔ̃sœr]
bases de données [baz də dɔne]
désactiver [dezaktive]
dispositif [dispɔzitif]
dissident [disidɑ̃]
encadrer [ɑ̃kadre]
espionnage [ɛspjɔnaʒ]
fonctionnalité [fɔ̃ksjɔnalite]
hégémonie [eʒemɔni]
hypersurveillance [ipɛrsyrvɛjɑ̃s]
illusoire [ilyzwar]
impénétrable [ɛ̃penetrabl]
infaillible [ɛ̃fajibl]
intrusif [ɛ̃tryzif]
légitime [leʒitim]
logiciel [lɔʒisjɛl]
malvoyant [malvwajɑ̃]
menacé [mənase]
nuire [nɥir]
piraté [pirate]
plateforme [plat(ə)fɔrm]
profilage [prɔfilaʒ]
reconnaissance faciale [rəkɔnɛsɑ̃s fasjal]
réprimer [reprime]
usurpation d'identité [yzyrpasjɔ̃ didɑ̃tite]
utilisateur [ytilizatœr]
souveraineté [suv(ə)rɛn(ə)te]
vie privée [vi prive]

LEÇON 2

album [albɔm]
aléatoire [aleatwar]
amoncellement [amɔ̃sɛl(ə)mɑ̃]
archiver [arʃive]
confectionner [kɔ̃fɛksjɔne]
déclin [deklɛ̃]
dérive [deriv]
disque dur [diskə dyr]
encombré [ɑ̃kɔ̃bre]
farfelu [farfəly]
fil [fil]
fugace [fygas]
gratuité [gratɥite]
illisible [ilizibl]
indice [ɛ̃dis]
mise à jour [mizaʒur]
n'importe où [nɛ̃pɔrtu]
parader [parade]
quelconque [kɛlkɔ̃k]
renoncement [rənɔ̃s(ə)mɑ̃]
repérer [rəpere]
sauvegarder [sov(ə)garde]
se mettre en veille [s(ə) mɛtrɑ̃ vɛj]
sens de l'orientation [sɑ̃s də lɔrjɑ̃tasjɔ̃]
s'orienter [sɔrjɑ̃te]
stockage [stɔkaʒ]
stocker [stɔke]
submergé [sybmɛrʒe]
tacite [tasit]
trace [tras]

LEÇON 3

adulé [adyle]
application [aplikasjɔ̃]
audience [odjɑ̃s]
calcul [kalkyl]
captiver [kaptive]
clic [klik]
contraste [kɔ̃trast]
déléguer [delege]
désapprendre [dezaprɑ̃dr]
ego [ego]
embellir [ɑ̃bɛlir]
ère [ɛr]
imprimer [ɛ̃prime]
irréversible [irevɛrsibl]
journal intime [ʒurnal ɛ̃tim]
luminosité [lyminɔzite]
mégalomane [megaloman]
mettre en scène [mɛtrɑ̃ sɛn]
multiplication [myltiplikasjɔ̃]
narcissisme [narsisism]
réciter [resite]
s'afficher [safiʃe]

Lexique

saturation [satyrasjɔ̃]
se mettre en avant
 [s(ə) mɛtrãnavã]
sollicité [sɔlisite]
popularité [pɔpylarite]
surdimensionné
 [syrdimãsjɔne]
toile [twal]
visibilité [vizibilite]
zapper [zape]

LEÇON 4

accro [akro]
anxiogène [ãksjɔʒɛn]
avalanche [avalãʃ]
concentration [kɔ̃sãtrasjɔ̃]
débordement [debɔrdəmã]
déconnexion [dekɔnɛksjɔ̃]
déconnecté [dekɔnɛkte]
diaboliser [djabɔlize]
détox [detɔks]
envahir [ãvair]
hiérarchiser [jerarʃize]
malaise [malɛz]
productivité [prɔdyktivite]
réactivité [reaktivite]
reconnecter [rəkɔnɛkte]
remédier [rəmedje]
régulation [regylasjɔ̃]
résolution [rezɔlysjɔ̃]
se débrouiller [s(ə) debruje]
syndrome d'épuisement au travail
 [sɛ̃drom depyiz(ə)mã o travaj]
truffé [tryfe]

DOSSIER 5

LEÇON 1

ablation du sein [ablasjɔ̃ dy sɛ̃]
acte médical [akt(ə) medikal]
alarmant [alarmã]
antécédents [ãtesedã]
antibiotique [ãtibjɔtik]
antimicrobien [ãtimikrɔbjɛ̃]
armoire à pharmacie
 [armwar a farmasi]
bactérien / bactérienne
 [bakterjɛ̃ / bakterjɛn]
cancer [kãsɛr]
décès [desɛ]
désert médical [dezɛr medikal]
diagnostic [diagnɔstik]
effet secondaire
 [efɛ s(ə)gɔ̃dɛr]
enjeu [ãʒø]
enrayer [ãreje]
être dans le rouge
 [ɛtr(ə) dã l(ə) ruʒ]
être sur la sellette
 [ɛtra syr la sɛlɛt]
homéopathie [ɔmeɔpati]
médicament générique
 [medikamã ʒenerik]
mésusage [mezyzaʒ]
microbe [mikrɔb]
molécule [mɔlekyl]
notice [nɔtis]
opération de la prostate
 [ɔperasjɔ̃ də la prɔstat]
ordonnance [ɔrdɔnãs]
patient [pasjã]
payer de sa poche
 [peje d(ə) sa pɔʃ]
peloton de tête [pəlɔtɔ̃ də tɛt]
pharmacopée [farmakɔpe]
prescripteur [prɛskriptœr]
prescription [prɛskripsjɔ̃]
prescrire [prɛskrir]
prise de conscience
 [priz də kɔ̃sjãs]
professionnel de santé
 [prɔfesjɔnɛl də sãte]
réflexe [reflɛks]
rétablissement [retablis(ə)mã]
scanner [skanɛr]
taux de remboursement
 [to d(ə) rãbursəmã]
traitement [trɛt(ə)mã]
transfusion [trãsfyzjɔ̃]
vieillissante [vjejisãt]
virus [virys]

LEÇON 2

automatisme [ɔtɔmatism]
avancée [avãse]
changement des mentalités
 [ʃãʒ(ə)mã de mãtalite]
discriminant [diskriminã]
écriture inclusive
 [ekrityrɛ̃klyziv]
égalité des sexes
 [egalite de sɛks]
féminisation [feminizasjɔ̃]
féminiser [feminize]
grammairien [gramɛrjɛ̃]
graphie [grafi]
implantation [ɛ̃plãtasjɔ̃]
implantée [ɛ̃plãte]
lourdeur [lurdœr]
prédominance [predɔminãs]
s'identifier [sidãtifje]
se répandre [s(ə) repãdr]
terminologie [tɛrminɔlɔʒi]

LEÇON 3

au pouvoir [o puvwar]
baromètre de la confiance
 [barɔmɛtr də la kɔ̃fjãs]
champ électoral [ʃã elɛktɔral]
citoyenneté [sitwajɛn(ə)te]
citoyens [sitwajɛ̃]
classe politique [klas pɔlitik]
consensuel [kɔ̃sãsɥɛl]
défiance [defjãs]
décrié [dekrije]
démocratie d'assemblées
 [demɔkrasi dasãble]
droits de l'homme
 [drwa d(ə) lɔm]
émeute [emøt]
État [eta]
gaulliste [golist]
gouvernement représentatif
 [guvɛrnəmã rəprezãtatif]
héritage [eritaʒ]
homme providentiel
 [ɔm prɔvidãsjɛl]
idéologique [ideɔlɔʒik]
institutionnaliser
 [ɛ̃stitysjɔnalize]
monarchique [mɔnarʃik]
révolutionnaire [revɔlysjɔnɛr]
politologue [pɔlitɔlɔg]
poussée protestataire
 [puse prɔtɛstatɛr]
prise de distance
 [priz də distãs]
scrutin [skrytɛ̃]
tutelle [tytɛl]

LEÇON 4

billetterie [bijɛt(ə)ri]
Coupe du monde [kup dy mɔ̃d]
communion [kɔmynjɔ̃]
croissance [krwasãs]
disproportionné
 [disprɔpɔrsjɔne]
diviser [divize]
drainer [drɛne]
droits télévisuels
 [drwa televizɥɛl]
effusion [efyzjɔ̃]
engouement [ãgumã]
euphorie [øfɔri]
euphorique [øfɔrik]
exaspérante [ɛgzasperãt]
identification [idãtifikasjɔ̃]
incantation [ɛ̃kãtasjɔ̃]
faire débat [fɛr deba]
ferveur [fɛrvœr]
finale [final]
fureur [fyrœr]
libellé [libele]
manne [man]
médiatique [medjatik]
médiatisation [medjatizasjɔ̃]
médiatisé [medjatize]
opium du peuple
 [ɔpjɔm dy pœpl]
passionnel [pasjɔnɛl]
poule aux œufs d'or
 [pulozø dɔr]
rémunérateur [remyneratœr]
revenu [rəv(ə)ny]
supporter [sypɔrte]
syndicat [sɛ̃dika]
terrain de foot [tɛrɛ̃ d(ə) fut]
transfert [trãsfɛr]
tribune [tribyn]
universalité [ynivɛrsalite]
virulent [virylã]

DOSSIER 6

LEÇON 1

actionnaire [aksjɔnɛr]
alternatif [altɛrnatif]
atout [atu]
bénéfices [benefis]
buanderie [bɥãd(ə)ri]
cercle vertueux [sɛrklə vɛrtɥø]
circuit court [sirkɥi kur]
coopérative [kɔɔperativ]
copropriété [kɔprɔprijete]
crèche [krɛʃ]
économie de service
 [ekɔnɔmi d(ə) sɛrvis]
économie sociale et solidaire
 [ekɔnɔmi sɔsjalesɔlidɛr]
emprunt bancaire [ãprɛ̃ bãkɛr]
équité [ekite]
faire des émules [fɛr dezemyl]
filiale [filjal]
financement participatif
 [finãs(ə)mã partisipatif]
fondation [fɔ̃dasjɔ̃]
gouvernance [guvɛrnãs]
intermédiaire [ɛ̃tɛrmedjɛr]
lien social [ljɛ̃ sɔsjal]
locataire [lɔkatɛr]
lucrativité [lykrativite]
mensualité [mãsɥalite]
mutuelle [mytɥɛl]
pallier [palje]
pérenne [perɛn]
performance [pɛrfɔrmãs]
perspective [pɛrspɛktiv]
prévention [prevãsjɔ̃]
prometteur / prometteuse
 [prɔmɛtœr] / prɔmɛtøz]
propriétaire [prɔprijetɛr]
propriété [prɔprijete]
proximité [prɔksimite]
quête de sens [kɛt də sãs]
rentabilité [rãtabilite]
réseau [rezo]
sensibilisation [sãsibilizasjɔ̃]
spéculatif [spekylatif]
transparence [trãsparãs]

LEÇON 2

abeille [abɛj]
abscons [apskɔ̃]
agriculture [agrikyltyr]
artificialisation [artifisjalizasjɔ̃]
bétonné [betɔne]
biodiversité [bjɔdivɛrsite]

Lexique

chaîne alimentaire [ʃɛnalimɑ̃tɛr]
constructeur automobile [kɔ̃stryktœr otɔmɔbil]
crue [kry]
déclin [deklɛ̃]
déforestation [defɔrɛstasjɔ̃]
diesel [djezɛl]
écologie punitive [ekɔlɔʒi pynitiv]
émissions de gaz à effet de serre [emisjɔ̃ də gazaefɛ d(ə) sɛr]
engrais [ɑ̃grɛ]
espèce [ɛspɛs]
estuaire [ɛstɥɛr]
être humain [ɛtrymɛ̃]
émaner [emane]
équipementier [ekip(ə)mɑ̃tje]
essence [esɑ̃s]
extinction [ɛkstɛ̃ksjɔ̃]
faune marine [fon marin]
féconder [fekɔ̃de]
fleuve [flœv]
impact [ɛ̃pakt]
impôt [ɛ̃po]
inondation [inɔ̃dasjɔ̃]
météorite [meteɔrit]
moteur [mɔtœr]
nocif [nɔsif]
pesticides [pɛstisid]
pollinisation [pɔlɔnizasjɔ̃]
réchauffement climatique [reʃof(ə)mɑ̃ klimatik]
singe [sɛ̃ʒ]
surexploitation [syrɛkplwatasjɔ̃]
sylviculture [sivikyltyr]
taxer [takse]
thermique [tɛrmik]
végétaliser [veʒetalize]
volcanique [vɔlkanik]

LEÇON 3

bénévoles [benevɔl]
cautionner [kosjɔne]
conscience [kɔ̃sjɑ̃s]
corruption [kɔrypsjɔ̃]
décompte [dekɔ̃t]
démuni [demyni]
dénoncer [denɔ̃se]
dénombrer [denɔ̃bre]
dysfonctionnement [disfɔ̃ksjɔn(ə)mɑ̃]
évasion fiscale [evazjɔ̃ fiskal]
exclusion [ɛksklyzjɔ̃]
fraude [frod]
hébergement [ebɛrʒəmɑ̃]
laboratoire pharmaceutique [labɔratwar farmasøtik]
lancer l'alerte [lɑ̃se lalɛrt]
lanceur d'alerte [lɑ̃sœr dalɛrt]
liberté d'expression [libɛrte dɛkspresjɔ̃]
loi [lwa]

maraude [marod]
opération coup-de-poing [ɔperasjɔ̃ kudəpwɛ̃ / kutpwɛ̃]
paria [parja]
plan d'actions [plɑ̃daksjɔ̃]
sans-abri [sɑ̃zabri]
sans-abrisme [sɑ̃zabrism]
sceptique [sɛptik]
soupe populaire [sup pɔpylɛr]
statut [staty]
urgence [yrʒɑ̃s]

LEÇON 4

antenne [ɑ̃tɛn]
audimat [odimat]
bagnole [baɲɔl]
chaîne du froid [ʃɛn dy frwa]
démoder [demɔde]
déplaire [deplɛr]
dépôt [depo]
doper [dɔpe]
droguer [drɔge]
frigo [frigo]
frustré [frystre]
gaspillage alimentaire [gaspijaʒ alimɑ̃tɛr]
inattaquable [inatakabl]
jargon [ʒargɔ̃]
marque [mark]
panel [panɛl]
plat cuisiné [pla kɥizine]
perversion [pɛrvɛrsjɔ̃]
posthume [pɔstym]
publicitaire [pyblisitɛr]
retors [rətɔr]
retraits [rətrɛ]
sacerdoce [sasɛrdɔs]
sondage [sɔ̃daʒ]
surconsommation [syrkɔ̃sɔmasjɔ̃]
traiteur [trɛtœr]

DOSSIER 7

LEÇON 1

abrupt [abrypt]
atténuateur [atenɥatœr]
batterie de tests [bat(ə)ri də tɛst]
cognitive [kɔɲitiv]
conflit d'intérêts [kɔ̃fli dɛ̃terɛ]
conseiller d'orientation [kɔ̃sɛje dɔrjɑ̃tasjɔ̃]
cursus [kyrsys]
déclic [deklik]
désapprobation [dezaprɔbasjɔ̃]
détective privé [detɛktiv prive]
distinction [distɛ̃ksjɔ̃]
distinguer [distɛ̃ge]
échec [eʃɛk]

école de commerce [ekɔl də kɔmɛrs]
favoritisme [favɔritism]
humiliant [ymiljɑ̃]
intégré [ɛ̃tegre]
intensificateur [ɛ̃tɑ̃sifikatœr]
maîtresse [mɛtrɛs]
management interculturel [manaʒ(ə)mɑ̃ ɛ̃tɛrkyltyrɛl]
minimiser [minimize]
oser [oze]
patron [patrɔ̃]
pragmatique [pragmatik]
rebondir [rəbɔ̃dir]
se lancer [s(ə) lɑ̃se]
se plaindre [s(ə) plɛ̃dr]
siège [sjɛʒ]

LEÇON 2

analytique [analitik]
atypique [atipik]
audit [odit]
cible [sibl]
collaborateur [kɔlabɔratœr]
compétence comportementale [kɔ̃petɑ̃s kɔ̃pɔrtəmɑ̃tal]
déferlante [defɛrlɑ̃t]
embaucher [ɑ̃boʃe]
embûche [ɑ̃byʃ]
enclin [ɑ̃klɛ̃]
épanoui [epanwi]
errance [ɛrɑ̃s]
évaluation [evalɥasjɔ̃]
expertise [ɛkspɛrtiz]
fondateur [fɔ̃datœr]
grande école [grɑ̃dekɔl]
norme [nɔrm]
obsolète [ɔpsɔlɛt]
parcours [parkur]
potentiel [pɔtɑ̃sjɛl]
prédictif [prediktif]
prédiction [prediksjɔ̃]
prédire [predir]
profil [prɔfil]
ressort [rəsɔr]
ressources humaines [rəsursəzymɛn]
s'autoévaluer [sotoevalɥe]
savoir-faire [savwarfɛr]
se singulariser [sə sɛ̃gylarize]
singularité [sɛ̃gylarite]
tâche [taʃ]

LEÇON 3

antiphrase [ɑ̃tifraz]
boîte vocale [bwat vɔkal]
comportement [kɔ̃pɔrtəmɑ̃]
cordialement [kɔrdjal(ə)mɑ̃]
cornélien [kɔrneljɛ̃]
crédibilité [kredibilite]
débordé [debɔrde]
déplacé [deplase]

euphémisme [øfemism]
formule ampoulée [fɔrmylɑ̃pule]
formule de politesse [fɔrmyl də pɔlitɛs]
humilier [ymilje]
inefficacité [inefikasite]
litote [litɔt]
omission [ɔmisjɔ̃]
propos [prɔpo]
se venger [s(ə) vɑ̃ʒe]
tempérer [tɑ̃pere]

LEÇON 4

aliénant [aljenɑ̃]
aliénation [aljenasjɔ̃]
automatisation [otɔmatizasjɔ̃]
cabinet [kabinɛ]
convivialité [kɔ̃vivjalite]
désœuvré [dezœvre]
dirigeant [diriʒɑ̃]
droit de la propriété intellectuelle [drwa də la prɔprijete ɛ̃tɛlɛktɥɛl]
droit des affaires [drwa dezafɛr]
droit des sociétés [drwa de sɔsjete]
droit fiscal [drwa fiskal]
encenser [ɑ̃sɑ̃se]
éventualité [evɑ̃tɥalite]
factice [faktis]
hospitalité [ɔspitalite]
impliqué [ɛ̃plike]
intelligence artificielle [ɛ̃teliʒɑ̃sartifisjɛl]
lassitude [lasityd]
oisif [wazif]
oisiveté [waziv(ə)te]
profession libérale [prɔfesjɔ̃ liberal]
raréfaction [rarefaksjɔ̃]
remplaçable [rɑ̃plasabl]
rentier [rɑ̃tje]
restructuration [rəstryktyrasjɔ̃]
sous-payé [supeje]
transversal [trɑ̃svɛrsal]
travail à domicile [travajadɔmisil]
valeur ajoutée [valœraʒute]

DOSSIER 8

LEÇON 1

adaptabilité [adaptabilite]
classement [klas(ə)mɑ̃]
collège [kɔlɛʒ]
coopération [kɔɔperasjɔ̃]
cours magistral [kur maʒistral]
domination [dɔminasjɔ̃]
écrémage [ekremaʒ]

Lexique

effort [efɔr]
élaborer [elabɔre]
épanouissement
  [epanwis(ə)mɑ̃]
équipement numérique [ekip(ə)mɑ̃ nymerik]
estrade [ɛstrad]
établissement [etablis(ə)mɑ̃]
excellence [ɛksɛlɑ̃s]
expérimentale [ɛkperimɑ̃tal]
fédéré [federe]
fondamentaux [fɔ̃damɑ̃to]
immuable [imyabl]
lycée professionnel
  [lyse prɔfesjɔnɛl]
optimal [ɔptimal]
passivité [pasivite]
pertinent [pɛrtinɑ̃]
pilier [pilje]
prôner [prone]
proxémie [prɔksemi]
raisonnements [rɛzɔn(ə)mɑ̃]
réforme [refɔrm]
refuge [rəfyʒ]
revaloriser [rəvalɔrize]
rigueur [rigœr]
se calquer [s(ə) kalke]
transposer [trɑ̃spoze]

LEÇON 2

accélérer [akselere]
accentuation [aksɑ̃tyasjɔ̃]
à la traîne [a la trɛn]
anecdotique [anɛkdɔtik]
appréhender [apreɑ̃de]
apprenant [aprənɑ̃]

bilingue [bilɛ̃g]
Cadre européen commun pour l'enseignement des langues
  [kadrørɔpeɛ̃ kɔmɛ̃ pur lɑ̃sɛɲəmɑ̃ de lɑ̃g]
centralisation [sɑ̃tralizasjɔ̃]
classé [klase]
contre-productif
  [kɔ̃trə prɔdyktif]
date charnière [dat ʃarnjɛr]
déterminisme [detɛrminism]
diction [diksjɔ̃]
enseignement précoce
  [ɑ̃sɛɲəmɑ̃ prekɔs]
insistance [ɛ̃sistɑ̃s]
maîtrise [mɛtriz]
manuel scolaire
  [manɥɛl skɔlɛr]
monolingue [mɔnɔlɛ̃g]
orthophonie [ɔrtɔfɔnist]
phonologie [fɔnɔlɔʒi]
plurilingue [plyrilɛ̃g]
préconiser [prekɔnize]
s'affranchir [safrɑ̃ʃir]
sensibiliser [sɑ̃sibilize]
sonorité [sɔnɔrite]
stratégie [strateʒi]
tonalité [tɔnalite]
voix [vwa]
voyelle [vwajɛl]

LEÇON 3

accès [aksɛ]
accomplissement
  [akɔ̃plis(ə)mɑ̃]

artisan commerçant
  [artizɑ̃ kɔmɛrsɑ̃]
autodidacte [otɔdidakt]
autodidaxie [otɔdidaksi]
baccalauréat [bakalorea]
bachelier [baʃəlje]
bagage académique
  [bagaʒakademik]
brevet des collèges
  [brəvɛ de kɔlɛʒ]
cadre [kadr]
caduc [kadyk]
cahiers [kaje]
calculette [kalkylɛt]
cancre [kɑ̃kr]
cocher [kɔʃe]
colle [kɔl]
déclassement [deklas(ə)mɑ̃]
employable [ɑ̃plwajabl]
enseignement supérieur
  [ɑ̃sɛɲəmɑ̃ syperjœr]
filière [filjɛr]
garantir [garɑ̃tir]
gentrification [ʒɑ̃trifikasjɔ̃]
impeccablement [ɛ̃pekabləmɑ̃]
méritocratique [meritokratik]
multinationale [myltinasjɔnal]
négociable [negɔsjabl]
opérationnel [ɔperasjɔnɛl]
orienter [ɔrjɑ̃te]
pitoyable [pitwajabl]
reconversion [rəkɔvɛrsjɔ̃]
sanctionner [sɑ̃ksjɔne]
sésame [sezam]
surdiplômé [syrdiplome]
titre professionnel
  [titr prɔfesjɔnɛl]

titulaire [tityler]
trousse [trus]
validation des acquis de l'expérience
  [validasjɔ̃ dezaki də lɛksperjɑ̃s]
valorisant [valɔrizɑ̃]
voie de garage [vwa də garaʒ]

LEÇON 4

accessible [aksesibl]
angle [ɑ̃gl]
campus [kɑ̃pys]
clubs sociaux [klœb sɔsjo]
communautaire [kɔmynotɛr]
dialectique [djalɛktik]
dictée [dikte]
dissertation [disɛrtasjɔ̃]
écolier [ekɔlje]
fraternité [fratɛrnite]
homologue [ɔmɔlɔg]
interaction [ɛ̃tɛraksjɔ̃]
lycéen [liseɛ̃]
plume [plym]
retraité [rətrɛte]
sciences politiques
  [sjɑ̃s pɔlitik]
semaine d'intégration
  [səmɛn dɛ̃tegrasjɔ̃]
semestre [səmɛstr]
se tromper [sə trɔ̃pe]
sororité [sɔrɔrite]
synthèse [sɛ̃tɛz]